W9-ABE-300

MANUAL DE BIBLIOGRAFÍA ESPAÑOLA DE TRADUCCIÓN E INTERPRETACIÓN

Diez años de historia: 1985-1995

Fernando Navarro Domínguez

MANUAL DE BIBLIOGRAFÍA ESPAÑOLA DE TRADUCCIÓN E INTERPRETACIÓN

Diez años de historia: 1985-1995

UNIVERSIDAD DE ALICANTE

NAVARRO DOMINGUEZ, Fernando
Manual de bibliografía española de traducción e interpretación: diez años de historia: 1985-1995 / Fernando Navarro Domínguez.- Alicante: Universidad de Alicante, Publicaciones, 1996.
317 pp.; 24 cm.
ISBN: 84-7908-302-6
1. Traducción e interpretación - España - Historia - Bibliografías I Universidad de Alicante, Publicaciones, ed. II Título.
82.033 (460) "1985-1995" (01)
82.035 (460) "1985/95" (01)
016: 82.033 (460) "1985/95"
016: 82.035 (460) "1985/95"

Publicaciones de la Universidad de Alicante, 1996
I.S.B.N.: 84-7908-302-6
Depósito Legal: A-1266-1996
Fotocomposición e impresión: Gráficas Antar, S.L. - Alicante

ÍNDICE

aan Moeder,
aan Vader, in herinnering,
- een blijk van dankbaarheid

PRESENTACIÓN

El Manual de Bibliografía Española de Traducción e Interpretación: Diez años de Historia (1985-1995) recoge la mayor parte de la producción investigadora en España en estos campos. El interés por estos Estudios en nuestro país es tan fuerte y la valoración social de los mismos es tan importante que las Universidades Españolas han tenido que abrir sus puertas a cientos de alumnos que reclaman una formación específica en el campo traductológico e interpretativo. Las dos primeras Facultades de Traducción de Barcelona (1978) y Granada (1979) han quedado pequeñas para acoger a tantos estudiantes. La entrada de España en la Comunidad Europea en 1986 ha sido el motor de arranque para la implantación generalizada de esta clase de estudios en toda la geografía. Hoy son diez Universidades Públicas y cuatro Privadas las que imparten estos estudios y la inquietud del profesorado y de los profesionales se ha manifestado en el campo investigador con tal furia que se han celebrado más de treinta Congresos, Coloquios, Jornadas, etc. en estos diez últimos años para reflexionar sobre estos temas.

Con el deseo de poner en manos de todos los estudiosos una guía orientativa de la producción investigadora que han protagonizado las Universidades españolas y diversas Instituciones privadas hemos elaborado este trabajo. Para ello hemos procedido de la forma siguiente:

Hemos censado la totalidad de los artículos recogidos en las ocho grandes revistas periódicas de traducción y algunos números especiales de revistas no dedicadas a la traducción pero que han dedicado un número especial al tema, con artículos de fecha anterior a la de 1985.

Hemos procedido a procesar la totalidad de las ponencias, comunicaciones, conferencias de los Coloquios, Congresos, Encuentros y Jornadas sobre Traducción e Interpretación celebradas durante este decenio en España siempre que las Actas estén publicadas o tengamos conocimiento de los resúmenes de las ponencias presentadas. Son pues veinte y ocho el número de Actas publicadas y un millar largo los artículos recogidos.

Hemos procedido al examen de todos los libros publicados en España sobre estas materias y hemos valorado la utilidad de los mismos en los distintos campos de estudio.

Finalmente hemos intentado ofrecer un listado, lo más amplio posible, de las Tesis Doctorales defendidas en las diferentes Universidades del país en los últimos diez años. La difusión de este tipo de trabajos es lenta, difícil y limitada, es decir, poco numerosa, por esta razón hemos recogido algunos trabajos anteriores a 1985, a veces de Lingüística Contrastiva y no específicamente de Traducción.

En este Repertorio de Estudios sobre Traducción e Interpretación no hemos incluido aquellos otros sobre Traducciones de obras lingüísticas, literarias, técnicas, etc. La producción es muy numerosa y no era éste el objetivo marcado para esta primera publicación. Nos hemos interesado por la producción investigadora, los aspectos teóricos y didácticos y todo aquello que contribuya a realizar mejor el trabajo en estos campos. Puede, sin embargo, aparecer algún artículo sobre traducciones pero éstas suelen estar comentadas y se refieren a comunicaciones en Congresos, Coloquios, etc. o artículos en Revistas de Traducción.

Nuestro trabajo no recoge las publicaciones de Revistas y Libros publicados en vasco, gallego o catalán e España, eso no impide que el lector pueda encontrarse con artículos en catalán, gallego o en vasco publicados en Coloquios, Congresos o Simposios celebrados en España (éstos si los hemos recogido) y con algunos libros sobre traducción publicados en catalán. Esperamos que en una próxima publicación podamos dar cuenta del repertorio de publicaciones en estas lenguas, en un buen número de artículos. Tampoco recogemos los artículos aparecidos en la prensa diaria.

El manual incluye también trabajos aparecidos en Actas de Congresos y Coloquios no específicos del campo de la traducción así como artículos publicados en Revistas o Libros no específicos del campo que nos ocupa. En este apartado se produce una importante laguna debido a la dificultad de realizar una consulta exhaustiva de estas publicaciones. Confiamos que, en próximas publicaciones, podamos llenar este vacío y agradecemos anticipadamente cuantas referencias puedan hacernos llegar nuestros colegas.

Toda clase de trabajos tienen sus limitaciones y el nuestro también. Creemos que hemos podido recoger en nuestro Manual la mayor parte de la producción investigadora o divulgativa de las particularidades de esta clase de estudios en España pero el corpus seguirá abierto para poder recensar la totalidad de la producción de esta década y mejorar el servicio que deseamos prestar a la colectividad universitaria, a los profesionales de la Traducción e Interpretación y a cuantos se sientan interesados por estos temas.

Fernando Navarro Domínguez
Universidad de Alicante
25 de Abril de 1996

1. ÍNDICE DE MATERIAS

ASPECTOS PROFESIONALES

Alarcón Navío, E. (1988): "La traducción en los organismos internacionales". Actas del VI Congreso Nacional de Lingüística Aplicada (AESLA), Santander, Abril 1988: *Adquisición de Lenguas: Teorías y Aplicaciones*, publicadas por T. Labrador Gutiérrez, R.M. Sainz de la Maza, R. Viejo García (1989). Universidad de Cantabria, p. 101-106.

Alarcón Navío, E. (1990): "Traducción y pragmatismo en las Comunidades Europeas". II Encuentros Complutenses sobre la Traducción, Madrid 1988. Actas publicadas con el mismo nombre en 1990. Public. de la Univ. Complutense de Madrid, p. 381-386.

Alonso Madero, A. (1994): "Problemas y perspectivas de la comunicación por escrito en las Comunidades Europeas". IV Encuentros Complutenses sobre la Traducción, Madrid 1992. Actas publicadas con el mismo nombre en 1994. Public. de la Universidad Complutense de Madrid, p. 611-618.

Alou, D. (1995): "Elogio del traductor". *Quimera* 140-141, p. 66-67.

Alvarez de la Rosa, A. (1986): "El escritor es un traductor". *Revista de Filología* 5, La Laguna, p. 129-133.

Alvarez de la Rosa, A. (1995): "Escribir antes que traducir". III Coloquio de la APFFUE, Barcelona 1995. Actas publicadas por F. Lafarga, A. Ribas, M. Tricas (1995): *La Traducción. Metodología, Historia, Literatura, Ambito hispanofrancés*. Barcelona, PPU, p. 177-181.

Alvarez, E. (1995): "Traductor. En libertad controlada". *Vasos Comunicantes* 5, p. 38-45.

Andrés Martín, M. (1989): "En torno a la teoría del traductor en España a principios del siglo XVI". *Carthaginensia* V, 7-8, p. 101-103.

Antolín Rato, M. (1994): "El traductor como hombre invisible". *Vasos Comunicantes* 2, p. 10-22.

Arias Torres, J.P. (1993): "Abenházan y Asin Palacios: Un posible método para la determinación de la labor del traductor". *Livius*, 4 (1993), p. 25-38.

Arias, V. (1995): "A traducción no proceso cara á normalización cultural de Galicia". I Simposio Galego de Traducción. Vigo 1995. Actas publicadas como Anexo de la Revista de Traducción *Viceversa*. Facultad de Traducción de la Universidad de Vigo, 1995, p. 73-80.

Arranz, J.C. (1989): "Estudios de licenciatura en traducción técnica en la Universidad de Hildesheim". *Revista Hispanorama* 53, 1989, p. 143-148.

Barjau, E. (1994): "De cómo un traductor se convirtió en actor (y de cómo le fue)". *Vasos comunicantes* 3, p. 11-32.

Benedetti, M. (1982): "Las tareas del escritor latinoamericano en el exilio". *Cuadernos de Traducción e Interpretación*, 1, 1982, p. 99-110.

Benítez, E. (1992): "La situación del traductor profesional (en España)". I Curso Superior de Traducción Inglés-Español, Valladolid 1992. Textos publicados por P. Fernández Nistral (ed.) (1992): *Estudios de Traducción*. Public. del ICE de la Universidad de Valladolid, p. 23-32.

Benítez, E. (1992): *Diccionario de traductores*. Madrid: Fundación Sánchez Ruiperez, Biblioteca del Libro nº 50..

Benítez, E. (1993): "El traductor literario". *Letra Internacional* 30/31, 1993, p. 39-44.

Benítez, E. (1994): "24 horas en la vida de un traductor". II Curso Superior de Traducción Inglés-Español, Valladolid 1993. Textos publicados por P. Fernández Nistral (ed.) (1994): *Aspectos de la traducción Inglés-Español*. Public. del ICE de la Univ. de la Universidad de Valladolid, p. 43-54.

Benítez, E. (1994): "En torno al copyright". *Vasos Comunicantes* 2, p. 23-30.

Benítez, E. (1994): "La situación profesional del traductor en España". IV Encuentros Complutenses sobre la Traducción, Madrid 1992. Actas publicadas con el mismo nombre en 1994. Public. de la Universidad Complutense de Madrid, p. 619-628.

Bensoussan, A. (1991): "El traductor en la noche oscura del sentido". Coloquio Traducción y Adaptación Cultural España-Francia, Oviedo 1990. Actas publicadas en 1991 por M.L. Donaire, F. Lafarga: *Traducción y Adaptación cultural España-Francia*. Public. de la Universidad de Oviedo, p. 13-14.

Bergmann, H. (1994): "Las dificultades actuales del traductor independiente en el mercado de la traducción". IV Encuentros Complutenses sobre la Traducción, Madrid 1992. Actas publicadas con el mismo nombre en 1994. Public. de la Universidad Complutense de Madrid, p. 629-636.

Bergsma, P. (1994): "La fundación para la literatura holandesa". *Vasos Comunicantes* 2, p. 80-83.

Calzada Pérez, A. (1993): "Walter Benjamin y la Tarea del traductor". *Sendebar*, vol. 4, 1993, p. 187-192.

Canut i Farré, C. (1991): "Traducción o bilingüismo sempruniano". Coloquio Traducción y Adaptación Cultural España-Francia, Oviedo 1990. Actas publicadas en 1991 por M.L. Donaire, F. Lafarga: *Traducción y Adaptación cultural España-Francia*. Public. de la Universidad de Oviedo, p. 329-336.

Carrera de la Red, A. (1993): "El papel del traductor como lector y ante el lector". Actas del XI Congreso Nacional de Lingüística Aplicada (AESLA), Valladolid 1993, publicadas por J.M. Ruiz Ruiz, P. Sheerin Nolan, E. González - Cascos (1995). Universidad de Valladolid, p. 181-184.

Carro Marina, L. (1989): "La política lingüística de los nuevos Estados Unidos de Europa: Visión sesgada de un filólogo". I Jornadas Nacionales de Historia de la Traducción, León 1987. Actas publicadas por J.C. Santoyo, R. Rabadán, T. Guzmán, J.L. Chamosa (1987) *Fidus interpres*, vol. 1 y (1989) *Fidus Interpres*, vol. 2. Public. de la Universidad de León, vol. II, p. 292-298.

Cruz-Rosón Fiorentino, M.F. (1988): "Italia: situación e integración en el mercado laboral de los licenciados en traducción e interpretación". Jornadas europeas de traducción e interpretación, Granada 1987. *Actas de las Jornadas Europeas de Traducción e Interpretación* (1988). Public. de la Universidad de Granada, p. 71-78.

Cuesta, L.A. (1992): "Intérpretes y traductores en el descubrimiento y conquista del nuevo mundo". II Jornadas Nacionales de Historia de la Traducción, León 1990. Actas publicadas en la revista *Livius* nº 1 y 2, 1992. Public. de la Universidad de León, vol. I, p. 25-34.

Domínguez, A. (1988): "La traducción española de filósofos modernos". Jornadas de Traducción, Ciudad Real 1986. Actas publicadas en 1986 con el título de *Actas de las Jornadas de Traducción*. Public. de la Fac. de Letras de la Universidad de Castilla-La Mancha, p. 169-178.

Eguiluz, F. (1991): "Reflexiones en torno a la labor del traductor". *Miscel.lània Homenatge Enrique Garcia Díez*. Publ. por A. López García, E. Rodríguez Cuadros (eds.), Universidad de Valencia, p. 321-328.

Escobar, J. (1993): "Aproximación a la situación actual de la traducción y la interpretación. Indice Sinóptico del Informe elaborado para el Instituto Cervantes". *Gaceta de la Traducción*, nº 1, jun. 1993, p. 123-132.

Escobar, J. (1995): "El pozo de Babel". *Cuadernos Cervantes de la Lengua Española* 1, p. 46-48.

Escobar, J. (1995): "El pozo de Babel: Hogares para la traducción". *Cuadernos Cervantes de la Lengua Española* 2, p. 62-64.

Estévez Eguiagaray, C. (1995): "La colaboración con profesionales de los campos específicos de la traducción especializada". VI Encuentros Complutenses sobre la Traducción, Madrid 1995. Actas en prensa.

Fernández Miranda, E. (1990): "La traducción en la Comisión de las Comunidades Europeas". II Encuentros Complutenses sobre la Traducción, Madrid 1988. Actas publicadas con el mismo nombre en 1990. Public. de la Univ. Complutense de Madrid, p. 387-391.

Fernández Miranda, E. (1994): "Consecuencias lingüísticas de la entrada de España en la Comunidad Europea". IV Encuentros Complutenses sobre la Traducción, Madrid 1992. Actas publicadas con el mismo nombre en 1994. Public. de la Universidad Complutense de Madrid, p. 601-610.

Fernández Miranda, E. (1995): "El multilingüismo en Europa". V Encuentros Complutenses sobre la Traducción, Madrid 1994. Actas publicadas con el mismo nombre en 1995. Public. de la Univ. Complutense de Madrid, p. 269-272.

Fernández Murga, F. (1989): "La traducción de autores italianos: historia y problemas". *Actas del VI Simposio de la Sociedad Española de Literatura General y Comparada* (13-15 marzo 1986). Actas publicadas por J. Paredes Nuñez, A. Soria Olmedo (1989), Granada, Publicaciones de la Universidad, p. 313-320.

Florido Mayor, I. (1994): "Nuevas salidas profesionales para el traductor/intérprete: nuevas exigencias de formación y especialización". I Jornadas Internacionales de Traducción e Interpretación: Tendencias actuales, Las Palmas de Gran Canaria 1994. Actas en prensa.

Florido Mayor, I. (1995): "Un ensayo para nuevas salidas profesionales para el traductor-intérprete. Nuevas exigencias de formación y especialización". *Revista de Lenguas para fines específicos* 2, p. 117-125.

Francisco Blanco, M. de. (1988): "Problemas de la traducción en los organismos internacionales". Jornadas europeas de traducción e interpretación, Granada 1987. *Actas de las Jornadas Europeas de Traducción e Interpretación* (1988). Public. de la Universidad de Granada, p. 87-92.

Frei, C. (1995): "¿Traducciones para lectores o lectores para traducciones?". VI Encuentros Complutenses sobre la Traducción, Madrid 1995. Actas en prensa.

Gallardo San Salvador, N; Kelly, D; Martínez Rivera, L; Seibel, C. (1988): "La reforma de los planes de estudios para la formación de traductores y el mercado de trabajo". Jornadas europeas de traducción e interpretación, Granada 1987. *Actas de las Jornadas Europeas de Traducción e Interpretación* (1988). Public. de la Universidad de Granada, p. 93-96.

García Martínez, F. (1993): "Los mesías de Qumrán: problemas de un traductor". *Sefarad* 53/2, 1993, p. 345-360.

García Reina, S. (1994): "¿Lealtad para qué? Reflexiones en torno a la ética de la traducción y la moralidad del traductor". I Jornadas Internacionales de Traducción e Interpretación: Tendencias actuales, Las Palmas de Gran Canaria 1994. Actas en prensa.

García Yebra, V. (1985): *Traducción y enriquecimiento de la lengua del traductor*. Discurso de ingreso en la Real Academia Española. Madrid, RAE.

García Yebra, V. (1995): "La responsabilidad del traductor ante su propia lengua". V Encuentros Complutenses sobre la Traducción, Madrid 1994. Actas publicadas con el mismo nombre en 1995. Public. de la Univ. Complutense de Madrid, p. 629-640.

Gargatagli, A. (1995): "La invención del lector". V Encuentros Complutenses sobre la Traducción, Madrid 1994. Actas publicadas con el mismo nombre en 1995. Public. de la Univ. Complutense de Madrid, p. 319-326.

Garrido, X.M; Luna, A. (1995): "El Traductor: un agente de normalización lingüística en las lenguas minorizadas". VI Encuentros Complutenses sobre la Traducción, Madrid 1995. Actas en prensa.

González Fisac, J. (1994): "La violencia de la traducción: apuntes para la lectura de *Die Aufgabe des Übersetzers* de Walter Benjamin". IV Encuentros Complutenses sobre la Traducción, Madrid 1992. Actas publicadas con el mismo nombre en 1994. Public. de la Universidad Complutense de Madrid, p. 75-84.

González Fisac, J. (1995): "La traducción como modo de ser el hombre en el lenguaje (apuntes para la lectura de *Die Aufgabe des Übersetzers*)". V Encuentros Complutenses sobre la Traducción, Madrid 1994. Actas publicadas con el mismo nombre en 1995. Public. de la Univ. Complutense de Madrid, p. 333-340.

Hart, M; Sarmiento Pérez, M. (1992): "El Traductor: un esquizofrénico sano". Actas del II Congreso Internacional de la Sociedad de Didáctica de la

Lengua y la Literatura, Las Palmas de Gran Canaria 1992, publicadas por A. Delgado y F. Menéndez (1992), nº 3 de la revista *El Guiniguada*, p. 365-372.

Harvey, S. (1992): "The Changing Perspective of Translation in New Zealand". Actas publicadas por Parcerisas, F. (ed.) (1995): *Actes del I Congrès Internacional sobre Traducció* (abril 1992). Publicacions de l'Universitat Autónoma de Barcelona, p. 493-500.

Hernández Guerrero, M.J. (1994): "El protagonismo del traductor literario". I Encuentro Interdisciplinar de Teoría y Práctica de la Traducción, Cádiz 1993. *Reflexiones sobre la Traducción*. Actas publicadas por L. Charlo Brea (1994). Public. de la Universidad de Cádiz, p. 317-324.

Hernández Sacristán, C. (1994): "Traducción natural, traducción profesional: naturaleza del traducir". *Traducción y Contraste Lingüístico-Cultural*. Valencia 1994, UIMP, vol. II, p. 18-47.

Hurtado Albir, A. (1994): "Perspectivas de los Estudios sobre la Traducción". I Jornades sobre la Traducció, Castelló 1993. Actas publicadas por A. Hurtado Albir (1994) *Estudis sobre la Traducció*. Public. de la Universitat Jaume I de Castelló, p. 25-42.

Iovenco, V. (1994): "Determinantes de las actividades comunicativas del traductor". I Jornadas Internacionales de Traducción e Interpretación: Tendencias actuales, Las Palmas de Gran Canaria 1994. Actas en prensa.

Jihad, K. (1993): "Traducción y locura". *Letra Internacional* 30/31, 1993, p. 48-50.

Kreutzer, M. (1994): "El traductor, ¿un simple mediador entre idiomas y culturas? Reflexiones sobre la responsabilidad del traductor". I Jornadas Internacionales de Traducción e Interpretación: Tendencias actuales, Las Palmas de Gran Canaria 1994. Actas en prensa.

Lamberger, H. (1994): "The question of copyright and its impact on interpretation research - basic considerations". I Jornadas Internacionales de Traducción e Interpretación: Tendencias actuales, Las Palmas de Gran Canaria 1994. Actas en prensa.

Lanero Fernández, J.J; Villoria Andreu, S. (1992): "El traductor como censor en la España del siglo XIX: el caso de William H. Prescott". II Jornadas Nacionales de Historia de la Traducción, León 1990. Actas publicadas en la revista *Livius* nº 1 y 2, 1992. Public. de la Universidad de León, vol. I, p. 111-122.

Lécrivain, C. (1994): "Escribir/traducir: dos vertientes de una misma práctica creativa". I Encuentro Interdisciplinar de Teoría y Práctica de la

Traducción, Cádiz 1993. *Reflexiones sobre la Traducción*. Actas publicadas por L. Charlo Brea (1994). Public. de la Universidad de Cádiz, p. 325-336.

León, M. (1994): "Situación y perspectivas profesionales de los traductores e intérpretes de alemán en España". J. Agustín (ed.) (1994): *Traducción, Interpretación, Lenguaje*. Madrid, Cuadernos del tiempo libre, Colección Expolingua, Publicaciones: Fundación Actilibre, p. 91-106.

López Burgos, M.A; Olivares, R. (1995): "Aportaciones del traductor a la Literatura de Viajes". VI Encuentros Complutenses sobre la Traducción, Madrid 1995. Actas en prensa.

Lorenzo Criado, E. (1988): "Sobre las malas traducciones". Jornadas de Traducción, Ciudad Real 1986. Actas publicadas en 1986 con el título de *Actas de las Jornadas de Traducción*. Public. de la Fac. de Letras de la Universidad de Castilla-La Mancha, p. 9-18.

Marizzi, B. (1990): "Centros de formación de traductores e intérpretes en Austria y Alemania Federal". II Encuentros Complutenses sobre la Traducción, Madrid 1988. Actas publicadas con el mismo nombre en 1990. Public. de la Univ. Complutense de Madrid, p. 231-236.

Marrocco-Maffei, G.L. (1994): "La responsabilidad de la Traducción". Jornadas sobre Trasvases Culturales: Literatura, Cine, Traducción (20-22 mayo 1993). Actas publicadas por F. Eguiluz (1994). Vitoria, Public. de la Univ. del País Vasco, p. 313-321.

Martínez Mélis, N. (1983): "Traduction Poétique: la quête d'une expérience". *Cuadernos de Traducción e Interpretación*, 3, 1983, p. 161-167.

Martínez-Lage, M. (1993): "Partitura para dos ejecutantes". *Letra Internacional* 30/31, 1993, p. 55-62.

Martínez-Lage, M. (1994): "Situaciones, II: El traductor literario". *Vasos comunicantes* 3, p. 65-69.

Martínez-Lage, M. (1995): "Una apuesta obligada. Esbozo de un libro blanco de la traducción". *Vasos Comunicantes* 4, p. 29-33.

Mata, C. (1992): "Ser traductor literario". *Idiomas*, 11, 1992, p. 16-18.

Merino Alvarez, R. (1992): "Profesión: adaptador". II Jornadas Nacionales de Historia de la Traducción, León 1990. Actas publicadas en la revista *Livius* nº 1 y 2, 1992. Public. de la Universidad de León, vol. I, p. 85-98.

Morance Verdegay, S. (1995): "Traducción y traductores en la Administración pública". VI Encuentros Complutenses sobre la Traducción, Madrid 1995. Actas en prensa.

Muñiz Castro, E.-G. (1988): "La Unesco y la situación de la traducción y de los traductores en Iberoamérica". Jornadas europeas de traducción e interpretación, Granada 1987. *Actas de las Jornadas Europeas de Traducción e Interpretación* (1988). Public. de la Universidad de Granada, p. 153-170.

Navarro Errasti, M.P. (1988): "Traducir anglosajón". *Estudios Ingleses de la Univ. Complutense* 16, 1988, p. 239-245.

Neunzig, W. (1994): "El traductor en su laberinto - Una reflexión sobre el papel del traductor en la comunicación bilingüe". I Jornadas Internacionales de Traducción e Interpretación: Tendencias actuales, Las Palmas de Gran Canaria 1994. Actas en prensa.

Orzeszek, A. (1992): "Traductor literario: esbozos para un retrato". Actas publicadas por Parcerisas, F. (ed.) (1995): *Actes del I Congrès Internacional sobre Traducció* (abril 1992). Publicacions de l'Universitat Autónoma de Barcelona, p. 655-660.

Parcerisas, F. (1995): "Traducció, edició, ideologia". II Jornades sobre la Traducció, Castelló 1994. Actas publicadas por J. Marco Burillo (1995) *La traducció Literaria*. Public. de la Universitat Jaume I de Castelló, p. 93-106.

Pariente, A. (1993): "La edición bilingüe de poesía". *Sendebar*, vol. 4, 1993, p. 13-18.

Pellicer, J.-E; Giner, R. (1994): "Llengua i politica: les noves traduccions dels programes del Palau de la Musica de València". II Coloquio Internacional de Traductología, Valencia 1991. Actas publicadas por B. Lépinette, A. Olivares, E. Sopeña (1994) *Actas del Primer Coloquio Internacional de traductología*. Public. por la Universitat de Valencia, *Quaderns de Filologia*, p. 141-152.

Peña Martín, S. (1994): "**La madre de las batallas**: un planteamiento pragmático dela ética del traductor". I Encuentro Interdisciplinar de Teoría y Práctica de la Traducción, Cádiz 1993. *Reflexiones sobre la Traducción*. Actas publicadas por L. Charlo Brea (1994). Public. de la Universidad de Cádiz, p. 527-538.

Peñarroja Fa, J; Filipetto Isicato, C. (1992): "Los intérpretes jurados". Actas publicadas por Parcerisas, F. (ed.) (1995): *Actes del I Congrès Internacional sobre Traducció* (abril 1992). Publicacions de l'Universitat Autónoma de Barcelona, p. 501-504.

Pérez Díaz, C.S; Oxbrow, G. (1994): "Again; Babel". I Jornadas Internacionales de Traducción e Interpretación: Tendencias actuales, Las Palmas de Gran Canaria 1994. Actas en prensa.

Pérez González, L. (1994): "El traductor y sus goznes". I Encuentro Interdisciplinar de Teoría y Práctica de la Traducción, Cádiz 1993. *Reflexiones sobre la Traducción.* Actas publicadas por L. Charlo Brea (1994). Public. de la Universidad de Cádiz, p. 571-582.

Pérez González, L. (1994): "El traductor: un testigo oculista". II Coloquio Internacional de Traductología, Valencia 1991. Actas publicadas por B. Lépinette, A. Olivares, E. Sopeña (1994) *Actas del Primer Coloquio Internacional de traductología.* Public. por la Universitat de Valencia, *Quaderns de Filologia*, p. 153-166.

Pernia, R. (1987): "Traducciones desde lenguas no europeas". *Enseñar idiomas* II. EOI de Zaragoza, p. 75-82.

Piastra, L. (1992): "El manifiesto de Valencia". *Cuadernos de Traducción e Interpretación*, 11/12, 1992, p. 173-176.

Pontiero, G. (1993): "La tarea del traductor literario". *Sendebar*, vol. 4, 1993, p. 163-178.

Prüfer Leske, I. (1994): "¿Cómo nace un intérprete jurado en España? - ¿De dónde viene y a dónde va?". I Jornadas Internacionales de Traducción e Interpretación: Tendencias actuales, Las Palmas de Gran Canaria 1994. Actas en prensa.

Ribas Pujol, A. (1993): "La formación de traductores". *Anuari de Filología: Filología Románica* XVI, 4, p. 23-31.

Ribas Pujol, A. (1995): "Formación de traductores e formación de redactores nos países bilingües". I Simposio Galego de Traducción. Vigo 1995. Actas publicadas como Anexo de la Revista de Traducción *Viceversa*. Facultad de Traducción de la Universidad de Vigo, 1995, p. 51-63.

Rod, A. (1985): "De cómo se gana un premio de traducción". *Babel: rev. de los estudiantes de la EUTI* 3, p. 53.

Rodríguez Campoamor, H. (1994): "Una nueva etapa en el complejo profesional de la traducción". *Livius*, 5 (1994), p. 161-168.

Sánchez Lizarralde, R. (1995): "Las experiencias de un traductor". V Encuentros Complutenses sobre la Traducción, Madrid 1994. Actas publicadas con el mismo nombre en 1995. Public. de la Univ. Complutense de Madrid, p. 207-216.

Santoyo, J.C. (1991): "Los 'estudios de traducción' en España: Estado de la cuestión". I Coloquio Internacional de Traductología, Valencia 1989. Actas publicadas por B. Lépinette, A. Olivares, E. Sopeña, E. (1991) *Actas del Primer Coloquio Internacional de traductología.* Public. por la Universitat de Valencia, *Quaderns de Filologia*, p. 47-53.

Santoyo, J.C. (1994): "Por qué yerra el traductor: análisis de textos y errores". II Curso Superior de Traducción Inglés-Español, Valladolid 1993. Textos publicados por P. Fernández Nistral (ed.) (1994): *Aspectos de la traducción Inglés-Español*. Public. del ICE de la Univ. de la Universidad de Valladolid.

Segovia Martín, R. (1995): "La figura del supervisor lingüístico en televisión". VI Encuentros Complutenses sobre la Traducción, Madrid 1995. Actas en prensa.

Serrat Crespo, M. (1995): "El ingenuo gen del genio". Dossier: El difícil lugar del traductor. *Quimera* 140-141, p. 48-49.

Shakir, A. (1994): "Audience awareness and the translator in interlingual communication". I Jornadas Internacionales de Traducción e Interpretación: Tendencias actuales, Las Palmas de Gran Canaria 1994. Actas en prensa.

Solar, J. (1995): "Straelen: Flores, hortalizas y traductores". *Quimera* 140-141, Dossier: El difícil lugar del traductor, p. 60-61.

Todó, L.M. (1995): "Escila y Caribdis: Un problema real y otro imaginario en la traducción literaria al catalán". *Quimera* 140-141, Dossier: El difícil lugar del traductor, p. 62-63.

Torrens, M. (1991): "Un exemple de duo critique entre la *NRF* et la *Revista de Occidente*". Coloquio Traducción y Adaptación Cultural España-Francia, Oviedo 1990. Actas publicadas en 1991 por M.L. Donaire, F. Lafarga: *Traducción y Adaptación cultural España-Francia*. Public. de la Universidad de Oviedo, p. 443-450.

Urbina, P.A. (1994): "Críticas, enmiendas y osadías a cuenta de la traducción: Las quejas de un traducido". *Vasos comunicantes* 3, p. 96-97.

Uriz, F.J. (1993): "La casa del traductor de Tarazona: Encuentro - Intercambio - Cosecha". *Vasos Comunicantes* 1, p. 67-69.

Uriz, F.J. (1995): "La Casa del traductor de Tarazona". *Quimera* 140-141, Dossier: El difícil lugar del traductor, p. 59.

Valdivia Campos, C. (1988): "Ejercicio profesional de la traducción". Jornadas europeas de traducción e interpretación, Granada 1987. *Actas de las Jornadas Europeas de Traducción e Interpretación* (1988). Public. de la Universidad de Granada, p. 215-223.

Valentinetti, A. (1995): "Traducir del italiano". *Quimera* 140-141, Dossier: El difícil lugar del traductor, p. 64-65.

Van Der Haegen, A. (1994): "Le service de traduction de la Commission des Communautés Européennes". J. Agustín (ed.) (1994): *Traducción,*

Interpretación, Lenguaje. Madrid, Cuadernos del tiempo libre, Colección Expolingua, Publicaciones: Fundación Actilibre, p. 123-126.

Vázquez Orta, I. (1989): "Problemas prácticos de traducción". XI Congreso de AEDEAN, León 1987. Actas publicadas por J.C. Santoyo (1989): *Translation Across Cultures*: La traducción en el mundo hispánico y anglosajón, relaciones lingüísticas, culturales y literarias. Publicaciones de la Univ. de León, p. 207-218.

Vega, C. (1995): "El intérprete". E. Le Bel (ed.) (1995): *Le masque et la plume. Traducir: reflexiones, experiencias y prácticas*, Servicio de Publicaciones de la Universidad de Sevilla, p. 189-196.

Vega, M.A. (1993): "Hacia una recalificación del perfil del traductor". *Vasos Comunicantes* 1, p. 41-51.

Velasco, M.J. (1994): "La traducción en la unión europea del 93". J. Agustín (ed.): *Traducción, Interpretación, Lenguaje*. Madrid, Cuadernos del tiempo libre, Colección Expolingua, Publicaciones: Fundación Actilibre, p. 127-131.

Venuti, L. (1995): "Traducción, autoría y derechos de autor". *Vasos Comunicantes* 5, p. 82-107.

Yllera, A. (1991): "Cuando los traductores desean ser traidores". Coloquio Traducción y Adaptación Cultural España-Francia, Oviedo 1990. Actas publicadas por M.L. Donaire, F. Lafarga: *Traducción y Adaptación cultural España-Francia*. Public. de la Universidad de Oviedo, p. 639-655.

Yolles, M.I. (1989): "Innovation and Change in International Higher Education: The Place of Open and Distance Learning". XI Congreso de AEDEAN, León 1987. Actas publicadas por J.C. Santoyo (1989): *Translation Across Cultures*: La traducción en el mundo hispánico y anglosajón, relaciones lingüísticas, culturales y literarias. Publicaciones de la Univ. de León, p. 285-294.

BIBLIOGRAFÍA Y DOCUMENTACIÓN

Aguirre Beltrán, B. (1995): "El resumen en los Servicios de Documentación Empresarial: una técnica para traductores". V Encuentros Complutenses sobre la Traducción, Madrid 1994. Actas publicadas con el mismo nombre en 1995. Public. de la Univ. Complutense de Madrid, p. 507-512.

Amo, M. (1987): "Algunas obras de la literatura árabe contemporánea aparecidas en español en 1987". *Miscelánea de Estudios Arabes y Hebraicos* 36/1, p. 375-378.

Barreno Rodríguez, M.L. (1993): "Centros de información y documentación para la investigación filológica y traductológica". III Encuentros Complutenses sobre la Traducción, Madrid 1990. Actas publicadas con el mismo nombre en 1993. Public. de la Univ. Complutense de Madrid, p. 295-300.

Elena García, P. (1996): "La documentación en la traducción general". III Jornades sobre la Traducció: Didáctica de la Traducció. Universitat Jaume I, Mayo 1995. Actas publicadas por A. Hurtado Albir (ed.) (1996) *La enseñanza en la traducción*. Universitat Jaume I de Castelló, p. 79-90.

Escobar, J. (1995): "El pozo de Babel: Publicaciones teóricas sobre la traducción y la interpretación". *Cuadernos Cervantes de la Lengua Española* 3, p. 84-87.

Frigols, M.J; Scarpa, G; Pelegi, G. (1995): "Traducciones en la revista **Il Politecnico**". V Encuentros Complutenses sobre la Traducción, Madrid 1994. Actas publicadas con el mismo nombre en 1995. Public. de la Univ. Complutense de Madrid, p. 273-284.

Gallardo San Salvador, N. (1987): "La importancia de la documentación y de la terminología en la formación del traductor". Actas del IV Congreso Nacional de Lingüística Aplicada (AESLA), Córdoba abril 1986: *Lenguaje y Educación*, 2 vols., publicadas por A. León Sandra (1989). Universidad de Córdoba, p. 449-463.

Gallardo San Salvador, N. al. (1985): "Función de los cursos de documentación, civilización y de especialización temática en los estudios de traducción". Actas de las I Jornadas de intercambio de experiencias didácticas en la Universidad. Publicadas por el ICE de la Universidad de Granada, 1985, p. 269-278.

García Gual, C. (1986): "Sobre las traducciones de la **Biblioteca Clásica Gredos**". *Cuadernos de Traducción e Interpretación*, 7, 1986, p. 19-28.

Garulo, T. (1988): *Bibliografía provisional de obras árabes traducidas al español 1800-1987*. Madrid, IHAC.

Ibrahim Sidiq, M. (1990): "La traducción del español al árabe en Iraq: catálogo de traductores y publicaciones". Actas de las Jornadas de Hispanismo Arabe (Madrid mayo 1988), publicadas por F. de Agreda (1990). Madrid, Agencia Española de Cooperación Internacional, p. 299-302.

Losada Goya, J.M. (1995): "Principios metodológicos para la elaboración de una bibliografía comparada de la literatura francoespañola del siglo XVII. III Coloquio de la APFFUE, Barcelona 1995. Actas publicadas por F. Lafarga, A. Ribas, M. Tricas (1995): *La Traducción. Metodología, Historia, Literatura, Ambito hispanofrancés*. Barcelona, PPU, p. 33-42.

Martínez Osorio, M.L. (1994): "Bibliografía disponible en la Biblioteca de la Facultad de Traductores e Intérpretes sobre Traducción, Interpretación y Terminología". *Sendebar*, vol. 5, 1994, p. 321-326.

Martínez Osorio, M.L. (1995): "Bibliografía disponible en la F.T.I. sobre traducción, interpretación, terminología y materias afines". *Sendebar*, vol. 6, 1995, p. 255-258.

Mayoral Asensio, R. (1986): "Guía para la documentación del traductor del inglés al español". *Babel: rev. de los estudiantes de la EUTI* mayo 1986, p. 82-122.

Mayoral Asensio, R. (1994): "Bibliografía de la Traducción Jurada: Inglés-Español". *Sendebar*, vol. 5, 1994, p. 327-338.

Mayoral Asensio, R. (1994): "La documentación en la traducción". J. Agustín (ed.) (1994): *Traducción, Interpretación, Lenguaje*. Madrid, Cuadernos del tiempo libre, Colección Expolingua, Publicaciones: Fundación Actilibre, p. 107-118.

Negrón Sánchez, J. (1995): "La otra voz del traductor: Panorama de las revistas de traducción en España". VI Encuentros Complutenses sobre la Traducción, Madrid 1995. Actas en prensa.

Palomares Perraut, R. (1994): "Documentación aplicada a Traducción: Una nueva asignatura en los planes de estudios universitarios de Traducción". I Encuentro Interdisciplinar de Teoría y Práctica de la Traducción, Cádiz 1993. *Reflexiones sobre la Traducción*. Actas publicadas por L. Charlo Brea (1994). Public. de la Universidad de Cádiz, p. 503-506.

Palomares Perraut, R. (1995): "Fuentes de información para la actividad traductora". VI Encuentros Complutenses sobre la Traducción, Madrid 1995. Actas en prensa.

Sánchez-Lafuente, J.L. (1990): "Bibliografía disponible en la EUTI sobre traducción, interpretación, terminología y materias afines". *Sendebar*, vol. 1, 1990, p. 71-90.

Sánchez-Lafuente, J.L. (1992): "Bases de datos de la biblioteca de la EUTI de Granada". *Sendebar*, vol. 3, 1992, p. 225-230.

Sánchez-Lafuente, J.L. (1992): "Bibliografía disponible de la EUTI de Granada sobre traducción, interpretación, terminología y materias afines (III)". *Sendebar*, vol. 3, 1992, p. 231-236.

Sánchez-Lafuente, J.L. (1992): "Bibliografía disponible de la EUTI de Granada sobre traducción, interpretación, terminología y materias afines (IV)". *Sendebar*, vol. 3, 1992, p. 271-274.

Santoyo, J.C. (1987): *Traducción, traducciones, traductores: Ensayo de bibliografía española*. Public. de la Univ. de León, Listado que comprende citas hasta 1986.

Santoyo, J.C. (1990): "Bibliografía tentativa de traducciones inglés-español: 1577-1800". *Bells* 1, 1990, p. 161-187.

Santoyo, J.C. (1995): "La Biblioteca de Babel: traducción y permeabilidad transcultural". *Hieronymus Complutensis*, nº 1, ene.-jun. 1995, p. 79-86.

Santoyo, J.C. (1996): "Bibliografía de la traducción", en español, catalán, gallego y vasco. Publicaciones de la Universidad de León.

Socorro Trujillo, K; Peñate Soares, A.L. (1992): "Importancia de la documentación: los paratextos". Actas publicadas por Parcerisas, F. (ed.) (1995): *Actes del I Congrès Internacional sobre Traducció* (abril 1992). Publicacions de l'Universitat Autónoma de Barcelona, p. 449-456.

DIDÁCTICA DE LA TRADUCCIÓN

Abumalham, N. (1990): "La traducción y su metodología". Actas de las Jornadas de Hispanismo Arabe (Madrid mayo 1988), publicadas por F. de Agreda (1990). Madrid, Agencia Española de Cooperación Internacional, p. 59-62.

Acosta Díaz, S. (1994): "Función y adaptación de textos traductológicos". IV Encuentros Complutenses sobre la Traducción, Madrid 1992. Actas publicadas con el mismo nombre en 1994. Public. de la Universidad Complutense de Madrid, p. 153-164.

Alcalde Martín, J.L; Allo Ayala, L.C; Alvarez Alvarez, J; Alvarez Morón, J.M; Enjuto García, N; Rivera Ontañón, F; San José Villacorta, P. (1994): "Traductores e intérpretes (Aplicaciones metodológicas en Enseñanza Secundaria)". II Curso Superior de Traducción Inglés-Español, Valladolid 1993. Textos publicados por P. Fernández Nistral (ed.) (1994): *Aspectos de la traducción Inglés-Español*. Public. del ICE de la Univ. de la Universidad de Valladolid, p. 157-173.

Alvarez Calleja, M.A. (1991): *Estudios de traducción (Inglés-Español). Teoría, Práctica y Aplicaciones*. Madrid, UNED.

Alvarez Calleja, M.A. (1994): *Acercamiento metodológico a la traducción literaria*. Con textos bilingües inglés-español. Madrid, UNED.

Alvarez Gutiérrez, A. (1989): "La traducción como técnica y estilo literarios". Actas del VII Congreso Español de Estudios Clásicos. Madrid, Universidad Complutense, 2 vols., 1987, p. 807-812.

Alvarez Polo, J. (1995): "Peculiaridades y limitaciones de los materiales audiovisuales como recurso didáctico en la enseñanza de la interpretación". VI Encuentros Complutenses sobre la Traducción, Madrid 1995. Actas en prensa, p. 3.

Alvarez Polo, J. (1995): "Propuesta de ejercicios para la enseñanza de la interpretación simultánea". V Encuentros Complutenses sobre la Traducción, Madrid 1994. Actas publicadas con el mismo nombre en 1995. Public. de la Univ. Complutense de Madrid, p. 681-686.

Alvarez Rodríguez, R; Corchado Pascasio, M.T; Oncins Martínez, J.L. (1992): "La traducción consecutiva/simultánea como práctica contrastiva en la enseñanza del inglés para fines generales y específicos". I Curso Superior de Traducción Inglés-Español, Valladolid 1992. Textos publicados por P. Fernández Nistral (ed.) (1992): *Estudios de Traducción*. Public. del ICE de la Universidad de Valladolid, p. 71-78.

Alvarez, A. (1988): "La traducción como problema académico". Jornadas de Traducción, Ciudad Real 1986. Actas publicadas en 1986 con el título de *Actas de las Jornadas de Traducción*. Public. de la Fac. de Letras de la Universidad de Castilla-La Mancha, p. 93-104.

Arias Torres, J.P. (1994): "El uso de la traducción en la didáctica del árabe coloquial marroquí". I Encuentro Interdisciplinar de Teoría y Práctica de la Traducción, Cádiz 1993. *Reflexiones sobre la Traducción*. Actas publicadas por L. Charlo Brea (1994). Public. de la Universidad de Cádiz, p. 157-166.

Arroyo Cabria, B. (1984): "Traducción y enseñanza de idiomas". Nueva Revista de Enseñanzas Medias nº 6: *La Traducción, Arte y Técnica*, 1984, M.E.C., p. 127-130.

Bachmann, S. (1994): "La traducción como medio de adquisición del idioma". J. Agustín (ed.) (1994): *Traducción, Interpretación, Lenguaje*. Madrid, Cuadernos del tiempo libre, Colección Expolingua, Publicaciones: Fundación Actilibre, p. 13-26.

Ballester Casada, A; Chamorro Guerrero, M.D. (1993): "La traducción como estrategia cognitiva en el aprendizaje de segundas lenguas". Actas del III Congreso Nacional de la ASELE: *El español como lengua extranjera*, publicadas por S. Montesa Peydró, A. Garrido Moraga. Universidad de Málaga,

Bartolomé Sánchez, J.L. (1984): "La traducción escolar con diccionario". Nueva Revista de Enseñanzas Medias nº 6: *La Traducción, Arte y Técnica*, 1984, M.E.C., p. 131-138.

Becher, G. (1992): "Criterios, métodos y material didáctico para la enseñanza dela Civilización / Cultura de un país en el programa de lenguas extranjeras orientado a la traducción (alemán)". Actas del II Congreso Internacional de la Sociedad de Didáctica de la Lengua y la Literatura, Las Palmas de Gran Canaria 1992, publicadas por A. Delgado y F. Menéndez (1992), nº 3 de la revista *El Guiniguada*, p. 331-338.

Becher, G. (1994): "El mensaje cultural a través del anuncio publicitario: punto de referencia para la didáctica de la Traducción y de las lenguas extranjeras orientada a la traducción". I Jornadas Internacionales de Traducción e Interpretación: Tendencias actuales, Las Palmas de Gran Canaria 1994. Actas en prensa.

Beeby Lonsdale, A. (1992): "The Place of Difficult Texts in Prose Translation Classes: *Butros Ghali - A Providential Candidate?*". Actas publicadas por Parcerisas, F. (ed.) (1995): *Actes del I Congrès Internacional sobre Traducció* (abril 1992). Publicacions de l'Universitat Autónoma de Barcelona, p. 395-402.

Beeby Lonsdale, A. (1996): "La traducción inversa". III Jornades sobre la Traducció: Didáctica de la Traducció. Universitat Jaume I, Mayo 1995. Actas publicadas por A. Hurtado Albir (ed.) (1996) *La enseñanza en la traducción*. Universitat Jaume I de Castelló, p. 57-78.

Belmonte Gea, J. (1991): "Repères pour la compréhension / traduction en français des affaires". Actas de las XV Jornadas Pedagógicas sobre la enseñanza del Francés en España (febrero - marzo 1991): *Actes de la section de français du I Congrés International sur l'enseignement du français en Espagne: Les Langues étrangères dans l'Europe de l'Acte unique*, publicadas por R. Gauchola, C. Mestreit, M. Tost (1991). Barcelona, publicacions de l'ICE de l'Universitat Autònoma,

Benda, R. (1983): "Algunas consideraciones sobre la enseñanza del árabe". *Cuadernos de Traducción e Interpretación*, 3, 1983, p. 79-86.

Berenguer, L. (1991): "La traducción: clave para el aprendizaje significativo de las segundas lenguas". Actas de las XV Jornadas Pedagógicas sobre la enseñanza del Francés en España (febrero - marzo 1991): *Actes de la section de français du I Congrés International sur l'enseignement du français en Espagne: Les Langues étrangères dans l'Europe de l'Acte unique*, publicadas por R. Gauchola, C. Mestreit, M. Tost (1991). Barcelona, publicacions de l'ICE de l'Universitat Autònoma,

Berenguer, L. (1996): "Didáctica de segundas lenguas en los estudios de traducción". III Jornades sobre la Traducció: Didáctica de la Traducció. Universitat Jaume I, Mayo 1995. Actas publicadas por A. Hurtado Albir (ed.) (1996) *La enseñanza en la traducción*. Universitat Jaume I de Castelló, p. 9-30.

Besse, H. (1991): "Des usages de la langue maternelle dans l'enseignement / apprentissage des langues secondes ou étrangères". I Coloquio Internacional de Traductología, Valencia 1989. Actas publicadas por B. Lépinette, A. Olivares, E. Sopeña, E. (1991) *Actas del Primer Coloquio Internacional de traductología*. Public. por la Universitat de Valencia, *Quaderns de Filologia*, p. 15-20.

Bistra, A. (1994): "Second language acquisition and translation studies". I Jornadas Internacionales de Traducción e Interpretación: Tendencias actuales, Las Palmas de Gran Canaria 1994. Actas en prensa.

Bonet Rosado, P; Suau Jiménez, F. (1988): "La enseñanza del inglés económico y empresarial en el ámbito de los estudios empresariales: teoría y aplicación". Actas del VI Congreso Nacional de Lingüística Aplicada (AESLA), Santander, Abril 1988: *Adquisición de Lenguas: Teorías y Aplicaciones*, publicadas por T. Labrador Gutiérrez, R.M. Sainz de la Maza, R. Viejo García (1989). Universidad de Cantabria, p. 157-166.

Bou Franch, P; Speck, B.P. (1992): "Método evaluativo de una traducción: Aplicación a *Wilt*, de Tom Sharpe". *Rev. Española de Lingüística Aplicada* 8, 1992, p. 177-185.

Brandl, R. (1994): "Traducción y obstáculos de la comunicación: la realidad en la enseñanza de la traducción". I Jornadas Internacionales de Traducción e Interpretación: Tendencias actuales, Las Palmas de Gran Canaria 1994. Actas en prensa.

Bregazzi, J. (1990): "Miguel Espinosa en inglés: dificultades de la traducción inversa". II Encuentros Complutenses sobre la Traducción, Madrid 1988. Actas publicadas con el mismo nombre en 1990. Public. de la Univ. Complutense de Madrid, p. 317-322.

Brehm, J. (1996): "La enseñanza de la lengua B". III Jornades sobre la Traducció: Didáctica de la Traducció. Universitat Jaume I, Mayo 1995. Actas publicadas por A. Hurtado Albir (ed.) (1996) *La enseñanza en la traducción*. Universitat Jaume I de Castelló, p. 175-182.

Breva Claramonte, M. (1993): "La traducción y el uso del diccionario bilingüe". *Livius*, 3 (1993), p. 41-50.

Bruneaux-Leroy, C. (1991): "La traduction dans la didactique des langues". I Coloquio Internacional de Traductología, Valencia 1989. Actas publicadas por B. Lépinette, A. Olivares, E. Sopeña, E. (1991) *Actas del Primer Coloquio Internacional de traductología*. Public. por la Universitat de Valencia, *Quaderns de Filologia*, p. 21-24.

Calvo García, J.J. (1985): "Hacia una calificación crítica de las traducciones. Propuesta de una simbología de evaluación". Actas del III Congreso Nacional de Lingüística Aplicada (AESLA), Valencia abril 1985: *Pasado, presente y futuro de la lingüística aplicada en España*, publicadas por F. Fernández (1986), p. 269-276.

Caminade, M; Pym, A. (1991): "Analyse des erreurs traductionnelles et limites de l'enseignement". Actas de las XV Jornadas Pedagógicas sobre la enseñanza del Francés en España (febrero - marzo 1991): *Actes de la section de français du I Congrés International sur l'enseignement du français en Espagne: Les Langues étrangères dans l'Europe de l'Acte unique*, publicadas por R. Gauchola, C. Mestreit, M. Tost (1991). Barcelona, publicacions de l'ICE de l'Universitat Autònoma,

Caminade, M; Pym, A. (1993): "L'analyse des erreurs traductionnelles et l'espace-temps de l'enseignement". Actas de las XV Jornadas Pedagógicas sobre la enseñanza del Francés en España (febrero - marzo 1991): *Actes de la section de français du I Congrés International sur l'enseignement du français en Espagne: Les Langues étrangères dans l'Europe de l'Acte unique*, publicadas por R. Gauchola, C. Mestreit, M. Tost (1991). Barcelona, publicacions de l'ICE de l'Universitat Autònoma, p. 253-260.

Cantera Ortiz de Urbina, J. (1994): "Traducción y especialidad". IV Encuentros Complutenses sobre la Traducción, Madrid 1992. Actas publicadas con el mismo nombre en 1994. Public. de la Universidad Complutense de Madrid, p. 85-104.

Carvalho Lopes, M.F. (1992): "Quelle langue enseigner à des traducteurs?". Actas publicadas por Parcerisas, F. (ed.) (1995): *Actes del I Congrès Internacional sobre Traducció* (abril 1992). Publicacions de l'Universitat Autónoma de Barcelona, p. 439-448.

Casado Díaz, I. (1994): "La enseñanza de la traducción y la interpretación: diseño de un programa de formación profesional". I Jornadas Internacionales de Traducción e Interpretación: Tendencias actuales, Las Palmas de Gran Canaria 1994. Actas en prensa.

Casanova, E. (1991): "La lexicografia valenciana del segle XIX com a instrument d'ensenyament i de traducció del castellà. El cas del diccionari Lamarca". I Coloquio Internacional de Traductología, Valencia 1989. Actas publicadas por B. Lépinette, A. Olivares, E. Sopeña, E. (1991) *Actas del Primer Coloquio Internacional de traductología*. Public. por la Universitat de Valencia, *Quaderns de Filologia*, p. 73-78.

Castillo Barrero, M.J. (1987): "La traducción como soporte pedagógico". Actas del IV Congreso Nacional de Lingüística Aplicada (AESLA), Córdoba abril 1986: *Lenguaje y Educación*, 2 vols., publicadas por A. León Sandra (1989). Universidad de Córdoba, p. 168-182.

Cierva García, P; Cuellar Serrano, M.C. (1993): "Traduction francaise-espagnol: Divergeance dans la typologie d'erreurs selonla L.1 des étudiants". Actas del XI Congreso Nacional de Lingüística Aplicada (AESLA), Valladolid 1993, publicadas por J.M. Ruiz Ruiz, P. Sheerin Nolan, E. González - Cascos (1995). Universidad de Valladolid, p. 219-224.

Civera García, P. (1996): "La enseñanza de la lengua C". III Jornades sobre la Traducció: Didáctica de la Traducció. Universitat Jaume I, Mayo 1995. Actas publicadas por A. Hurtado Albir (ed.) (1996) *La enseñanza en la traducción*. Universitat Jaume I de Castelló, p. 183-188.

Clua, E. (1995): "O ensino da lingua propia nos estudios de traducción". I Simposio Galego de Traducción. Vigo 1995. Actas publicadas como Anexo de la Revista de Traducción *Viceversa*. Facultad de Traducción de la Universidad de Vigo, 1995, p. 81-90.

Collados, A; Engemann, F; Nobs, M.-L; Seibel, C. (1990): "Aspectos de la didáctica de la traducción". II Encuentros Complutenses sobre la Traducción, Madrid 1988. Actas publicadas con el mismo nombre en 1990. Public. de la Univ. Complutense de Madrid, p. 215-220.

Corpas, G. (1995): "The Role of Text Analysis in Corpus-Based Translation". I Encuentros Alcalainos de Traducción. Cultura sin fronteras. *Encuentros en torno a la traducción.* Actas publicadas por C. Valero Garcés (1995). Publicaciones de la Universidad de Alcalá de Henares, p. 215-222.

Cruces Colado, S; Pereira Rodríguez, A.M. (1995): "Propuesta para la organización didáctica de las clases de Traducción general: Ejercicios preliminares y Tipologías textuales". VI Encuentros Complutenses sobre la Traducción, Madrid 1995. Actas en prensa, p. 10-11.

Chevalier, C. (1994): "Traduction et Didactique des langues". *Encuentro* 7, 1994, p. 73-77.

Delfour, C. (1994): "Introducción a la metodología de la traducción especializada". IV Encuentros Complutenses sobre la Traducción, Madrid 1992. Actas publicadas con el mismo nombre en 1994. Public. de la Universidad Complutense de Madrid, p. 179-188.

Delisle, J. (1992): "Les manuels de traduction: essai de classification". Actas publicadas por Parcerisas, F. (ed.) (1995): *Actes del I Congrès Internacional sobre Traducció* (abril 1992). Publicacions de l'Universitat Autónoma de Barcelona, p. 55-80.

Dengler Gassin, R. (1994): "El estudio crítico de las traducciones: su interés didáctico". II Coloquio Internacional de Traductología, Valencia 1991. Actas publicadas por B. Lépinette, A. Olivares, E. Sopeña (1994) *Actas del Primer Coloquio Internacional de traductología.* Public. por la Universitat de Valencia, *Quaderns de Filologia*, p. 107-110.

Durand Guiziou, M.-C; Gabet, D; González Santana, R.D. (1994): "Los falsos amigos en su contexto". Actas del II Coloquio de Filología Francesa en la Universidad Española, Almagro 1993, publicadas por J. Bravo (1994). Universidad de Castilla-La Mancha, p. 103-110.

Durieux, C. (1995): "La traduction technique: fondements méthodologiques". E. Le Bel (ed.) (1995): *Le masque et la plume. Traducir: reflexiones, experiencias y prácticas*, Servicio de Publicaciones de la Universidad de Sevilla, p. 139-150.

Echeverría Pereda, E; Ortega Arjonilla, E. (1995): "Algunas consideraciones en interpretación: Problemática del francés como Lengua B y como lengua C". Actas del II Coloquio Internacional de Lingüística Francesa: *La Lingüística Francesa: gramática, historia y epistemología* (Sevilla

1995). Dpto. de Filología Francesa de la Universidad de Sevilla (en prensa).

Edwards, M. (1991): "Translation & Modern Language Teaching". Actas de las XV Jornadas Pedagógicas sobre la enseñanza del Francés en España (febrero - marzo 1991): *Actes de la section de français du I Congrés International sur l'enseignement du français en Espagne: Les Langues étrangères dans l'Europe de l'Acte unique*, publicadas por R. Gauchola, C. Mestreit, M. Tost (1991). Barcelona, publicacions de l'ICE de l'Universitat Autònoma,

Elena García, P. (1990): *Aspectos teóricos y prácticos de la traducción (Alemán-Español).* Public. de la Universidad de Salamanca.

Elena García, P. (1994): "La crítica de la traducción y su aplicación pedagógica". I Jornadas Internacionales de Traducción e Interpretación: Tendencias actuales, Las Palmas de Gran Canaria 1994. Actas en prensa.

Elena García, P. (1994): *Curso práctico de traducción general alemán-español.* Public. de la Universidad de Salamanca.

Ensinger, D. (1994): "La formación de traductores e intérpretes en España". J. Agustín (ed.) (1994): *Traducción, Interpretación, Lenguaje.* Madrid, Cuadernos del tiempo libre, Colección Expolingua, Publicaciones: Fundación Actilibre, p. 45-54.

Estévez, J.M. (1995): "Problemas de traducción del adverbio conector en una clase de Licence en Francia". Actas del II Coloquio Internacional de Lingüística Francesa: *La Lingüística Francesa: gramática, historia y epistemología* (Sevilla 1995). Dpto. de Filología Francesa de la Universidad de Sevilla (en prensa).

Fernández Fraile, M.E. (1995): "La traducción como procedimiento didáctico en la enseñanza del francés en España en el siglo XIX". III Coloquio de la APFFUE, Barcelona 1995. Actas publicadas por F. Lafarga, A. Ribas, M. Tricas (1995): *La Traducción. Metodología, Historia, Literatura, Ambito hispanofrancés.* Barcelona, PPU, p. 81-90.

Fontcuberta i Gel, J. (1991): "L'exercici de traducció en l'ensenyament de llengües". Actas de las XV Jornadas Pedagógicas sobre la enseñanza del Francés en España (febrero - marzo 1991): *Actes de la section de français du I Congrés International sur l'enseignement du français en Espagne: Les Langues étrangères dans l'Europe de l'Acte unique*, publicadas por R. Gauchola, C. Mestreit, M. Tost (1991). Barcelona, publicacions de l'ICE de l'Universitat Autònoma,

Fougner Rydning, A. (1994): "The role of the cognitive context in the selection of translational strategy". I Jornadas Internacionales de Traducción e Interpretación: Tendencias actuales, Las Palmas de Gran Canaria 1994. Actas en prensa.

Fouilloux, C. (1992): *Traducción y comentario lingüístico de textos literarios*. Public. de la Universidad Autónoma de Madrid.

Fox Kennedy, O. (1992): "Critical Linguistics in Translation Studies: the Training of Critical Readers". Actas publicadas por Parcerisas, F. (ed.) (1995): *Actes del I Congrès Internacional sobre Traducció* (abril 1992). Publicacions de l'Universitat Autónoma de Barcelona, p. 551-556.

Frasie Gay, M. (1990): "El orden de los factores, a veces, altera el producto". II Encuentros Complutenses sobre la Traducción, Madrid 1988. Actas publicadas con el mismo nombre en 1990. Public. de la Univ. Complutense de Madrid, p. 53-56.

Gabet, D; Durand Guiziou, M.-C. (1992): "Traduction et résumé activités traduisantes à rapprocher". *Investigaciones Francesas* 1,

Gallardo San Salvador, N. (1986): "Traducción: Programa de los cursos". Actas del III Congreso Nacional de Lingüística Aplicada (AESLA), Valencia abril 1985: *Pasado, presente y futuro de la lingüística aplicada en España*, publicadas por F. Fernández (1986), p. 117-123.

Gallardo San Salvador, N. al. (1986): "La enseñanza de la traducción". Actas del III Congreso Nacional de Lingüística Aplicada (AESLA), Valencia abril 1985: *Pasado, presente y futuro de la lingüística aplicada en España*, publicadas por F. Fernández (1986), p. 107-116.

Gallardo San Salvador, N; Kelly, D; Hens Córdoba, M.A; Way, C. (1991): "Objetivos planteados en la primera etapa del aprendizaje de la traducción". *Sendebar*, vol. 2, 1991, p. 167-177.

Gallardo San Salvador, N; Mayoral Asensio, R; Kelly, D. (1992): "Reflexiones sobre la traducción científico-técnica". *Sendebar*, vol. 3, 1992, p. 185-192.

Gallego Roca, M. (1991): "La teoría del polisistema y los estudios sobre traducción". *Sendebar*, vol. 2, 1991, p. 63-70.

García Alvarez, A.M. (1992): "El uso de diccionarios y material didáctico en la enseñanza de lenguas extranjeras orientado a la traducción (Alemán)". Actas del II Congreso Internacional de la Sociedad de Didáctica de la Lengua y la Literatura, Las Palmas de Gran Canaria 1992, publicadas por A. Delgado y F. Menéndez (1992), nº 3 de la revista *El Guiniguada*, p. 339-346.

García Alvarez, A.M. (1994): "Aspectos teóricos y prácticos de la traducción comercial". I Jornadas Internacionales de Traducción e Interpretación: Tendencias actuales, Las Palmas de Gran Canaria 1994. Actas en prensa.

García de la Banda, F. (1990): "Nuevas tendencias en los estudios de la traducción". II Encuentros Complutenses sobre la Traducción, Madrid 1988.

Actas publicadas con el mismo nombre en 1990. Public. de la Univ. Complutense de Madrid, p. 225-230.

García Domínguez, M.J; Piñero Piñero, G; Marrero Pulido, V. (1994): "Consideraciones acerca de la preposición en la enseñanza del español como lengua materna". I Jornadas Internacionales de Traducción e Interpretación: Tendencias actuales, Las Palmas de Gran Canaria 1994. Actas en prensa.

García Yebra, V. (1982): *Teoría y práctica de la traducción*. Madrid, Gredos, 2 vols.

García Yebra, V. (1985): "Traducción y enseñanza de las lenguas extranjeras". Actas del III Congreso Nacional de Lingüística Aplicada (AESLA), Valencia abril 1985: *Pasado, presente y futuro de la lingüística aplicada en España*, publicadas por F. Fernández (1986), p. 143-154.

García, O.G. (1994): "Consideraciones sobre los catálogos de técnicas de la traducción". IV Encuentros Complutenses sobre la Traducción, Madrid 1992. Actas publicadas con el mismo nombre en 1994. Public. de la Universidad Complutense de Madrid, p. 189-194.

Garrido Bernal, C. (1995): "Catch 22. Didáctica de la Traducción y análisis de errores". I Encuentros Alcalainos de Traducción. Cultura sin fronteras. *Encuentros en torno a la traducción*. Actas publicadas por C. Valero Garcés (1995). Publicaciones de la Universidad de Alcalá de Henares, p. 135-140.

Gibert Maceda, T. (1988): "Las prácticas de traducción y el proceso de adquisición de la L1". Actas del VI Congreso Nacional de Lingüística Aplicada (AESLA), Santander, Abril 1988: *Adquisición de Lenguas: Teorías y Aplicaciones*, publicadas por T. Labrador Gutiérrez, R.M. Sainz de la Maza, R. Viejo García (1989). Universidad de Cantabria, p. 271-276.

Gibert Maceda, T. (1989): "Las prácticas de traducción y el proceso de adquisición de la Lengua 1". Actas del VI Congreso Nacional de Lingüística Aplicada (AESLA), Santander, Abril 1988: *Adquisición de Lenguas: Teorías y Aplicaciones*, publicadas por T. Labrador Gutiérrez, R.M. Sainz de la Maza, R. Viejo García (1989). Universidad de Cantabria, p. 271-275.

Gómez Clemente, X.M. (1995): "O ensino da lingua galega na licenciatura de traducción e Interpretación". I Simposio Galego de Traducción. Vigo 1995. Actas publicadas como Anexo de la Revista de Traducción *Viceversa*. Facultad de Traducción de la Universidad de Vigo, 1995, p. 109-119.

González Davies, M. (1994): "Estableciendo puentes entre la enseñanza de lenguas extranjeras y la enseñanza de la traducción". I Jornadas

Internacionales de Traducción e Interpretación: Tendencias actuales, Las Palmas de Gran Canaria 1994. Actas en prensa.

Guerra Bosch, T. (1994): "Utilidad de la traducción en la enseñanza de la literatura medieval inglesa". I Jornadas Internacionales de Traducción e Interpretación: Tendencias actuales, Las Palmas de Gran Canaria 1994. Actas en prensa.

Guerrero Quinsac, R.M. (1991): "Traduction et didactique des langues secondes". I Coloquio Internacional de Traductología, Valencia 1989. Actas publicadas por B. Lépinette, A. Olivares, E. Sopeña, E. (1991) *Actas del Primer Coloquio Internacional de traductología.* Public. por la Universitat de Valencia, *Quaderns de Filologia*, p. 115-118.

Guerrero Ríos, M. (1995): "La enseñanza universitaria de la traducción técnica del inglés al castellano". VI Encuentros Complutenses sobre la Traducción, Madrid 1995. Actas en prensa.

Guillén Selfa, A. (1995): "Catch 22. Análisis comparativo y valoración crítica de versiones contrastadas". I Encuentros Alcalainos de Traducción. Cultura sin fronteras. *Encuentros en torno a la traducción.* Actas publicadas por C. Valero Garcés (1995). Publicaciones de la Universidad de Alcalá de Henares, p. 125-134.

Harvey, S. (1992): "The Changing Perspective of Translation in New Zealand". Actas publicadas por Parcerisas, F. (ed.) (1995): *Actes del I Congrès Internacional sobre Traducció* (abril 1992). Publicacions de l'Universitat Autónoma de Barcelona, p. 493-500.

Hauwermeiren, P. (1995): "The triple assignment of Colleges for translators and interpreters in Flanders". V Encuentros Complutenses sobre la Traducción, Madrid 1994. Actas publicadas con el mismo nombre en 1995. Public. de la Univ. Complutense de Madrid, p. 11-20.

Hens Córdoba, M.A; Vella, M. (1990): "La traducción de textos informáticos: Implicaciones para la didáctica de la traducción". Actas del VIII Congreso Nacional de Lingüística Aplicada (AESLA), Vigo Mayo 1990, publicadas por J.R. Losada Durán, M. Mansilla García (1990). Facultad de Letras (F. Inglesa) Universidad de Vigo, p. 361-370.

Herbulot, F. (1994): "Le traducteur technique: savoir et savoir-faire". J. Agustín (ed.) (1994): *Traducción, Interpretación, Lenguaje.* Madrid, Cuadernos del tiempo libre, Colección Expolingua, Publicaciones: Fundación Actilibre, p. 55-66.

Hernández Guerrero, M.J. (1995): "Aspectos de didáctica de la traducción". V Encuentros Complutenses sobre la Traducción, Madrid 1994. Actas publicadas con el mismo nombre en 1995. Public. de la Univ. Complutense de Madrid, p. 105-114.

Hurtado Albir, A. (1988): "¿Traducir o no traducir?: Per una rehabilitació de la traducció en l'ensenyament comunicatiu de llengües". *COM* 16, 1988, p. 4-8.

Hurtado Albir, A. (1988): "Combatir la contaminación lingüística". *Perfeccionamiento lingüístico*, Madrid, El Manglar. Colección Ciencias de Hoy, p. 45-74.

Hurtado Albir, A. (1988): "Hacia un enfoque comunicativo de la traducción". Actas de las Segundas Jornadas Internacionales de Didáctica del Español como lengua extranjera. Madrid, Ministerio de Cultura, p. 53-79.

Hurtado Albir, A. (1988): "La traducción en la enseñanza comunicativa". *Cable.* Madrid, (Rev. de didáctica del español como lengua extranjera) 1, p. 42-45.

Hurtado Albir, A. (1991): "La didáctica de la traducción, la traducción en la didáctica de las lenguas". Actas de las XV Jornadas Pedagógicas sobre la enseñanza del Francés en España (febrero - marzo 1991): *Actes de la section de français du I Congrés International sur l'enseignement du français en Espagne: Les Langues étrangères dans l'Europe de l'Acte unique*, publicadas por R. Gauchola, C. Mestreit, M. Tost (1991). Barcelona, publicacions de l'ICE de l'Universitat Autònoma,

Hurtado Albir, A. (1991): "Traducir el sentido: Una apuesta teórica y metodológica". I Coloquio Internacional de Traductología, Valencia 1989. Actas publicadas por B. Lépinette, A. Olivares, E. Sopeña, E. (1991) *Actas del Primer Coloquio Internacional de traductología.* Public. por la Universitat de Valencia, *Quaderns de Filologia*, p. 119-120.

Hurtado Albir, A. (1993): "Un nuevo enfoque de la didáctica de la traducción: Metodología y diseño curricular". Actas de las XV Jornadas Pedagógicas sobre la enseñanza del Francés en España (febrero - marzo 1991): *Actes de la section de français du I Congrés International sur l'enseignement du français en Espagne: Les Langues étrangères dans l'Europe de l'Acte unique*, publicadas por R. Gauchola, C. Mestreit, M. Tost (1991). Barcelona, publicacions de l'ICE de l'Universitat Autònoma, p. 239-252.

Hurtado Albir, A. (1994): "Un nuevo enfoque de la traducción en la didáctica de lenguas". J. Agustín (ed.) (1994): *Traducción, Interpretación, Lenguaje.* Madrid, Cuadernos del tiempo libre, Colección Expolingua, Publicaciones: Fundación Actilibre, p. 67-90.

Hurtado Albir, A. (1995): "La didáctica de la traducción". E. Le Bel (ed.) (1995): *Le masque et la plume. Traducir: reflexiones, experiencias y prácticas*, Servicio de Publicaciones de la Universidad de Sevilla, p. 65-92.

Hurtado Albir, A. (1995): "La didáctica de la traducción. Evolución y estado actual". *III Curso Superior de Traducción: Perspectivas de la traducción inglés / español.* Textos publicados por P. Fernández Nistral, J.Mª. Bravo Gozalo (eds.) 1995. ICE de la Universidad de Valladolid, p. 49-74.

Hurtado Albir, A. (1996): "La enseñanza de la traducción directa general: Objetivos de aprendizaje y metodología". III Jornades sobre la Traducció: Didáctica de la Traducció. Universitat Jaume I, Mayo 1995. Actas publicadas por A. Hurtado Albir (ed.) (1996) *La enseñanza en la traducción.* Universitat Jaume I de Castelló, p. 31-56.

Jaaskelainen, R. (1994): "Rigidity or flexibility: two approaches to teaching translation". I Jornadas Internacionales de Traducción e Interpretación: Tendencias actuales, Las Palmas de Gran Canaria 1994. Actas en prensa.

Jean, M. (1988): "Por una traducción pedagógica". *Lenguas Modernas: Revista E.O.I.* 1, p. 77-78.

Jean, M. (1991): "La función de la traducción en la clase de Francés: Lengua Extranjera". *Aspectos didácticos del Francés* 3. Publ. por J. Fernández & al. ICE de la Universidad de Zaragoza, p. 73-94.

Jiménez Hurtado, C. (1990): "El texto ideológico: modelo de análisis para la enseñanza dela traducción en clase". Actas del VIII Congreso Nacional de Lingüística Aplicada (AESLA), Vigo Mayo 1990, publicadas por J.R. Losada Durán, M. Mansilla García (1990). Facultad de Letras (F. Inglesa) Universidad de Vigo, p. 395-402.

Kaiser-Cooke, M. (1994): "Techniques, stratégies, approaches - what else can teach them?". I Jornadas Internacionales de Traducción e Interpretación: Tendencias actuales, Las Palmas de Gran Canaria 1994. Actas en prensa.

Kelly, D. (1994): "La traducción inversa en los planes de estudios de Traducción e Interpretación". I Jornadas Internacionales de Traducción e Interpretación: Tendencias actuales, Las Palmas de Gran Canaria 1994. Actas en prensa.

Kelly, D. (1995): "La enseñanza de la traducción inversa de textos 'generales': consideraciones metodológicas". VI Encuentros Complutenses sobre la Traducción, Madrid 1995. Actas en prensa.

Klotchkov, C. (1995): "La descriptividad: una aproximación a la investigación y a la didáctica traductológica (español-ruso)". V Encuentros Complutenses sobre la Traducción, Madrid 1994. Actas publicadas con el mismo nombre en 1995. Public. de la Univ. Complutense de Madrid, p. 115-122.

Kohrs Kegel, H. (1994): "Elementos visuales en la interpretación simultánea". *Sendebar*, vol. 5, 1994, p. 105-112.

Kreutzer, M. (1992): "Estratégias didácticas para la enseñanza de la Traducción Inversa". Actas del II Congreso Internacional de la Sociedad de Didáctica de la Lengua y la Literatura, Las Palmas de Gran Canaria 1992, publicadas por A. Delgado y F. Menéndez (1992), nº 3 de la revista *El Guiniguada*, p. 373-378.

Labrador Gutiérrez, T. (1994): "La lengua española en los programas de traducción". IV Encuentros Complutenses sobre la Traducción, Madrid 1992. Actas publicadas con el mismo nombre en 1994. Public. de la Universidad Complutense de Madrid, p. 135-153.

Le Bel, E. (1993): "La traduction dans l'enseignement des langues". Actas de las Jornadas Internacionales de Lingüística Aplicada, publicadas por J. Fernández-Barrientos Martín (1993). Granada, ICE de la Universidad, p. 644-652.

Le Bel, E. (1995): "Traduction et pragmatique: aspects didactiques. Application à des textes de presse". E. Le Bel (ed.) (1995): *Le masque et la plume. Traducir: reflexiones, experiencias y prácticas*, Servicio de Publicaciones de la Universidad de Sevilla, p. 93-122.

Le Bel, E; Porras Medrano, A. (1992): "Semiótica y traducción: presupuestos teóricos e implicaciones didácticas". Actas del IV Simposio Internacional de la Asociación Andaluza de Semiótica, Córdoba 1986, publicadas por P. Moraleda García y A. Sánchez Fernández (1992). Universidad de Córdoba,

Lence Guilabert, M.A. (1995): "La enseñanza de vocabulario específico para la traducción de textos técnicos". VI Encuentros Complutenses sobre la Traducción, Madrid 1995. Actas en prensa.

Linde López, A. (1995): "La traducción en el aula como técnica de aprendizaje del inglés para fines específicos". V Encuentros Complutenses sobre la Traducción, Madrid 1994. Actas publicadas con el mismo nombre en 1995. Public. de la Univ. Complutense de Madrid, p. 129-134.

López Lengo, J. (1984): "La traducción en el sistema educativo español". Nueva Revista de Enseñanzas Medias nº 6: *La Traducción, Arte y Técnica*, 1984, M.E.C., p. 123-126.

López Moreno, P. (1985): *Introducción a la interpretación: Intérprete de conferencias*. Granada, Imprenta Márquez.

López-Abadía Arroita, S. (1992): "Didáctica de la traducción: de Molière a Thomes Corneille". *El Guiniguada*, 3/2, 1992, p. 261-266.

Lozano González, W.C. (1991): "El Arte de traducir el idioma francés al castellano de Antonio de Capmany y Surís de Montpalau". *Sendebar*, vol. 2, 1991, p. 15-22.

MacKenzie, R. (1994): "A quality-based approach to teaching specialised translation". I Jornadas Internacionales de Traducción e Interpretación: Tendencias actuales, Las Palmas de Gran Canaria 1994. Actas en prensa.

Maier, C; Massardier-Kenney, F. (1992): "A Working Model for the Pedagogy of Specialized Translation". Actas publicadas por Parcerisas, F. (ed.) (1995): *Actes del I Congrès Internacional sobre Traducció* (abril 1992). Publicacions de l'Universitat Autónoma de Barcelona, p. 429-438.

Maleve, M.N; Martín, J.P. (1983): "Los cursos de lengua materna como preparación a la traducción y a la interpretación". *Cuadernos de Traducción e Interpretación*, 3, 1983, p. 23-32.

Malmkjaer, K. (1994): "I think they know that: Between translation teaching language teaching". I Jornadas Internacionales de Traducción e Interpretación: Tendencias actuales, Las Palmas de Gran Canaria 1994. Actas en prensa.

Mallo Martínez, J. (1995): "La traducción según Quine y Derrida: Aplicación a un texto literario". VI Encuentros Complutenses sobre la Traducción, Madrid 1995. Actas en prensa.

Marrero Pulido, V; García Domínguez, M.J; Piñero Piñero, G. (1992): "Las equivalencias como mecanismo de cohesión textual. Aplicación a la enseñanza de la lengua materna para traductores". Actas publicadas por Parcerisas, F. (ed.) (1995): *Actes del I Congrès Internacional sobre Traducció* (abril 1992). Publicacions de l'Universitat Autónoma de Barcelona, p. 417-428.

Marrocco-Maffei, G.L. (1992): "Traducción, lectura". Actas publicadas por Parcerisas, F. (ed.) (1995): *Actes del I Congrès Internacional sobre Traducció* (abril 1992). Publicacions de l'Universitat Autónoma de Barcelona, p. 545-550.

Martín, A; Padilla Benítez, P. (1992): "Semejanzas y diferencias entre traducción e interpretación: implicaciones metodológicas". *Sendebar*, vol. 3, 1992, p. 175-184.

Martínez Mélis, N. (1988): "Le theme, cet hermaphrodite (ou l'avers et l'envers de la traduction inverse)". Jornadas europeas de traducción e interpretación, Granada 1987. *Actas de las Jornadas Europeas de Traducción e Interpretación* (1988). Public. de la Universidad de Granada, p. 123-130.

Martínez Mélis, N. (1992): "Evaluation et traduction". Actas publicadas por Parcerisas, F. (ed.) (1995): *Actes del I Congrès Internacional sobre Traducció* (abril 1992). Publicacions de l'Universitat Autónoma de Barcelona, p. 485-492.

Masia Canuto, M.L. (1995): "Estrategias de aprendizaje de lenguas a partir de los relatos de los estudiantes". I Encuentros Alcalainos de Traducción. Cultura sin fronteras. *Encuentros en torno a la traducción.* Actas publicadas por C. Valero Garcés (1995). Publicaciones de la Universidad de Alcalá de Henares, p. 251-256.

Masia Canuto, M.L; García, L. (1996): "La enseñanza de la lengua materna para traductores". III Jornades sobre la Traducció: Didáctica de la Traducció. Universitat Jaume I, Mayo 1995. Actas publicadas por A. Hurtado Albir (ed.) (1996) *La enseñanza en la traducción.* Universitat Jaume I de Castelló, p. 189-194.

Mayoral Asensio, R; Kelly, D; Gallardo San Salvador, N. (1985): "Concepto de 'traducción subordinada' (cómic, cine, canción, publicidad). Traducción: programa de los cursos (III)". Actas del III Congreso Nacional de Lingüística Aplicada (AESLA), Valencia abril 1985: *Pasado, presente y futuro de la lingüística aplicada en España*, publicadas por F. Fernández (1986), p. 117-122.

Mayoral Asensio, R; Kelly, D; Gallardo San Salvador, N. (1985): "Concepto de 'traducción subordinada' (cómic, cine, canción, publicidad). La enseñanza de la traducción (II)". Actas del III Congreso Nacional de Lingüística Aplicada (AESLA), Valencia abril 1985: *Pasado, presente y futuro de la lingüística aplicada en España*, publicadas por F. Fernández (1986), p. 107-116.

Medal, D; Cañero, J. (1995): "The Great Gastby: An Experience in the Learning of Literary Translation". I Encuentros Alcalainos de Traducción. Cultura sin fronteras. *Encuentros en torno a la traducción.* Actas publicadas por C. Valero Garcés (1995). Publicaciones de la Universidad de Alcalá de Henares, p. 141-150.

Meintjes, E. (1994): "Discourse analysis as an aid to translation students". I Jornadas Internacionales de Traducción e Interpretación: Tendencias actuales, Las Palmas de Gran Canaria 1994. Actas en prensa.

Mestreit, C. (1988): "La enseñanza de las lenguas extranjeras en una escuela de traductores e intérpretes". Jornadas europeas de traducción e interpretación, Granada 1987. *Actas de las Jornadas Europeas de Traducción e Interpretación* (1988). Public. de la Universidad de Granada, p. 145-152.

Metcalfe, K. (1990): "The Uses of Video (Active and Passive) in the Second Language Classroom". Actas publicadas por Parcerisas, F. (ed.) (1995):

Actes del I Congrès Internacional sobre Traducció (abril 1992). Publicacions de l'Universitat Autónoma de Barcelona, p. 557-564.

Molina Pico, M.C. (1995): "Los campos semánticos del concepto movimiento en inglés, castellano y catalán: análisis y estudio de los problemas en la traducción". I Encuentros Alcalainos de Traducción. Cultura sin fronteras. *Encuentros en torno a la traducción.* Actas publicadas por C. Valero Garcés (1995). Publicaciones de la Universidad de Alcalá de Henares, p. 257-266.

Molina, F.J; Montero, J.M. (1995): "Círculo de traducción: Una experiencia colectiva en Traducción". I Encuentros Alcalainos de Traducción. Cultura sin fronteras. *Encuentros en torno a la traducción.* Actas publicadas por C. Valero Garcés (1995). Publicaciones de la Universidad de Alcalá de Henares, p. 151-158.

Mounin, G. (1982): "Pour une pédagogie de la traduction". *Cuadernos de Traducción e Interpretación,* 1, 1982, p. 11-20.

Mustieles, J.L. (1992): "Un modelo de análisis tipológico para la enseñanza de la traducción". Actas publicadas por Parcerisas, F. (ed.) (1995): *Actes del I Congrès Internacional sobre Traducció* (abril 1992). Publicacions de l'Universitat Autónoma de Barcelona, p. 539-544.

Nadstoga, Z. (1994): "Interpreter training in the context of foreign language pedagogy". I Jornadas Internacionales de Traducción e Interpretación: Tendencias actuales, Las Palmas de Gran Canaria 1994. Actas en prensa.

Naro, G. (1995): "Importance du contexte et du cotexte dans la préparation à la traduction". III Coloquio de la APFFUE, Barcelona 1995. Actas publicadas por F. Lafarga, A. Ribas, M. Tricas (1995): *La Traducción. Metodología, Historia, Literatura, Ambito hispanofrancés.* Barcelona, PPU, p. 27-32.

Newmark, P. (1986): "La enseñanza de la traducción especializada". *Cuadernos de Traducción e Interpretación,* 7, 1986, p. 81-96.

Nobs, M.-L. (1992): "Contra la 'literalidad gratuita': ejercicios preliminares a la Traducción inversa (español-alemán)". Actas publicadas por Parcerisas, F. (ed.) (1995): *Actes del I Congrès Internacional sobre Traducció* (abril 1992). Publicacions de l'Universitat Autónoma de Barcelona, p. 409-416.

Nord, C. (1996): "El error en la traducción: categorías y evaluación". III Jornades sobre la Traducció: Didáctica de la Traducció. Universitat Jaume I, Mayo 1995. Actas publicadas por A. Hurtado Albir (ed.) (1996) *La enseñanza en la traducción.* Universitat Jaume I de Castelló, p. 91-108.

Novosilov, N; Paños, N. (1983): "Sobre la enseñanza de la traducción del ruso". *Cuadernos de Traducción e Interpretación*, 3, 1983, p. 87-96.

Ortega Arjonilla, E; Echeverría Pereda, E. (1996): *Enseñanza de Lenguas, Traducción e Interpretación (Francés-Español)*. Universidad de Málaga, Colección Manuales.

Palomares Perraut, R. (1994): "Documentación aplicada a Traducción: Una nueva asignatura en los planes de estudios universitarios de Traducción". I Encuentro Interdisciplinar de Teoría y Práctica de la Traducción, Cádiz 1993. *Reflexiones sobre la Traducción*. Actas publicadas por L. Charlo Brea (1994). Public. de la Universidad de Cádiz, p. 503-506.

Pascual, I; Peñate Soares, A.L. (1991): *Introducción a los estudios traductológicos*. Las Palmas de Gran Canaria, Ed. Corona.

Pastor Cesteros, S. (1994): "La traducción en las clases de español para extranjeros". I Jornadas Internacionales de Traducción e Interpretación: Tendencias actuales, Las Palmas de Gran Canaria 1994. Actas en prensa.

Pennock, B; Santaemilia Ruíz, J. (1992): "*In Praise of Older Methods*: La traducció en l'ensenyament de llengües estrangeres. Alguns exercicis pràctics". Actas publicadas por Parcerisas, F. (ed.) (1995): *Actes del I Congrès Internacional sobre Traducció* (abril 1992). Publicacions de l'Universitat Autónoma de Barcelona, p. 471-484.

Peña Martín, S; Hernández Guerrero, M.J. (1994): *Traductología*. Public. de la Universidad de Málaga.

Pintori Olivotto, A. (1992): "Las expresiones idiomáticas en la didáctica de la lengua para traductores". Actas publicadas por Parcerisas, F. (ed.) (1995): *Actes del I Congrès Internacional sobre Traducció* (abril 1992). Publicacions de l'Universitat Autónoma de Barcelona, p. 565-576.

Piñero Piñero, G; García Domínguez, M.J. (1992): "Un modelo para la enseñanza de la lengua materna a los futuros traductores. Aproximación teórica y práctica". Actas publicadas por Parcerisas, F. (ed.) (1995): *Actes del I Congrès Internacional sobre Traducció* (abril 1992). Publicacions de l'Universitat Autónoma de Barcelona, p. 457-470.

Piñero Piñero, G; Marrero Pulido, V; García Domínguez, M.J. (1994): "Una propuesta para la enseñanza del sistema verbal español". I Jornadas Internacionales de Traducción e Interpretación: Tendencias actuales, Las Palmas de Gran Canaria 1994. Actas en prensa.

Pique i Huerta, R. (1992): "CALIS, un sistema d'autor per a l'ensenyament de llengua i traducció". Actas publicadas por Parcerisas, F. (ed.) (1995): *Actes del I Congrès Internacional sobre Traducció* (abril 1992). Publicacions de l'Universitat Autónoma de Barcelona, p. 97-102.

Pliego Sánchez, I. (1994): "Tema y campo semántico (o la importancia del léxico en la traducción)". I Encuentro Interdisciplinar de Teoría y Práctica de la Traducción, Cádiz 1993. *Reflexiones sobre la Traducción*. Actas publicadas por L. Charlo Brea (1994). Public. de la Universidad de Cádiz, p. 583-590.

Pym, A. (1992): "La enseñanza de la traducción y la teoría autoritaria de Peter Newmark". *El Guiniguada* 2, 1992, p. 305-318.

Pym, A. (1992): "Student Exchange Programmes and the Training of Translators: Three Economic Principles for Research and Experimentation". Actas publicadas por Parcerisas, F. (ed.) (1995): *Actes del I Congrès Internacional sobre Traducció* (abril 1992). Publicacions de l'Universitat Autónoma de Barcelona, p. 505-514.

Pym, A. (1993): *Epistemological Problems in Translation and its Teaching: A Seminar for Thinking Students*. Calaceite (Teruel), Ediciones Caminade.

Raders, M. (1990): "El análisis del texto: requisito de la enseñanza y de la práctica de la traducción". II Encuentros Complutenses sobre la Traducción, Madrid 1988. Actas publicadas con el mismo nombre en 1990. Public. de la Univ. Complutense de Madrid, p. 237-248.

Recuenco, M; Ugarte, X. (1995): "Traduction en classe de FLE: Sans blague! Ara! ¡No me digas!". *Enseignement / Apprentissage du FLE: Repères et applications*. Publ. por R. Gauchola, C. Mestreit, M.A. Tost (eds.). ICE de la Universidad Autónoma de Barcelona, p. 161-175.

Reiss, K. (1992): "¿La teoría de la traducción puede servir a la enseñanza de la traducción?". Actas publicadas por Parcerisas, F. (ed.) (1995): *Actes del I Congrès Internacional sobre Traducció* (abril 1992). Publicacions de l'Universitat Autónoma de Barcelona, p. 39-54.

Reiss, K. (1992): "Teorías de la traducción y su relevancia para la práctica". *Sendebar*, vol. 3, 1992, p. 25-38.

Renard, R. (1983): "La phonétique dans la formation des traducteurs-interprètes". *Cuadernos de Traducción e Interpretación*, 2, 1983, p. 89-98.

Renard, R. (1993): "La phonétique dans la formation des traducteurs-interprètes". *Cuadernos de Traducción e Interpretación*, 2, 1983, p. 89-98.

Ribas Pujol, A. (1993): "La formación de traductores". *Anuari de Filología: Filología Románica* XVI, 4, p. 23-31.

Ribé i Queralt, R. (1983): "Reflexions entorn a la utilització del vídeo a l'aula d'anglès". *Cuadernos de Traducción e Interpretación*, 3, 1983, p. 51-70.

Rodríguez Rochette, V. (1992): "¿Traducción pedagógica o pedagogía de la traducción?". Actas del II Congreso Internacional de la Sociedad de

Didáctica de la Lengua y la Literatura, Las Palmas de Gran Canaria 1992, publicadas por A. Delgado y F. Menéndez (1992), nº 3 de la revista *El Guiniguada*, p. 393-400.

Rodríguez, I; Adan, A. (1991): "Las amistades peligrosas: Un acercamiento a los problemas del alumno en la traducción del italiano". I Coloquio Internacional de Traductología, Valencia 1989. Actas publicadas por B. Lépinette, A. Olivares, E. Sopeña, E. (1991) *Actas del Primer Coloquio Internacional de traductología*. Public. por la Universitat de Valencia, *Quaderns de Filologia*, p. 179-180.

Roffé Gómez, A. (1995): "Traduction et enseignement du lexique argotique et populaire français". III Coloquio de la APFFUE, Barcelona 1995. Actas publicadas por F. Lafarga, A. Ribas, M. Tricas (1995): *La Traducción. Metodología, Historia, Literatura, Ambito hispanofrancés*. Barcelona, PPU, p. 455-459.

Roque Ferrer, P. (1989): "Traducción y lengua de llegada". Actas de las XII Jornadas pedagógicas sobre la enseñanza del francés en España. / Ecriture, Analyse textuelle, Littérature,, publicadas por C. Mestreit & M. Tost (1989). Barcelona, Publicacions de l'ICE de l'Universitat Autónoma p. 168-176.

Roser Nebot, N. (1995): "La inversión inferencial en la reconstrucción de entornos. Propuesta de ejercicios didácticos para la enseñanza/aprendizaje de la traducción inversa español-árabe". VI Encuentros Complutenses sobre la Traducción, Madrid 1995. Actas en prensa.

Ruiperez, G. (1995): *Enseñanza de lenguas y traducción con ordenadores*. Madrid, Ediciones Pedagógicas.

Ruiz de Zarobe, L. (1992): "Enseignement de la langue française pour les traducteurs: quelques perspectives de compréhension textuelle". Actas publicadas por Parcerisas, F. (ed.) (1995): *Actes del I Congrès Internacional sobre Traducció* (abril 1992). Publicacions de l'Universitat Autónoma de Barcelona, p. 523-530.

Salceda Rodríguez, H. (1992): "¿Que lectura para qué traducción?". Actas publicadas por Parcerisas, F. (ed.) (1995): *Actes del I Congrès Internacional sobre Traducció* (abril 1992). Publicacions de l'Universitat Autónoma de Barcelona, p. 593-602.

San José Villacorta, C. (1994): "Nuevas tecnologías de la información y de la comunicación y la enseñanza de los idiomas". II Curso Superior de Traducción Inglés-Español, Valladolid 1993. Textos publicados por P. Fernández Nistral (ed.) (1994): *Aspectos de la traducción Inglés-Español*. Public. del ICE de la Univ. de la Universidad de Valladolid, p. 151-156.

San Pedro Aguilar, P. (1991): "Enseñanza de las lenguas y traducción". R. Dengler Gassin (ed.): *Estudios humanísticos en homenaje a Luis Cortés Vázquez*, Universidad de Salamanca, vol. II, p. 809-816.

Sánchez Escobar, A. (1995): "Técnicas de traducción en el aula: un acercamiento a la sustantivación inglesa". VI Encuentros Complutenses sobre la Traducción, Madrid 1995. Actas en prensa.

Sánchez Paños, I. (1994): "Lo que siempre se pregunta en clase". IV Encuentros Complutenses sobre la Traducción, Madrid 1992. Actas publicadas con el mismo nombre en 1994. Public. de la Universidad Complutense de Madrid, p. 203-208.

Sánchez Trigo, E. (1995): "Selección de textos y didáctica de la traducción". VI Encuentros Complutenses sobre la Traducción, Madrid 1995. Actas en prensa.

Sánchez, D. (1994): "Problemática de la traducción inversa (español-francés): implicaciones didácticas". I Jornadas Internacionales de Traducción e Interpretación: Tendencias actuales, Las Palmas de Gran Canaria 1994. Actas en prensa.

Sánchez, D. (1995): "La traducción especializada (español-francés): un enfoque didáctico para los textos científicos". VI Encuentros Complutenses sobre la Traducción, Madrid 1995. Actas en prensa.

Santamaria García, C. (1995): "Different Verbal Routines in Telephone Call Openings". I Encuentros Alcalainos de Traducción. Cultura sin fronteras. *Encuentros en torno a la traducción*. Actas publicadas por C. Valero Garcés (1995). Publicaciones de la Universidad de Alcalá de Henares, p. 231-238.

Sarkisian, G. (1994): "Didáctica de idioma extranjero: el problema de la eficacia (Experiencia de la enseñanza del ruso en la Facultad de Traductores e Intérpretes". I Jornadas Internacionales de Traducción e Interpretación: Tendencias actuales, Las Palmas de Gran Canaria 1994. Actas en prensa.

Sequeros, A. (1994): "Unidades didácticas en la traducción de textos no literarios". I Jornadas Internacionales de Traducción e Interpretación: Tendencias actuales, Las Palmas de Gran Canaria 1994. Actas en prensa.

Sevilla Muñoz, J; Quevedo Aparicio, M.T. (1992): "Didáctica de la traducción paremiológica (francés-castellano)". Actas publicadas por Parcerisas, F. (ed.) (1995): *Actes del I Congrès Internacional sobre Traducció* (abril 1992). Publicacions de l'Universitat Autónoma de Barcelona, p. 577-592.

Socorro Trujillo, K; Peñate Soares, A.L. (1992): "Importancia de la documentación: los paratextos". Actas publicadas por Parcerisas, F. (ed.) (1995): *Actes del I Congrès Internacional sobre Traducció* (abril 1992). Publicacions de l'Universitat Autónoma de Barcelona, p. 449-456.

Solivellas Aznar, M. (1988): "La programación de estudios en la Escuela de Traductores e Intérpretes. Proyecto global de la formación de traductores". Actas de las XI Jornadas Pedagógicas sobre la enseñanza del Francés en España. *Approches diverses du FLE, Traduction et Littérature*, publicadas por C. Mestreit, M. Tost (1988). Barcelona, Publicacions de l'ICE de l'Universitat Autonoma, p. 86-89.

Solivellas Aznar, M. (1988): "Programación Global en la formación de traductores". Jornadas europeas de traducción e interpretación, Granada 1987. *Actas de las Jornadas Europeas de Traducción e Interpretación* (1988). Public. de la Universidad de Granada, p. 205-214.

Sopeña Balordi, A.E. (1984): "Analyse contrastive français-espagnol et étude taxinomique des procédés de traduction littéraire: pour une didactique de la traduction". *Contrastes* 8, mai (1984), p. 147-153.

Sopeña Balordi, A.E. (1986): "La traducción como auxiliar de la didáctica de la lengua extranjera". Actas del IV Congreso Nacional de Lingüística Aplicada (AESLA), Córdoba abril 1986: *Lenguaje y Educación*, 2 vols., publicadas por A. León Sandra (1989). Universidad de Córdoba, Córdoba, p. 967-977.

Sopeña Balordi, A.E. (1987): "La traducción como auxiliar en la didáctica de la lengua extranjera". Actas del IV Congreso Nacional de Lingüística Aplicada (AESLA), Córdoba abril 1986: *Lenguaje y Educación*, 2 vols., publicadas por A. León Sandra (1989). Universidad de Córdoba,

Sopeña Balordi, A.E. (1988): *Une analyse des mécanismes de traduction français-espagnol (Applications I)*. Escola Univ. de P. d'EGB, Universitat de València.

Stalmach, J. (1994): "Gestos rusos - importancia de su enseñanza en la formación de traductores e intérpretes del ruso al español". I Jornadas Internacionales de Traducción e Interpretación: Tendencias actuales, Las Palmas de Gran Canaria 1994. Actas en prensa.

Starobykhovskaya, L; Dayaneva, T. (1994): "Training of translators reviewers". I Jornadas Internacionales de Traducción e Interpretación: Tendencias actuales, Las Palmas de Gran Canaria 1994. Actas en prensa.

Supiot, A. (1994): "La traducción en la enseñanza del FLE en España: De los Reales Seminarios de Nobles a la metodología Ollendoerff". *Livius*, 5 (1994), p. 199-207.

Suss, K. (1995): "La traducción en la enseñanza de idiomas". VI Encuentros Complutenses sobre la Traducción, Madrid 1995. Actas en prensa.

Suss, K. (1995): "Razón y sinrazón de la enseñanza de la traducción". V Encuentros Complutenses sobre la Traducción, Madrid 1994. Actas publicadas con el mismo nombre en 1995. Public. de la Univ. Complutense de Madrid, p. 51-58.

Tejedor Martínez, C. (1995): "El diccionario bilingüe y la traducción: Ejemplos prácticos". I Encuentros Alcalainos de Traducción. Cultura sin fronteras. *Encuentros en torno a la traducción*. Actas publicadas por C. Valero Garcés (1995). Publicaciones de la Universidad de Alcalá de Henares, p. 223-230.

Thomas, N. (1991): "Traduction à l'Université de Barcelone. L'originalité d'une experience menée par des étudiants hispanophones et francophones". I Coloquio Internacional de Traductología, Valencia 1989. Actas publicadas por B. Lépinette, A. Olivares, E. Sopeña, E. (1991) *Actas del Primer Coloquio Internacional de traductología*. Public. por la Universitat de Valencia, *Quaderns de Filologia*, p. 195-198.

Thomas, N. (1995): "Apprendre à traduire le sens: réflexions sur la méthodologie de la langue seconde pour la traduction". III Coloquio de la APFFUE, Barcelona 1995. Actas publicadas por F. Lafarga, A. Ribas, M. Tricas (1995): *La Traducción. Metodología, Historia, Literatura, Ambito hispanofrancés*. Barcelona, PPU, p. 61-68.

Tricás Preckler, M. (1988): "Traduction et ordinateur: quelques suggestions d'exploitation pédagogique: La traduction". Actas de las X Jornadas Pedagógicas sobre la enseñanza del Francés en España: *Langue et méthodologie, Littérature et Civilisation, Informatique et FLE*, publicadas por A. Blas, C. Mestreit, M. Tost (1988). Barcelona, Publicacions de l'ICE de l'Universidad Autónoma, p. 247-256.

Tricás Preckler, M. (1991): "La Enseñanza de la traducción: la descodificación del sentido y la ciencia pragmática". *Ici-Là* 20, junio (1991), p. 19-23.

Tricás Preckler, M. (1995): *Manual de Traducción Francés / Castellano*. Barcelona, Gedisa.

Tromp, H; Garcival, G. (1990): "Traducir en colectivo: una experiencia singular". II Encuentros Complutenses sobre la Traducción, Madrid 1988. Actas publicadas con el mismo nombre en 1990. Public. de la Univ. Complutense de Madrid, p. 77-78.

Truffaut, L. (1995): "La formation universitaire des futurs traducteurs professionnels: dix commandements argumentés". VI Encuentros Complutenses sobre la Traducción, Madrid 1995. Actas en prensa.

Valdivia Campos, C. (1995): "Didáctica de la traducción: algunos principios fundamentales". VI Encuentros Complutenses sobre la Traducción, Madrid 1995. Actas en prensa.

Valero Garcés, C. (1992): "Propuesta metodológica de evaluación crítica de obras literarias traducidas". Actas publicadas por Parcerisas, F. (ed.) (1995): *Actes del I Congrès Internacional sobre Traducció* (abril 1992). Publicacions de l'Universitat Autónoma de Barcelona, p. 743-750.

Vassale, V. (1991): "Traduzione vs. attività teatrale nell'insegnamento di una lingua straniera". Actas de las XV Jornadas Pedagógicas sobre la enseñanza del Francés en España (febrero - marzo 1991): *Actes de la section de français du I Congrés International sur l'enseignement du français en Espagne: Les Langues étrangères dans l'Europe de l'Acte unique*, publicadas por R. Gauchola, C. Mestreit, M. Tost (1991). Barcelona, publicacions de l'ICE de l'Universitat Autònoma,

Vázquez Orta, I. (1989): "Problemas prácticos de traducción". XI Congreso de AEDEAN, León 1987. Actas publicadas por J.C. Santoyo (1989): *Translation Across Cultures*: La traducción en el mundo hispánico y anglosajón, relaciones lingüísticas, culturales y literarias. Publicaciones de la Univ. de León, p. 207-218.

Vega Cernuda, M.A. (1993): "Consideraciones acerca de la funcionalidad pragmática de la traductología y de su didáctica". III Encuentros Complutenses sobre la Traducción, Madrid 1990. Actas publicadas con el mismo nombre en 1993. Public. de la Univ. Complutense de Madrid, p. 59-72.

Vega Cernuda, M.A. (1995): "'Corrida' o 'Course de taureaux', o sea, primacía del 'real' sobre la lengua. Consideraciones pedagógicas y traductivas a propósito de la presencia lingüística y cultural de España en el **Midi** franc. VI Encuentros Complutenses sobre la Traducción, Madrid 1995. Actas en prensa.

Veglia, A. (1982): *Cuadernos del intérprete y traductor. Léxico básico instrumental.* Vol. 3: Español-Francés, Public. de la Univ. Autónoma de Madrid.

Veglia, A. (1986=1989): *Manuel Pratique de la traduction: Español-Francés et Français-Español.* Madrid, Alhambra.

Véglia, A. (1987): *Manuel Pratique de traduction de la Communauté Européenne.* Madrid, Alhambra.

Vermeylen, H.J. (1993): "El desafío de 1992 para traductores, intérpretes y expertos lingüísticos". III Encuentros Complutenses sobre la Traducción, Madrid 1990. Actas publicadas con el mismo nombre en 1993. Public. de la Univ. Complutense de Madrid, p. 273-282.

Vermeylen, H.J. (1995): "Tendencias en la didáctica de la Traducción e Interpretación". V Encuentros Complutenses sobre la Traducción, Madrid 1994. Actas publicadas con el mismo nombre en 1995. Public. de la Univ. Complutense de Madrid, p. 59-70.

Vienne, J. (1994): "Which competences should we teach to future translators and how?". I Jornadas Internacionales de Traducción e Interpretación: Tendencias actuales, Las Palmas de Gran Canaria 1994. Actas en prensa.

Villoria Andreu, S. (1989): "La traducción en la enseñanza del inglés en el Bachillerato". XI Congreso de AEDEAN, León 1987. Actas publicadas por J.C. Santoyo (1989): *Translation Across Cultures*: La traducción en el mundo hispánico y anglosajón, relaciones lingüísticas, culturales y literarias. Publicaciones de la Univ. de León, p. 295-298.

Vivero García, M.D. (1992): "Lingüística textual y traducción en la didáctica del FLE". Actas publicadas por Parcerisas, F. (ed.) (1995): *Actes del I Congrès Internacional sobre Traducció* (abril 1992). Publicacions de l'Universitat Autónoma de Barcelona, p. 531-538.

Vlasselaer, J.J. (1983): "Lo estructuro-global: de una globalidad real a la globalidad virtual por la noción de diferencia". *Cuadernos de Traducción e Interpretación*, 3, 1983, p. 79-86.

Voisin, M. (1994): "Enseigner la modernité". I Jornadas Internacionales de Traducción e Interpretación: Tendencias actuales, Las Palmas de Gran Canaria 1994. Actas en prensa.

Way, C. (1995): "Como estructurar un curso de traducción especializada: premisas básicas". VI Encuentros Complutenses sobre la Traducción, Madrid 1995. Actas en prensa.

Williams, J. (1994): "Every beginning is difficult: first steps in translator training". I Jornadas Internacionales de Traducción e Interpretación: Tendencias actuales, Las Palmas de Gran Canaria 1994. Actas en prensa.

Wuilmart, C. (1994): "Especificidad y didáctica de la traducción literaria". IV Encuentros Complutenses sobre la Traducción, Madrid 1992. Actas publicadas con el mismo nombre en 1994. Public. de la Universidad Complutense de Madrid, p. 165-178.

Zabalbeascoa, P. (1994): "Un esquema de prioridades y restricciones para el alumno de traducción". I Jornadas Internacionales de Traducción e Interpretación: Tendencias actuales, Las Palmas de Gran Canaria 1994. Actas en prensa.

ENTREVISTAS A TRADUCTORES

Badosa, E. (1987): "Entrevista: Angel Crespo". *Cuadernos de Traducción e Interpretación*, 8/9, 1987, p. 269-272.

Ballester, A.R. (1993): "Ernesto Cardenal traductor: entrevista". *Sendebar*, vol. 4, 1993, p. 193-198.

Ballester, A.R; Jiménez, C. (1992): "Entrevista con Peter Newmark". *Sendebar*, vol. 3, 1992, p. 39-48.

Benítez, E. (1992): "Entrevista (truncada) con Consuelo Berges". *Cuadernos de Traducción e Interpretación*, 11/12, 1992, p. 269-286.

Benítez, E. (1992): "Entrevista: En recuerdo de Consuelo Berges". *Cuadernos de Traducción e Interpretación*, 11/12, 1992, p. 261-268.

Fernández Sánchez, M.M. (1995): "In conversation, with Eugene Nida". *Sendebar*, vol. 6, 1995, p. 105-114.

Greer MacDonald, J. (1995): "Entrevista con el Profesor Peter Newmark". *Hieronymus Complutensis*, nº 1, ene.-jun. 1995, p. 113-116.

HIERONIMUS COMPLUTENSIS. (1995): "Entrevista a Eugene A. Nida". *Hieronymus Complutensis* nº 2, 1995, p. 91-98.

Mañé, L. (1992): "Entrevista a Xavier Benguerel". *Cuadernos de Traducción e Interpretación*, 11/12, 1992, p. 287-303.

Mañé, L; Herrera, M.D. (1985): "De la traducció teatral. Parlant amb Carme Serrallonga". *Cuadernos de Traducción e Interpretación*, 5/6, 1985, p. 159-179.

Paraíso, I. (1983): "José María Valverde, entre silencio y palabra". *Cuadernos de Traducción e Interpretación*, 2, 1983, p. 61-78.

Pedraza Jiménez, B. (1984): "Diálogo con José Mª Valverde". Nueva Revista de Enseñanzas Medias nº 6: *La Traducción, Arte y Técnica*, 1984, M.E.C., p. 15-24.

Pedraza Jiménez, B. (1984): "Diálogo con Valentín García Yebra". Nueva Revista de Enseñanzas Medias nº 6: *La Traducción, Arte y Técnica*, 1984, M.E.C., p. 9-14.

Pedraza, P. (1984): "Salvat-papasseit: un poeta, un instituto, una traducción". Nueva Revista de Enseñanzas Medias nº 6: *La Traducción, Arte y Técnica*, 1984, M.E.C., p. 165-184.

Punsola, C. (1983): "Parlant amb Jordi Sarsanedas". *Cuadernos de Traducción e Interpretación*, 3, 1983, p. 175-182.

Riera, I. (1983): "Jordi Sarsanedas, domador de mites". *Cuadernos de Traducción e Interpretación*, 3, 1983, p. 171-174.

Salvat, R. (1985): "Entrevista: Sempre amb Carme Serrallonga". *Cuadernos de Traducción e Interpretación*, 5/6, 1985, p. 155-158.

Tovar, A. (1983): "José María Valverde, estudioso de Humboldt". *Cuadernos de Traducción e Interpretación*, 2, 1983, p. 55-60.

Valverde Zambrana, J.M. (1983): "Con Joyce en Dublín". *Cuadernos de Traducción e Interpretación*, 2, 1983, p. 29-30.

Valverde Zambrana, J.M. (1983): "Gabriel Ferrater: La experiencia de traducir-le". *Cuadernos de Traducción e Interpretación*, 2, 1983, p. 35-36.

Valverde Zambrana, J.M. (1983): "Mi experiencia como traductor". *Cuadernos de Traducción e Interpretación*, 2, 1983, p. 9-26.

Valls, F. (1983): "Hablando con Juan Ramón Masoliver". *Cuadernos de Traducción e Interpretación*, 2, 1983, p. 163-175.

Valls, F. (1984): "Conversación con Carlos Pujol". *Cuadernos de Traducción e Interpretación*, 4, 1984, p. 165-178.

Valls, F. (1987): "Entrevista con Angel Crespo". *Cuadernos de Traducción e Interpretación*, 8/9, 1987, p. 273-299.

FRASEOLOGÍA Y TRADUCCIÓN

Aguilar-Amat, A. (1990): "Caracterización sintáctica de los idiomatismos y propuestas de *parser* para un sistema de traducción automática". Actas del Congreso de la Sociedad Española de Lingüística: XX Aniversario, publicadas por M.A. Alvarez Martínez. Madrid, Gredos,

Arriandiaga, T. (1995): "¿Qué nos comunican las expresiones idiomáticas y los tecnicismos en inglés? ¿Es posible su traducción?". *Lenguas para fines específicos IV: Investigación y enseñanza*. Publ. por S. Barrueco & al. (eds.), Universidad de Alcalá de Henares,

Arrimadas Saavedra, J. (1987): "La traducción, fuente de la paremiología francesa de los siglos XII-XVI". I Jornadas Nacionales de Historia de la Traducción, León 1987. Actas publicadas por J.C. Santoyo, R. Rabadán, T. Guzmán, J.L. Chamosa (1987) *Fidus interpres*, vol. 1 y (1989) *Fidus Interpres*, vol. 2. Public. de la Universidad de León, vol. I, p. 290-298.

Barba Martínez, A. (1991): "Fraseología aeronáutica: el entorno del Radar". *Sendebar*, vol. 2, 1991, p. 107-114.

Barrado Belmar, M.C. (1994): "*Tavola, civi, vini*: Traducción o adaptación sociocultural de estructuras paremiológicas italianas y españolas". *Paremia* 3, 1994, p. 83-88.

Behiels, L. (1993): "¿Cómo se tradujeron los proverbios de 'La Celestina' en neerlandés y alemán?". *Paremia* 2, 1993, p. 189-194.

Blanco, X; Moreno, L. (1995): "Lexique-grammaire et proverbe dans le cadre du FLE: Perspective contrastive Français-Espagnol". *Enseignement / Apprentissage du FLE: Repères et applications.* Publ. por R. Gauchola, C. Mestreit, M.A. Tost (eds.). ICE de la Universidad Autónoma de Barcelona, p. 149-160.

Boquera Matarredona, M. (1994): "La traducción al español de paremias en *The Pickwick Papers*". *Paremia* 3, 1994, p. 89-95.

Brehm, J. (1994): "Tomar un baño - tomar una decisión: la reducción semántica en los componentes verbales de algunas locuciones como problema de la traducción". I Jornadas Internacionales de Traducción e Interpretación: Tendencias actuales, Las Palmas de Gran Canaria 1994. Actas en prensa.

Cantera Ortiz de Urbina, J. (1991): "Problemática de la correspondencia de locuciones y refranes entre el español y el francés". R. Dengler Gassin (ed.): *Estudios humanísticos en homenaje a Luis Cortés Vázquez,* Universidad de Salamanca, vol. I, p. 11-120.

Chamosa González, J.L; Díaz Martínez, M. (1993): "Los *Proverbios morales* del Marqués de Santillana y su traducción inglesa". *Livius*, 4 (1993), p. 49-60.

Delgado Yoldi, M. (1990): "La traducción de la expresión malsonante (inglés-español)". II Encuentros Complutenses sobre la Traducción, Madrid 1988. Actas publicadas con el mismo nombre en 1990. Public. de la Univ. Complutense de Madrid, p. 101-106.

Díaz Ferrero, A.M; Murillo Melero, M. (1994): "La traducción de las expresiones idiomáticas en Portugués y Español: análisis comparativo de algunas Expresiones Idiomáticas relacionadas con el vestuario". I Encuentro Interdisciplinar de Teoría y Práctica de la Traducción, Cádiz 1993. *Reflexiones sobre la Traducción.* Actas publicadas por L. Charlo Brea (1994). Public. de la Universidad de Cádiz, p. 227-244.

Douglas, E; Noya Gallardo, C. (1994): "Dificultades relacionadas con la traducción de términos coloquiales ingleses aplicados al tiempo". I Encuentro Interdisciplinar de Teoría y Práctica de la Traducción, Cádiz 1993. *Reflexiones sobre la Traducción.* Actas publicadas por L. Charlo Brea (1994). Public. de la Universidad de Cádiz, p. 257-268.

Fuster, M. (1991): "Agrupamientos léxicos en *The Recuyell of the historyes of Troye*, traducción inglesa de William Caxton". I Coloquio Internacional de Traductología, Valencia 1989. Actas publicadas por B. Lépinette, A. Olivares, E. Sopeña, E. (1991) *Actas del Primer Coloquio Internacional de traductología.* Public. por la Universitat de Valencia, *Quaderns de Filologia*, p. 101-104.

García Jurado, F. (1995): "La traducción de los recursos léxicos del enfrentamiento y el obstáculo en la comedia plautina: el preverbio **ob-** y sus juegos léxicos". V Encuentros Complutenses sobre la Traducción, Madrid 1994. Actas publicadas con el mismo nombre en 1995. Public. de la Univ. Complutense de Madrid, p. 299-308.

Giersiepen, C. (1994): "La traducción al alemán del refranero español. La re-creación de un elemento comunicativo específicamente cultural". I Jornadas Internacionales de Traducción e Interpretación: Tendencias actuales, Las Palmas de Gran Canaria 1994. Actas en prensa.

Gutiérrez Díez, F. (1995): "Idiomaticidad y traducción". *Cuadernos de Filología Inglesa* 4, 1995, p. 27-42.

Hoyo, A. (1988): *Diccionario de palabras y frases extranjeras en el español moderno*. Madrid, Aguilar.

Hue Fanost, C. (1989): "Los colores: Estudio semántico contrastivo de expresiones idiomáticas en tres lenguas". Actas del VII Congreso Nacional de Lingüística Aplicada (AESLA), Sevilla abril 1989, publicadas por F. Garrudo Carabias, J. Rincón (1990). Dpto. de Filología Inglesa de la Universidad de Sevilla, p. 275-283.

Lécrivain, C. (1995): "La traduction des proverbes: operation langagière ou pratique culturelle?". *Estudios de Lengua y Literatura Francesas*, 8-9, 1994-95, p. 129-148.

López Carrillo, R. (1989): "Choix d'expressions françaises utilisant une partie du corps humain (I: La Tête) et leur traduction a l'Espagnol". *Anales de Filología Francesa*, 3, 1989, p. 73-106.

López Carrillo, R. (1992): "Choix d'expressions françaises utilisant une partie du corps humain (II: LE TRONC) et leur traduction à l'espagnol". *Anales de Filología Francesa*, 4, 1992, p. 73-88.

López, R; Martínez, E; Ortega Arjonilla, E. (1995): "Algunas consideraciones en torno a la traducción de lenguajes marginales francés-español". Actas del II Coloquio Internacional de Lingüística Francesa: *La Lingüística Francesa: gramática, historia y epistemología* (Sevilla 1995). Dpto. de Filología Francesa de la Universidad de Sevilla (en prensa).

Lozano González, W.C. (1992): "Aproximación al problema de las expresiones idiomáticas y su traducción". *Sendebar*, vol. 3, 1992, p. 141-155.

Lozano González, W.C. (1993): "La traducción de las expresiones idiomáticas: francés-español". Actas de las Jornadas Internacionales de Lingüística Aplicada, publicadas por J. Fernández-Barrientos Martín (1993). Granada, ICE de la Universidad, p. 653-662.

Luque Toro, L. (1995): "La expresión coloquial en español y su traducción al inglés: casos especiales". V Encuentros Complutenses sobre la Traducción, Madrid 1994. Actas publicadas con el mismo nombre en 1995. Public. de la Univ. Complutense de Madrid, p. 671-678.

Mazars Denys, E. (1994): "Le chien dans quelques locutions et expresions françaises et espagnoles". Actas del II Coloquio de Filología Francesa en la Universidad Española, Almagro 1993, publicadas por J. Bravo (1994). Universidad de Castilla-La Mancha, p. 155-160.

Navarro Domínguez, F. (1995): "Analyse du discours, phraséologie et traduction". Actas del II Coloquio Internacional de Lingüística Francesa: *La Lingüística Francesa: gramática, historia y epistemología* (Sevilla 1995). Dpto. de Filología Francesa de la Universidad de Sevilla (en prensa).

Ojanguren Fernández, A. (1995): "Diferentes soluciones para la traducción al alemán de los refranes de Sancho Panza en la segunda parte del Quijote: Tieck, Braunfels, Bertuch y Soltau". VI Encuentros Complutenses sobre la Traducción, Madrid 1995. Actas en prensa.

Ozaeta Gálvez, M.R. (1991): "La traduction des locutions et des expressions idiomatiques". *Cuadernos de Filología Francesa* 5, p. 199-219.

Pina Medina, U.M. (1993): *La idiomaticidad en el lenguaje literario: Estudio basado en la novela "On the Road" de Jack Keronae en sus versiones inglesa, castellana y francesa*. Public. de la Universidad de Alicante.

Pintori Olivotto, A. (1992): "Las expresiones idiomáticas en la didáctica de la lengua para traductores". Actas publicadas por Parcerisas, F. (ed.) (1995): *Actes del I Congrès Internacional sobre Traducció* (abril 1992). Publicacions de l'Universitat Autónoma de Barcelona, p. 565-576.

Pintori Olivotto, A. (1994): "Indice de frecuencia de errores en la traducción de las expresiones idiomáticas". I Jornadas Internacionales de Traducción e Interpretación: Tendencias actuales, Las Palmas de Gran Canaria 1994. Actas en prensa.

Piñel, R; Beltrán Gandullo, M. (1994): "El lenguaje publicitario en textos de prensa: traducción o adaptación". IV Encuentros Complutenses sobre la Traducción, Madrid 1992. Actas publicadas con el mismo nombre en 1994. Public. de la Universidad Complutense de Madrid, p. 361-380.

Regales Serna, A. (1988): "Cuestiones lingüísticas y extralingüísticas en la traducción de frases hechas y giros idiomáticos (con especial referencia a la traducción del alemán)". Jornadas de Traducción, Ciudad Real 1986. Actas publicadas en 1986 con el título de *Actas de las Jornadas de Traducción*. Public. de la Fac. de Letras de la Universidad de Castilla-La Mancha, p. 105-136.

Sánchez Escribano, F.J. (1988): "Traducción de refranes españoles al inglés: la primera colección publicada en Inglaterra". Jornadas de Traducción, Ciudad Real 1986. Actas publicadas en 1986 con el título de *Actas de las Jornadas de Traducción.* Public. de la Fac. de Letras de la Universidad de Castilla-La Mancha, p. 233-248.

Sánchez Paños, I. (1990): "La traducción de la expresión malsonante (francés-español)". II Encuentros Complutenses sobre la Traducción, Madrid 1988. Actas publicadas con el mismo nombre en 1990. Public. de la Univ. Complutense de Madrid, p. 113-116.

Sevilla Muñoz, J. (1990): "La traducción al español de algunas paremias francesas". II Encuentros Complutenses sobre la Traducción, Madrid 1988. Actas publicadas con el mismo nombre en 1990. Public. de la Univ. Complutense de Madrid, p. 145-150.

Sevilla Muñoz, J. (1992): "Algunas referencias sobre las traducciones paremiológicas entre el francés y el español". II Jornadas Nacionales de Historia de la Traducción, León 1990. Actas publicadas en la revista *Livius* nº 1 y 2, 1992. Public. de la Universidad de León, vol. II, p. 95-106.

Sevilla Muñoz, J. (1993): "La terminología heráldica en francés y en español". III Encuentros Complutenses sobre la Traducción, Madrid 1990. Actas publicadas con el mismo nombre en 1993. Public. de la Univ. Complutense de Madrid, p. 77-84.

Sevilla Muñoz, J; Burrel Arguis, M. (1994): "La traducción en las colecciones peremiográficas plurilingües". *Livius*, 5 (1994), p. 189-198.

Sevilla Muñoz, J; Quevedo Aparicio, M.T. (1992): "Didáctica de la traducción paremiológica (francés-castellano)". Actas publicadas por Parcerisas, F. (ed.) (1995): *Actes del I Congrès Internacional sobre Traducció* (abril 1992). Publicacions de l'Universitat Autónoma de Barcelona, p. 577-592.

Simon Schuhmacher, L. (1992): "La traducción de proverbios metafóricos del español al alemán". Actas del V Congreso de la Sociedad Española de profesores de Alemán: *Filología Alemana y Didáctica del Alemán*, publicadas por A. Regales Serna (1992). Universidad de Valladolid, p. 115-120.

Ulrich, M. (1989): "Fraseología y traducción: A propósito de los weterismos". XI Congreso de AEDEAN, León 1987. Actas publicadas por J.C. Santoyo (1989): *Translation Across Cultures*: La traducción en el mundo hispánico y anglosajón, relaciones lingüísticas, culturales y literarias. Publicaciones de la Univ. de León, p. 199-206.

Usach Muñoz, F. (1991): "Reflexions sobre una traducció francés-català: locucions i frases fetes". I Coloquio Internacional de Traductología, Valencia

1989. Actas publicadas por B. Lépinette, A. Olivares, E. Sopeña, E. (1991) *Actas del Primer Coloquio Internacional de traductología*. Public. por la Universitat de Valencia, *Quaderns de Filologia*, p. 209-212.

Vega, J.L. (1994): "*Der Aufbruch / El Arranque*: un ejemplo de las traducciones expresionistas". *Sendebar*, vol. 5, 1994, p. 241-248.

Vila de la Cruz, M.P. (1994): "Problemática de la traducción en las expresiones idiomáticas de color (inglés-español)". IV Encuentros Complutenses sobre la Traducción, Madrid 1992. Actas publicadas con el mismo nombre en 1994. Public. de la Universidad Complutense de Madrid, p. 253-258.

HISTORIA DE LA TRADUCCIÓN

Alarcón Navío, E. (1987): "La traducción en Francia durante el siglo XVI: Jacques Amiot". I Jornadas Nacionales de Historia de la Traducción, León 1987. Actas publicadas por J.C. Santoyo, R. Rabadán, T. Guzmán, J.L. Chamosa (1987) *Fidus interpres*, vol. 1 y (1989) *Fidus Interpres*, vol. 2. Public. de la Universidad de León, vol. I, p. 54-58.

Albarrán González, B. (1992): "Actividad traductora de los españoles en Filipinas (1565-1898)". II Jornadas Nacionales de Historia de la Traducción, León 1990. Actas publicadas en la revista *Livius* nº 1 y 2, 1992. Public. de la Universidad de León, vol. II, p. 87-94.

Albarrán González, B. (1993): "Traducción de obras de cultura religiosa europea al dialecto pangasinán". *Livius*, 4 (1993), p. 15-24.

Alvar, C. (1989): "Aportación al conocimiento de las traducciones medievales del francés en España". *Imágenes de Francia en las letras hispánicas*. Ed. Francisco Lafarga. Barcelona, PPU, 1989, p. 201-208.

Alvar, C; Gómez Moreno, A. (1987): "Traducciones francesas en el siglo XV: El caso del *Arbol de Batallas* de Honoré Bouvet". I Jornadas Nacionales de Historia de la Traducción, León 1987. Actas publicadas por J.C. Santoyo, R. Rabadán, T. Guzmán, J.L. Chamosa (1987) *Fidus interpres*, vol. 1 y (1989) *Fidus Interpres*, vol. 2. Public. de la Universidad de León, vol. I, p. 24-30.

Alvarez Jurado, M. (1995): "Mujer y traducción en el Renacimiento francés: el vértigo delo dialógico". V Encuentros Complutenses sobre la Traducción, Madrid 1994. Actas publicadas con el mismo nombre en 1995. Public. de la Univ. Complutense de Madrid, p. 217-224.

Alvarez Maurin, M.J. (1992): "La literatura canadiense en España: las traducciones de Mazo de la Roche". II Jornadas Nacionales de Historia de la

Traducción, León 1990. Actas publicadas en la revista *Livius* nº 1 y 2, 1992. Public. de la Universidad de León, vol. I, p. 99-110.

Alvarez, S.V. (1979): *'El Lazarillo de Tormes' en las traducciones alemanas*. Universidad de Valladolid, tesis inédita.

Alvarez, S.V. (1984-85): "*El Lazarillo de Tormes* en las traducciones alemanas". *Telmos* 62-63, 1984-85, p. 24-28.

Ardemagni, E.J. (1994): "The role of translation in medieval spanish and catalan literature". *Livius*, 6 (1994), p. 71-78.

Arenciba, L. (1995): "La traducción: 'Mare Nostrum' muchos siglos después". *Hieronymus Complutensis*, nº 1, ene.-jun. 1995, p. 53-62.

Arredondo, M.S. (1985): "La Satyre Ménipée: Primera traducción castellana". *El Crotalón: Anuario de Filología Española* 2, p. 227-258.

Arredondo, M.S. (1989): "Notas sobre la traducción en el Siglo de Oro: Bandello franco-español". *Imágenes de Francia en las letras hispánicas*. Ed. Francisco Lafarga. Barcelona, PPU, 1989, p. 217-228.

Arredondo, M.S. (1991): "Problemas de la traducción en los siglos XVI y XVII: soluciones y teorías de Charles Sorel". Coloquio Traducción y Adaptación Cultural España-Francia, Oviedo 1990. Actas publicadas en 1991 por M.L. Donaire, F. Lafarga: *Traducción y Adaptación cultural España-Francia*. Public. de la Universidad de Oviedo, p. 541-550.

Arrencibia Rodríguez, L. (1993): "Apuntes para una historia de la traducción en Cuba". *Livius*, 3 (1993), p. 1-18.

Arrimadas Saavedra, J. (1987): "La traducción, fuente de la paremiología francesa de los siglos XII-XVI". I Jornadas Nacionales de Historia de la Traducción, León 1987. Actas publicadas por J.C. Santoyo, R. Rabadán, T. Guzmán, J.L. Chamosa (1987) *Fidus interpres*, vol. 1 y (1989) *Fidus Interpres*, vol. 2. Public. de la Universidad de León, vol. I, p. 290-298.

Bagno, S. (1993): "Perfecto desde el punto de vista estilístico: Traducciones y traductores de *El Quijote* en ruso". *Gaceta de la Traducción*, nº 1, jun. 1993, p. 21-47.

Ballesteros Dorado, A.I. (1994): "La traducción en la revista literaria *De Babel*". IV Encuentros Complutenses sobre la Traducción, Madrid 1992. Actas publicadas con el mismo nombre en 1994. Public. de la Universidad Complutense de Madrid, p. 593-600.

Balliu, C. (1995): "L'École des enfants de Langues del siglo XVII: La primera escuela de interpretación de Francia". VI Encuentros Complutenses sobre la Traducción, Madrid 1995. Actas en prensa.

Balliu, C. (1995): "Los traductores transparentes: Historia de la traducción en Francia durante el periodo clásico". *Hieronymus Complutensis*, nº 1, ene.-jun. 1995, p. 9-52.

Barbolani, C. (1989): "Las traducciones al castellano de la *Première Semaine* de Du Bartas". *Imágenes de Francia en las letras hispánicas*. Ed. Francisco Lafarga. Barcelona, PPU, 1989, p. 209-216.

Barbolani, C. (1990): "Doctrina y forma: la traducción de un texto religioso renacentista". II Encuentros Complutenses sobre la Traducción, Madrid 1988. Actas publicadas con el mismo nombre en 1990. Public. de la Univ. Complutense de Madrid, p. 297-302.

Bayarri, M; Cardona, M. (1993): "Un texto espiritual del siglo XVI". *Livius*, 4 (1993), p. 39-48.

Benallou, L. (1990): "En cuanto a la transcripción de las frases árabes en *El Conde Lucanor*, de Don Juan Manuel. Presentación y crítica". Actas de las Jornadas de Hispanismo Arabe (Madrid mayo 1988), publicadas por F. de Agreda (1990). Madrid, Agencia Española de Cooperación Internacional, p. 227-234.

Bernárdez, E. (1987): "El *Handlyng Synne* en islandés antiguo: sobre la traducción en la Islandia medieval". I Jornadas Nacionales de Historia de la Traducción, León 1987. Actas publicadas por J.C. Santoyo, R. Rabadán, T. Guzmán, J.L. Chamosa (1987) *Fidus interpres*, vol. 1 y (1989) *Fidus Interpres*, vol. 2. Public. de la Universidad de León, vol. I, p. 123-129.

Bonnally, P.J. (1995): "Translating Erasmus in the sixteenth century: theory and practice in the case of the colloquia". *Sendebar*, vol. 6, 1995, p. 39-52.

Bravo García, A. (1987): "Origen y desarrollo de la traducción en Inglaterra (siglos VII-IX)". I Jornadas Nacionales de Historia de la Traducción, León 1987. Actas publicadas por J.C. Santoyo, R. Rabadán, T. Guzmán, J.L. Chamosa (1987) *Fidus interpres*, vol. 1 y (1989) *Fidus Interpres*, vol. 2. Public. de la Universidad de León, vol. I, p. 59-65.

Bravo García, A. (1992): "La escuela de traductores del Rey Alfredo". II Jornadas Nacionales de Historia de la Traducción, León 1990. Actas publicadas en la revista *Livius* nº 1 y 2, 1992. Public. de la Universidad de León, vol. II, p. 1-14.

Breeze, A. (1992): "Some Welsh and Irish Translations of Spanish Writers". *Livius*, 1 (1992), p. 141-146.

Breva Claramonte, M. (1987): "La traducción en la pedagogía de Pedro Simón Abril". I Jornadas Nacionales de Historia de la Traducción, León 1987. Actas publicadas por J.C. Santoyo, R. Rabadán, T. Guzmán, J.L. Chamosa (1987) *Fidus interpres*, vol. 1 y (1989) *Fidus Interpres*, vol. 2. Public. de la Universidad de León, vol. I, p. 283-289.

Briesemeister, D. (1990): "La literatura española en la Alemania del siglo XVIII a través de la mediación de traducciones francesas". Simposio Internacional de Literatura Comparada: (1990) *Europa en España / España en Europa*. Actas publicadas por H. Dyserinck & al., Barcelona, Promociones y Publicaciones Universitarias, p. 197-201.

Bueno García, A. (1995): "*Les fleurs du mal* de Baudelaire: Historia de su traducción, historia de la estética". III Coloquio de la APFFUE, Barcelona 1995. Actas publicadas por F. Lafarga, A. Ribas, M. Tricas (1995): *La Traducción. Metodología, Historia, Literatura, Ambito hispanofrancés*. Barcelona, PPU, p. 263-272.

Buesa Gómez, C. (1989): "La traducción española de *The Defence of Poesie* (1595), de sir Philip Sidney". I Jornadas Nacionales de Historia de la Traducción, León 1987. Actas publicadas por J.C. Santoyo, R. Rabadán, T. Guzmán, J.L. Chamosa (1987) *Fidus interpres*, vol. 1 y (1989) *Fidus Interpres*, vol. 2. Public. de la Universidad de León, vol. II, p. 205-211.

Bullejos, F; Rojo, M.T. (1987): "El valor de la traducción para el conocimiento del Mundo Antiguo". I Jornadas Nacionales de Historia de la Traducción, León 1987. Actas publicadas por J.C. Santoyo, R. Rabadán, T. Guzmán, J.L. Chamosa (1987) *Fidus interpres*, vol. 1 y (1989) *Fidus Interpres*, vol. 2. Public. de la Universidad de León, vol. I, p. 243-248.

Bullón Fernández, M; Mora Sena, M.J. (1992): "Caedmon y Beda: La traducción del mensaje cristiano en la Inglaterra anglosajona". Actas del XIV Congreso Nacional de la AEDEAN, Vitoria, publicadas por F. Eguíluz & al. Universidad del País Vasco, p. 207-213.

Burdeus, M.D; Berdegal, J.M. (1995): "Traduciendo a los templarios del francés al español". I Encuentros Alcalainos de Traducción. Cultura sin fronteras. *Encuentros en torno a la traducción*. Actas publicadas por C. Valero Garcés (1995). Publicaciones de la Universidad de Alcalá de Henares, p. 99-112.

Burrus, V.A. (1994): "The esopete ystoriado and the Art of Translation in Late Fifteenth-Century Spain". *Livius*, 6 (1994), p. 149-162.

Calvo García, J.J. (1983): *El problema de la traducción diacrónica: 'The Tempest', de W. Shakespeare: Informe y propuesta de traslación*. Facultad de Filología de la Universitat de València, tesis inédita.

Calvo Martín, J. (1993): *La traducción inglesa de 'Cárcel de amor' de Diego de San Pedro: Su relación con las versiones italiana y francesa*. Valladolid, Univ. de Valladolid en microficha.

Camps, A. (1995): "La traducción en la historia literaria: el caso de Dante en Cataluña". VI Encuentros Complutenses sobre la Traducción, Madrid 1995. Actas en prensa.

Cantera Ortiz de Urbina, J. (1993): "El enriquecimiento del léxico francés durante la Revolución y su traducción al español". III Encuentros Complutenses sobre la Traducción, Madrid 1990. Actas publicadas con el mismo nombre en 1993. Public. de la Univ. Complutense de Madrid, p. 193-206.

Cantrelle, S. (1991): "Estudio de la difusión de las traducciones de lengua española en la lengua francesa de Charles VIII a Henry IV". I Coloquio Internacional de Traductología, Valencia 1989. Actas publicadas por B. Lépinette, A. Olivares, E. Sopeña, E. (1991) *Actas del Primer Coloquio Internacional de traductología*. Public. por la Universitat de Valencia, *Quaderns de Filologia*, p. 71-72.

Cañete Alvarez-Torrijos, A. (1989): *Problemas de interpretación y traducción al castellano del corpus anglosajón: Beowulf*. Tesis inédita, Universidad de Málaga.

Carbonell, O. (1995): "Traducir el Otro: Perspectivas sobre la traducción del textoposcolonial". VI Encuentros Complutenses sobre la Traducción, Madrid 1995. Actas en prensa.

Carlos Lozano, W. (1995): "De l'esprit des traductions (1816), de Mme. de Staël: avatares de una reflexión sobre la traducción literaria". *Sendebar*, vol. 6, 1995, p. 23-38.

Carnero, G. (1989): "Boutet de Montel, La Harpe y Carnerero". *Imágenes de Francia en las letras hispánicas*. Ed. Francisco Lafarga. Barcelona, PPU, 1989, p. 271-280.

Castillo, F.J. (1993): "La divulgación de la obra de Chaucer en español: Algunas observaciones sobre una versión indirecta de *The Merchant's Tale*". *Revista de Filología* 12, 1993, p. 17-61.

Claramunt, S. (1994): "Escuelas medievales de traductores". J. Agustín (ed.) (1994): *Traducción, Interpretación, Lenguaje*. Madrid, Cuadernos del tiempo libre, Colección Expolingua, Publicaciones: Fundación Actilibre, p. 35-44.

Contreras Martín, A.M. (1992): "La traducción técnica en el siglo XV: Diego de Valera y el *Arbre des Batailles*". Actas publicadas por Parcerisas, F. (ed.) (1995): *Actes del I Congrès Internacional sobre Traducció* (abril 1992). Publicacions de l'Universitat Autónoma de Barcelona, p. 141-150.

Corbella Díaz, D. (1991): "Hispanismos en la obra de Adolphe Coquet: *Une excursion aux îles Canaries*". R. Dengler Gassin (ed.): *Estudios humanísticos en homenaje a Luis Cortés Vázquez*, Universidad de Salamanca, vol. I, p. 133-146.

Corredor Plaja, A.-M. (1994): "La traducción en la historia de la lingüística". Actas del I Coloquio Internacional de Lingüística Francesa: *La lingüís-*

tica francesa, situación y perspectivas a finales del siglo XX (Zaragoza 1993), publicadas por J.F. Corcuera, M. Djian, A. Gaspar (1994). Dpto. de Filología Francesa de la Universidad de Zaragoza, p. 111-116.

Cots Vicente, M. (1988): "Regard historique sur la traduction littéraire". Actas de las XI Jornadas Pedagógicas sobre la enseñanza del Francés en España. *Approches diverses du FLE, Traduction et Littérature*, publicadas por C. Mestreit, M. Tost (1988). Barcelona, Publicacions de l'ICE de l'Universitat Autonoma, p. 55-69.

Cuadra y Echaide, P. (1986): "La traducción al francés de *El Cristo de Velázquez*". Actas del Congreso Internacional Miguel de Unamuno: Cincuentenario 1936-1986. Salamanca, Universidad de Salamanca.

Cunchillos Jaime, C. (1985): "Traducciones inglesas de *El Quijote*: la traducción de Phillips (1687)". *Miscelánea: Dpto. de Lengua y Literatura Inglesas* 6, p. 3-20.

Cunchillos Jaime, C. (1987): "Traducciones inglesas de *El Quijote*". *De clásicos y traducciones*. J.C. Santoyo, I. Verdaguer (eds.). Barcelona, Promociones y Publicaciones Universitarias, p. 89-113.

Chamosa González, J.L. (1986): "Difusión de un poema español del siglo XVI *¡Cabellos quánta mudança!*". Actas del IX Congreso Nacional de la AEDEAN, Murcia 1985, publicadas en 1986. Dpto. de Filología Inglesa y Alemana de la Universidad de Murcia, p. 41-54.

Chamosa González, J.L. (1986): "La necesaria revaluación: traducciones clásicas de clásicos españoles". *XV Semana Cultural Inglesa y Norteamericana*, Universidad de Oviedo, abril 1986.

Chamosa González, J.L. (1987): "La traducción inglesa de las Dianas". *De clásicos y traducciones*. J.C. Santoyo, I. Verdaguer (eds.). Barcelona, Promociones y Publicaciones Universitarias, p. 59-79.

Chamosa González, J.L. (1988): "La versión de la *Historia de Félix y Felismena* que Shakespeare utilizó en *The Who Gentlemen of Verona*". Actas del X Congreso Nacional de la AEDEAN, Zaragoza, p. 257-265.

Chamosa González, J.L. (1989): "La primera traducción española de *The Canterbury Tales*". Actas del I Congreso Internacional de la Sociedad Española de Lengua y Literatura Inglesa Medieval (SELIM). Universidad de Oviedo, p. 191-208.

Chan, L.A. (1994): "Translation Ideas vs. translation words: a breakdown of the situation in the medieval France". *Sendebar*, vol. 5, 1994, p. 17-26.

Chaparro Gómez, C. (1993): "Erasmo de Inglaterra: Traducciones y adaptaciones de su *Depueris insituendis*". *Essays on Translation. Ensayos sobre Traducción* I, 1993, Cáceres, p. 7-16.

Díaz García, J. (1989): "Las primeras versiones de *Hamlet* al español: Apuntes para la historia de la traductología anglo-española". I Jornadas Nacionales de Historia de la Traducción, León 1987. Actas publicadas por J.C. Santoyo, R. Rabadán, T. Guzmán, J.L. Chamosa (1987) *Fidus interpres*, vol. 1 y (1989) *Fidus Interpres*, vol. 2. Public. de la Universidad de León, vol. II, p. 60-72.

Díaz Prieto, P. (1992): "Las traducciones técnicas inglés-español hasta el siglo XIX". II Jornadas Nacionales de Historia de la Traducción, León 1990. Actas publicadas en la revista *Livius* nº 1 y 2, 1992. Public. de la Universidad de León, vol. II, p. 161-170.

Donaire Fernández, M.L; Lafarga, F. (eds.) (1991): *Traducción y adaptación cultural España-Francia*. Univ. de Oviedo.

Extremera Tapia, N; Sabio Pinilla, J.A. (1989): "Algunos cultismos léxicos documentados por primera vez en lengua española en la traducción de *Os Lusiadas* de Benito Caldera (1580)". *Actas del VI Simposio de la Sociedad Española de Literatura General y Comparada* (13-15 marzo 1986). Actas publicadas por J. Paredes Nuñez, A. Soria Olmedo (1989), Granada, Publicaciones de la Universidad, p. 309-312.

Fernández Díaz, M.C. (1989): "Antonio de Capmany y el problema de la traducción y del aprendizaje del francés en la España del siglo XVIII". I Jornadas Nacionales de Historia de la Traducción, León 1987. Actas publicadas por J.C. Santoyo, R. Rabadán, T. Guzmán, J.L. Chamosa (1987) *Fidus interpres*, vol. 1 y (1989) *Fidus Interpres*, vol. 2. Public. de la Universidad de León, vol. II, p. 272-277.

Fernández Fraile, M.E. (1995): "La traducción como procedimiento didáctico en la enseñanza del francés en España en el siglo XIX". III Coloquio de la APFFUE, Barcelona 1995. Actas publicadas por F. Lafarga, A. Ribas, M. Tricas (1995): *La Traducción. Metodología, Historia, Literatura, Ambito hispanofrancés*. Barcelona, PPU, p. 81-90.

Fernández Gómez, J.F; Nieto Fernández, N. (1991): "Tendencias de la traducción de obras francesas en el siglo XVIII". Coloquio Traducción y Adaptación Cultural España-Francia, Oviedo 1990. Actas publicadas en 1991 por M.L. Donaire, F. Lafarga: *Traducción y Adaptación cultural España-Francia*. Public. de la Universidad de Oviedo, p. 579-592.

Fernández López, M. (1993): "*Peter and Wendy*, de J.M. Barrie: Tres traducciones de un clásico". *Livius*, 3 (1993), p. 77-88.

Foz, C. (1987): "El concepto de Escuela de Traductores de Toledo (siglos XII-XIII)". I Jornadas Nacionales de Historia de la Traducción, León 1987. Actas publicadas por J.C. Santoyo, R. Rabadán, T. Guzmán, J.L. Chamosa (1987) *Fidus interpres*, vol. 1 y (1989) *Fidus Interpres*, vol. 2. Public. de la Universidad de León, vol. I, p. 24-30.

Fuster, M. (1988): *William Caxton y la traducción inglesa del 'Recueil des Histoires de Troie' de Raoul Lafevre*. Universidad de Valencia.

Gallego Morell, A. (1985): "Sobre el espíritu de las traducciones (de Mme. de Stäel a Octavio Paz)". *Estudios Románicos dedicados al prof. Andrés Soria Ortega*. Universidad de Granada, vol. II, p. 163-174.

Gallego Roca, M. (1994): "Para una Historia literaria de las traducciones literarias". I Jornadas Internacionales de Traducción e Interpretación: Tendencias actuales, Las Palmas de Gran Canaria 1994. Actas en prensa.

Gambini, D. (1995): "La fedeltá anche doppo Morte overo il regnar doppo Morte de D. Domenico Lasffi y Reynar después de morir de Luis Vélez de Guevara". VI Encuentros Complutenses sobre la Traducción, Madrid 1995. Actas en prensa.

García Garrosa, M.J. (1989): "La recepción del teatro sentimental francés en España". *Imágenes de Francia en las letras hispánicas*. Ed. Francisco Lafarga. Barcelona, PPU, 1989, p. 299-306.

García Gual, C. (1986): "Sobre las traducciones de la **Biblioteca Clásica Gredos**". *Cuadernos de Traducción e Interpretación*, 7, 1986, p. 19-28.

García Lobo, V. (1989): "La traducción documental en los monasterios medievales". I Jornadas Nacionales de Historia de la Traducción, León 1987. Actas publicadas por J.C. Santoyo, R. Rabadán, T. Guzmán, J.L. Chamosa (1987) *Fidus interpres*, vol. 1 y (1989) *Fidus Interpres*, vol. 2. Public. de la Universidad de León, vol. II, p. 5-14.

García Martínez, I. (1988): "Estudio comparativo entre dos traducciones dieciochescas y dos actuales de Hamlet". *Archivum* 37-38, 1988, p. 521-551.

García Yebra, V. (1985): "Importancia histórica de la traducción". *Boletín de la APETI* 24, 1985, p. 12-17.

García Yebra, V. (1987): "Protohistoria de la traducción". I Jornadas Nacionales de Historia de la Traducción, León 1987. Actas publicadas por J.C. Santoyo, R. Rabadán, T. Guzmán, J.L. Chamosa (1987) *Fidus interpres*, vol. 1 y (1989) *Fidus Interpres*, vol. 2. Public. de la Universidad de León, vol. I, p. 11-23.

García-Sabell, T; Flores, C. (1994): "La traducción de textos medievales franceses a la luz de versiones coetáneas". Actas del II Coloquio de Filología Francesa en la Universidad Española, Almagro 1993, publicadas por J. Bravo (1994). Universidad de Castilla-La Mancha, p. 195-200.

García-Sabell, T; Flores, C. (1995): "La traducción de textos medievales desde una perspectiva diacrónica: el ataque con espada". III Coloquio de la APFFUE, Barcelona 1995. Actas publicadas por F. Lafarga, A. Ribas,

M. Tricas (1995): *La Traducción. Metodología, Historia, Literatura, Ambito hispanofrancés*. Barcelona, PPU, p. 203-210.

Gargatagli, A. (1992): "La traducción de América". Actas publicadas por Parcerisas, F. (ed.) (1995): *Actes del I Congrès Internacional sobre Traducció* (abril 1992). Publicacions de l'Universitat Autónoma de Barcelona, p. 727-742.

Garguilo, R. (1991): "*Le Diable boiteux* et *Gil Blas de Santillane* de Lesage. Manipulacions culturelles ou créations originales?". Coloquio Traducción y Adaptación Cultural España-Francia, Oviedo 1990. Actas publicadas en 1991 por M.L. Donaire, F. Lafarga: *Traducción y Adaptación cultural España-Francia*. Public. de la Universidad de Oviedo, p. 221-230.

Gil, J.S. (1985): *La Escuela de Traductores de Toledo y los colaboradores judíos*. Toledo, Diputación Provincial.

Gil-Casates Satrustegui, M.R. (1992): *Ediciones y traducciones inglesas del 'Libro de la Vanidad del Mundo', de Fray Diego de Estelle*. Universidad de León, tesis inédita.

Goldberg, H. (1994): "Looking for the Fifteenth-Century Author: De ilustres mujeres en romance". *Livius*, 6 (1994), p. 107-120.

González Martín, V. (1987): "Traducciones de obras italianas del siglo XVI en la Biblioteca Universitaria de Salamanca". I Jornadas Nacionales de Historia de la Traducción, León 1987. Actas publicadas por J.C. Santoyo, R. Rabadán, T. Guzmán, J.L. Chamosa (1987) *Fidus interpres*, vol. 1 y (1989) *Fidus Interpres*, vol. 2. Public. de la Universidad de León, vol. I, p. 66-74.

González Troyano, A. (1994): "Seudónimos y simulación: En torno a una traducción de *Zaire del Voltaire* por un vecino de Cádiz en 1765 (vide)". *Draco* 5-6, 1993-94, p. 57-62.

González, J.M. (1988): "Teoría y práctica de la traducción en la Inglaterra isabelina". *Revista Alicantina de Estudios Ingleses* 7, p. 99-109.

Gordillo Vázquez, M.C. (1992): "Recursos lingüísticos empleados en una traducción del s. XV. II Jornadas Nacionales de Historia de la Traducción, León 1990. Actas publicadas en la revista *Livius* nº 1 y 2, 1992. Public. de la Universidad de León, vol. II, p. 27-36.

Guidotti, G. (1995): "De la razón del Estado de Juan Botero en nuestra lengua Castellana de Italiano". VI Encuentros Complutenses sobre la Traducción, Madrid 1995. Actas en prensa.

Guinea Ulecia, M. (1995): "Traducción y discurso historiográfico en los Comentarios reales del Inca Garcilaso". VI Encuentros Complutenses sobre la Traducción, Madrid 1995. Actas en prensa.

Gutiérrez Lanza, M.C. (1995): "Leyes y criterios de censura en la España franquista: traducción y recepción de textos literarios". VI Encuentros Complutenses sobre la Traducción, Madrid 1995. Actas en prensa.

Guzmán Guerra, A. (1995): "Leonardo Bruni, traductor y traductólogo del Humanismo". *Hieronymus Complutensis* nº 2, 1995, p. 75-80.

Hagerty, M.J. (1991): "La traducción interesada: El caso del marqués de Estepa y los libros plúmbeos". *Homenaje al prof. J. Bosch Vilá*, Universidad de Granada, vol. II, p. 1179-1186.

Hagerty, M.J. (1992): "La escuela Tibbonida de traductores". *Sendebar*, vol. 3, 1992, p. 7-12.

Háyek, S. (1990): "La problemática de la traducción en el pasado y en el presente". Actas de las Jornadas de Hispanismo Arabe (Madrid mayo 1988), publicadas por F. de Agreda (1990). Madrid, Agencia Española de Cooperación Internacional, p. 75-86.

Hernández Guerrero, M.J. (1993): "El alejamiento cronológico entre el original y su traducción: Perspectiva histórica". *Livius*, 3 (1993), p. 137-144.

Hernández, I. (1995): "*¡Que bello era Suleiken!* de Siegfrid Lenz". *Hieronymus Complutensis* nº 2, 1995, p. 127-132.

Hinojo Andrés, G. (1992): "Nebrija y la traducción de términos históricos e institucionales: teoría y práctica". *Estudios filosóficos en Homenaje a E. de Bustos Tovar*. Publ. por J.A. Bartol Hernández & al. (eds.). Universidad de Salamanca, vol. I, p. 469-476.

Jordá Lliteras, G.M. (1991): "Historia de la traducción. Ediciones, compendios y traducciones del *Liber Creaturarum*. La traducción de Montaigne". I Coloquio Internacional de Traductología, Valencia 1989. Actas publicadas por B. Lépinette, A. Olivares, E. Sopeña, E. (1991) *Actas del Primer Coloquio Internacional de traductología*. Public. por la Universitat de Valencia, *Quaderns de Filologia*, p. 121-124.

Juretschke, L.G. (1990): "Extensión, carácter y significado de las traducciones españolas del francés durante el siglo XIX". II Encuentros Complutenses sobre la Traducción, Madrid 1988. Actas publicadas con el mismo nombre en 1990. Public. de la Univ. Complutense de Madrid, p. 253-270.

Kaylor, N.H. (1993): "The medieval translation of Boethius (De Consolatione Philosophiae) The Significance of Form". R. López Ortega, J.L. Oncins Martínez: *Essays on Translation* I, Public. de la Univ. de Extremadura, p. 109-115.

Kelly, L.G. (1992): "Translators, chocolate and war". *Livius*, 1 (1992), p. 13-24.

Kelly, L.G. (1993): "Bartholomew Clerke's Castiglione: Can a pedant be a gentleman?". *Livius*, 3 (1993), p. 145-158.

Kháter, A. (1990): "Obras españolas traducidas al árabe en El Líbano en el siglo XX". Actas de las Jornadas de Hispanismo Arabe (Madrid mayo 1988), publicadas por F. de Agreda (1990). Madrid, Agencia Española de Cooperación Internacional, p. 395-402.

Ladrón de Guevara, P. (1991): "*L'Infinito* de Leopardi: evolución histórica de su traducción". I Coloquio Internacional de Traductología, Valencia 1989. Actas publicadas por B. Lépinette, A. Olivares, E. Sopeña, E. (1991) *Actas del Primer Coloquio Internacional de traductología.* Public. por la Universitat de Valencia, *Quaderns de Filologia*, p. 135-136.

Lafarga, F. (1986-1987): "Traducción e historia del teatro: el siglo XVIII español". *Anales de Literatura Española*, 5, 1986-1987, p. 219-230.

Lafarga, F. (1989): *Imágenes de Francia en las letras hispánicas.* Barcelona, Promociones y Publicaciones Universitarias.

Lafarga, F; Dengler Gassin, R. (eds. 1995) *Teatro y Traducción.* Barcelona, Universitat Pompeu Fabra.

Lamina, X.V. (1987): "Estudio comparativo de *La Divina Comedia* y su primera traducción española atribuida a D. Enrique de Villena (operaciones negativas)". *Homenaje a Alvaro Galmés de Fuentes*, Oviedo, Universidad y Gredos. Vol. III, p. 169-181.

Lanero Fernández, J.J; Santoyo, J.C; Villoria Andreu, S. (1993): "50 años de traductores, críticos e imitadores de Edgar Allan Poe (1857-1913)". *Livius*, 3 (1993), p. 159-184.

Lanero Fernández, J.J; Villoria Andreu, S. (1992): "El traductor como censor en la España del siglo XIX: el caso de William H. Prescott". II Jornadas Nacionales de Historia de la Traducción, León 1990. Actas publicadas en la revista *Livius* nº 1 y 2, 1992. Public. de la Universidad de León, vol. I, p. 111-122.

Lanero Fernández, J.J; Villoria Andreu, S. (1994): "Traductores y traducciones españolas de James Fenimore Cooper en el siglo XIX". *Livius*, 5 (1994), p. 63-84.

Lécrivain, C. (1994): "Les traductions 'littérales' dans la revue *Gaceta de Arte* (Santa Cruz de Tenerife, 1932-1936)". IV Encuentros Complutenses sobre la Traducción, Madrid 1992. Actas publicadas con el mismo nombre en 1994. Public. de la Universidad Complutense de Madrid, p. 585-592.

Lefere, R. (1994): "La traducción al español de las novelas de Claude Simon". *Anales de Filología Francesa* 6, 1994, p. 85-92.

Lépinette, B. (1991): "Les dialogues (1618) de César Oudin". I Coloquio Internacional de Traductología, Valencia 1989. Actas publicadas por B. Lépinette, A. Olivares, E. Sopeña, E. (1991) *Actas del Primer Coloquio Internacional de traductología*. Public. por la Universitat de Valencia, *Quaderns de Filologia*, p. 139-146.

Lépinette, B. (1994): "Aspectos de la historia de la traducción". *Traducción y Contraste Lingüístico-Cultural.* Valencia 1994, UIMP, vol. II, p. 99-120.

Lépinette, B. (1995): "Las traducciones españolas de un texto europeo: El Télémaque(1699) de Fénelon y su recepción en España". C. Hernández & al.: *Aspectes de la reflexió i de la praxi interlingüística.* Quaderns de Filologia I, Fac. de Filologia, Univ. de Valencia, p. 63-82.

López Lengo, J. (1984): "La traducción en el sistema educativo español". Nueva Revista de Enseñanzas Medias nº 6: *La Traducción, Arte y Técnica*, 1984, M.E.C., p. 123-126.

López Moreda, S. (1993): "Diacronía y traducción". *Essays on Translation. Ensayos sobre Traducción* I, Cáceres 1993, p. 31-38.

López Pérez, J.A. (1989): "En torno a la historia de las traducciones de Eurípides al español". I Jornadas Nacionales de Historia de la Traducción, León 1987. Actas publicadas por J.C. Santoyo, R. Rabadán, T. Guzmán, J.L. Chamosa (1987) *Fidus interpres*, vol. 1 y (1989) *Fidus Interpres*, vol. 2. Public. de la Universidad de León, vol. II, p. 321-328.

Lorenzo Criado, E. (1987): "La primera traducción del inglés". I Jornadas Nacionales de Historia de la Traducción, León 1987. Actas publicadas por J.C. Santoyo, R. Rabadán, T. Guzmán, J.L. Chamosa (1987) *Fidus interpres*, vol. 1 y (1989) *Fidus Interpres*, vol. 2. Public. de la Universidad de León, vol. I, p. 354-366.

Lorenzo Criado, E. (1988): "Gracián traducido en Europa". *Cuadernos para la Investigación de la Literatura Hispánica* 10, 1988, p. 219-229.

Lorenzo Criado, E. (1990): "La traducción en España: estado actual". II Encuentros Complutenses sobre la Traducción, Madrid 1988. Actas publicadas con el mismo nombre en 1990. Public. de la Univ. Complutense de Madrid, p. 373-380.

Losada Friend, M. (1994): "The Wanderings of a social type in eighteenth-century England and France". Jornadas sobre Trasvases Culturales: Literatura, Cine, Traducción (20-22 mayo 1993). Actas publicadas por F. Eguiluz (1994). Vitoria, Public. de la Univ. del País Vasco, p. 287-292.

Lozano González, W.C. (1991): "El Arte de traducir el idioma francés al castellano de Antonio de Capmany y Surís de Montpalau". *Sendebar*, vol. 2, 1991, p. 15-22.

Luttikhuizen, F.-M. (1987): "The Elizabethan translators". I Jornadas Nacionales de Historia de la Traducción, León 1987. Actas publicadas por J.C. Santoyo, R. Rabadán, T. Guzmán, J.L. Chamosa (1987) *Fidus interpres*, vol. 1 y (1989) *Fidus Interpres*, vol. 2. Public. de la Universidad de León, vol. I, p. 177-182.

Llanos García, J. (1994): "Estilo y sentido en las traducciones inglesas de literatura religiosa del siglo XVI". I Congreso Internacional de traducción e Interpretación de Soria, 1993. Actas publicadas por A. Bueno, M. Ramiro, J.M. Zarandona (1994): *La traducción de lo inefable*. Publicaciones del Colegio Universitario de Soria, p. 383-394.

Llanos García, J. (1994): "Traducciones inglesas de patrística y literatura religiosa en el siglo XVI". *Livius*, 5 (1994), p. 85-98.

MacDonald, J.G. (1995): "Las coplas de Jorge Manrique en la traducción de Longfellow". *Hieronymus Complutensis* nº 2, 1995, p. 107-112.

Manero Sorolla, M.P. (1987): "Las traducciones castellanas quinientistas de la obra de Petrarca". *Introducción al estudio del petrarquismo en España*. Barcelona, Promociones y Publicaciones Universitarias, p. 152-159.

Manero Sorolla, M.P. (1989): "La primera traducción de las *Rime* de Petrarca en lengua castellana: Los *Sonetos, canciones, madrigales y sextinas del gran poeta y orador Francisco Petrarca* de Salomón usque (Venecia 1567)". *Actas del VI Simposio de la Sociedad Española de Literatura General y Comparada* (13-15 marzo 1986). Actas publicadas por J. Paredes Nuñez, A. Soria Olmedo (1989), Granada, Publicaciones de la Universidad, vol. I, p. 377-391.

Marcos Casquero, M.A. (1993): "El tema troyano en la Edad Media: Guido delle Colonne, ¿traductor de Benoit de Sainte-Maure?". *Estudios Humanísticos: Filología* 15, 1993, p. 79-99.

Marquant, H. (1995): "Santa Teresa de Jesús y Arnauld d'Andilly: Crítica de una crítica de traducciones". VI Encuentros Complutenses sobre la Traducción, Madrid 1995. Actas en prensa.

Márquez Villanueva, F. (1994): *El concepto cultural alfonsí*. Madrid, Editorial Mapfre.

Márquez Villegas, L. (1991): "¿Por qué SENDEBAR? La escuela de traductores de Toledo y la difusión de fábulas orientales". *Sendebar*, vol. 2, 1991, p. 7-14.

Marrero Marrero, M.C. (1995): "Traducciones al francés en el fondo del marqués D. Tomás de Nava". III Coloquio de la APFFUE, Barcelona 1995. Actas publicadas por F. Lafarga, A. Ribas, M. Tricas (1995): *La Traducción. Metodología, Historia, Literatura, Ambito hispanofrancés*. Barcelona, PPU, p. 147-156.

Martín Fernández, L. (1992): *La recepción de Knut Hamsun en España*. Tesis inédita, Universidad Complutense de Madrid.

Martín Franco, C. (1991): "De la religión a la diplomacia, los caminos hacia Babel". I Coloquio Internacional de Traductología, Valencia 1989. Actas publicadas por B. Lépinette, A. Olivares, E. Sopeña, E. (1991) *Actas del Primer Coloquio Internacional de traductología*. Public. por la Universitat de Valencia, *Quaderns de Filologia*, p. 151-152.

Martín López, E. (1992): "Más sobre la traducción documental en los monasterios medievales". II Jornadas Nacionales de Historia de la Traducción, León 1990. Actas publicadas en la revista *Livius* nº 1 y 2, 1992. Public. de la Universidad de León, vol. II, p. 15-26.

Martín-Gaitero, R. (1995): "El Pastor Fido: dos versiones de Cristóbal Suárez de Figueroa (1602-1609)". *Hieronymus Complutensis* nº 2, 1995, p. 115-120.

Martín-Gaitero, R. (1995): "Traductografía alemana de los siglos XV-XVII". V Encuentros Complutenses sobre la Traducción, Madrid 1994. Actas publicadas con el mismo nombre en 1995. Public. de la Univ. Complutense de Madrid, p. 363-370.

Martínez Lillo, R.I. (1990): "Aproximación a la figura de Don Quijote en la poesía egipcia contemporánea". Actas de las Jornadas de Hispanismo Arabe (Madrid mayo 1988), publicadas por F. de Agreda (1990). Madrid, Agencia Española de Cooperación Internacional, p. 307-324.

Mateo Martínez-Bartolomé, M. (1993): "Variaciones traductoras sobre el humor de *The School for Scandal*". *Miscelánea* 14, 1993, p. 86-101.

Merino Alvarez, R. (1993): "Panorama desde el escenario: 30 años de teatro inglés en España". *Livius*, 3 (1993), p. 197-208.

Mones, H. (1990): "Las traducciones del texto y los mapas de la Geografía de Ptolomeo". Actas de las Jornadas de Hispanismo Arabe (Madrid mayo 1988), publicadas por F. de Agreda (1990). Madrid, Agencia Española de Cooperación Internacional, p. 303-306.

Montero, J. (1991): "Nota sobre la primera traducción al francés (Rheims, 1578): de la Diana de Montemayor". *Investigación Franco-Española* 4, 1991, p. 35-44.

Morales Ladrón, M. (1995): "Aproximación crítica a una traducción de *The Canterville Ghost de Oscar Wilde*". I Encuentros Alcalainos de Traducción. Cultura sin fronteras. *Encuentros en torno a la traducción*. Actas publicadas por C. Valero Garcés (1995). Publicaciones de la Universidad de Alcalá de Henares, p. 75-88.

Morrás Ruiz-Falcó, M. (1994): "Latinismos y literalidad en el origen de clasicismo vernáculo: Las ideas de Alfonso de Cartagena (ca. 1384-1456)". *Livius*, 6 (1994), p. 35-58.

Mould de Pease, M. (1992): "Historia y traducción. Presentación de una situación intra-americanista". II Jornadas Nacionales de Historia de la Traducción, León 1990. Actas publicadas en la revista *Livius* nº 1 y 2, 1992. Public. de la Universidad de León, vol. II, p. 189-202.

Mundi Pedret, F. (1989): "Las traducciones castellanas de 24 cántigas de Santa Maria". *Actas del VI Simposio de la Sociedad Española de Literatura General y Comparada* (13-15 marzo 1986). Actas publicadas por J. Paredes Nuñez, A. Soria Olmedo (1989), Granada, Publicaciones de la Universidad, p. 379-384.

Muñoz Martín, R. (1995): "La visibilidad, al trasluz". *Sendebar*, vol. 6, 1995, p. 5-22.

Navarro Errasti, M.P. (1979): *Estudio lingüístico comparativo de la primera traducción inglesa del* ***Buscón***. Tesis inédita, Universidad de Zaragoza.

Navarro Errasti, M.P. (1987): "Quevedo en lengua inglesa". *De clásicos y traducciones*. J.C. Santoyo, I. Verdaguer (eds.). Barcelona, Promociones y Publicaciones Universitarias, p. 165-188.

Naylor, E.W. (1994): "Pedro López de Ayala: Protohumanist?". *Livius*, 6 (1994), p. 121-128.

Nicolopulos, J. (1994): "The dilemma of the Iberian Proto-Humanist: Hermeneutic Translation as Presage of Necromantic Imitation". *Livius*, 6 (1994), p. 129-148.

Nieto Ballester, E. (1987): "La importancia de los primeros traductores en la helenización del latín". I Jornadas Nacionales de Historia de la Traducción, León 1987. Actas publicadas por J.C. Santoyo, R. Rabadán, T. Guzmán, J.L. Chamosa (1987) *Fidus interpres*, vol. 1 y (1989) *Fidus Interpres*, vol. 2. Public. de la Universidad de León, vol. I, p. 109-114.

Noia Campos, M.C. (1995): "Historia da traducción en Galicia no marco da cultura europea". *Viceversa* 1, 1995, p. 13-61.

Obolenskaya, J. (1992): "Historia de las traducciones de la literatura clásica rusa en España". II Jornadas Nacionales de Historia de la Traducción, León 1990. Actas publicadas en la revista *Livius* nº 1 y 2, 1992. Public. de la Universidad de León, vol. I, p. 43-56.

Obolenskaya, J. (1993): "La historia de las traducciones de la literatura rusa y los problemas de equivalencia". III Encuentros Complutenses sobre la Traducción, Madrid 1990. Actas publicadas con el mismo nombre en 1993. Public. de la Univ. Complutense de Madrid, p. 169-182.

Orfali, M. (1985): "Los traductores judíos de Toledo, nexo entre Oriente y Occidente". Actas del II Congreso Internacional: Encuentro de las Tres Culturas. Toledo, Ayuntamiento de Toledo, p. 253-260.

Ortiz de Zárate, C. (1992): "La recepción de Victor Hugo en Canarias". *Anuari de Filologia* 15, 1992, p. 71-76.

Otal Campo, J.L. (1988): "Chaucer en España: Ediciones, traducciones y estudios críticos". *Miscelánea* 9, 1988, p. 127-148.

Pageaux, D.H. (1991): "Traducción y recepción de Santa Teresa en Francia". Coloquio Traducción y Adaptación Cultural España-Francia, Oviedo 1990. Actas publicadas en 1991 por M.L. Donaire, F. Lafarga: *Traducción y Adaptación cultural España-Francia*. Public. de la Universidad de Oviedo, p. 167-174.

Pajares Infante, E. (1989): "Primeros traductores españoles de Samuel Richardson". I Jornadas Nacionales de Historia de la Traducción, León 1987. Actas publicadas por J.C. Santoyo, R. Rabadán, T. Guzmán, J.L. Chamosa (1987) *Fidus interpres*, vol. 1 y (1989) *Fidus Interpres*, vol. 2. Public. de la Universidad de León, vol. II, p. 184-188.

Pajares Infante, E. (1994): "La traducción inglés-español en el siglo XVIII: ¿Manipulación o norma estética?". Jornadas sobre Trasvases Culturales: Literatura, Cine, Traducción (20-22 mayo 1993). Actas publicadas por F. Eguiluz (1994). Vitoria, Public. de la Univ. del País Vasco, p. 385-394.

Pérez González, M. (1992): "Herman el Alemán traductor de la Escuela de Toledo: Estado de la cuestión". *Minerva* 6, 1992, p. 269-283.

Popa-Liseanu, D. (1995): "Du commerce des langues au XVIe siècle en France". III Coloquio de la APFFUE, Barcelona 1995. Actas publicadas por F. Lafarga, A. Ribas, M. Tricas (1995): *La Traducción. Metodología, Historia, Literatura, Ambito hispanofrancés*. Barcelona, PPU, p. 107-114.

Presa González, F. (1995): "Relaciones literarias hispano-polacas: traducciones, recepción y huellas de la literatura española en las letras polacas (Edad Media, Renacimiento, Barroco)". VI Encuentros Complutenses sobre la Traducción, Madrid 1995. Actas en prensa.

Prince, D.E. (1994): "Negotiating meanings: The use of diatopic synonyms in medieval aragonese literary translations". *Livius*, 6 (1994), p. 79-90.

Puigdomenech Forcada, H. (1977): *Contribución al estudio de Maquiavelo en España*. Tesis. Universidad de Barcelona.

Pujals, E. (1985): "Shakespeare y sus traducciones en España: perspectiva histórica". *Cuadernos de Traducción e Interpretación*, 5/6, 1985, p. 77-86.

Pym, A. (1992): "Complaint Concerning the Lack of History in Translation Histories". *Livius*, 1 (1992), p. 1-12.

Rabadán Alvarez, R. (1987): "Apuntes de teoría de la traducción en la Inglaterra del siglo XVII". I Jornadas Nacionales de Historia de la Traducción, León 1987. Actas publicadas por J.C. Santoyo, R. Rabadán, T. Guzmán, J.L. Chamosa (1987) *Fidus interpres*, vol. 1 y (1989) *Fidus Interpres*, vol. 2. Public. de la Universidad de León, vol. I, p. 249-254.

Rabadán Alvarez, R. (1992): "De la Ilustración al Romanticismo: los O'Crowley". II Jornadas Nacionales de Historia de la Traducción, León 1990. Actas publicadas en la revista *Livius* nº 1 y 2, 1992. Public. de la Universidad de León, vol. I, p. 243-256.

Real, E. (1995): "El teatro extranjero en Madrid durante la Segunda Guerra Mundial". Coloquio Teatro y Traducción, Salamanca 1993. Actas publicadas por F. Lafarga, R. Dengler (1995) *Teatro y Traducción*. Barcelona, Public. de la Universitat Pompeu Fabra, p. 215-224.

Recio, R. (1994): "El concepto de la belleza de Alfonso de Madrigal (El Tostado): La problemática de la traducción literal y libre". *Livius*, 6 (1994), p. 59-68.

Ríos Carratalá, J.A. (1987): "Destouches en España (1700-1835)". *Cuadernos de Traducción e Interpretación*, 8/9, 1987, p. 257-265.

Ríos Carratalá, J.A. (1989): "Traducción / creación en la comedia sentimental dieciochesca". *Imágenes de Francia en las letras hispánicas*. Ed. Francisco Lafarga. Barcelona, PPU, 1989, p. 229-237.

Ríos Carratalá, J.A. (1995): "Marie-Joseph Chénier en **España**". Coloquio Teatro y Traducción, Salamanca 1993. Actas publicadas por F. Lafarga, R. Dengler (1995) *Teatro y Traducción*. Barcelona, Public. de la Universitat Pompeu Fabra, p. 121-130.

Roig Morras, C. (1994): "Algunas dificultades en la traducción de textos no contemporáneos: el caso de Diderot (*Le neveu de Rameau*)". IV Encuentros Complutenses sobre la Traducción, Madrid 1992. Actas publicadas con el mismo nombre en 1994. Public. de la Universidad Complutense de Madrid, p. 445-456.

Roig Morras, C. (1995): "La traducción científica en el siglo XVIII: problemas y soluciones". V Encuentros Complutenses sobre la Traducción, Madrid 1994. Actas publicadas con el mismo nombre en 1995. Public. de la Univ. Complutense de Madrid, p. 431-438.

Ruiz Ruiz, J.M. (1990): "Diálogo entre España e Inglaterra en la época del Renacimiento: Las traducciones". *ES (Revista de Filología Inglesa)*, 1990, p. 61-80.

Ruiz, R. (1992): "La obra del marqués de Sade en lengua castellana". II Jornadas Nacionales de Historia de la Traducción, León 1990. Actas publicadas en la revista *Livius* nº 1 y 2, 1992. Public. de la Universidad de León, vol. I, p. 157-166.

Russell, P. (1985): *Traducciones y traductores en la Península Ibérica 1400-1550*. Public. de la Universidad Autónoma de Barcelona.

Rutherford, J. (1995): "O obradoiro de traducción da Universidade de Oxford". I Simposio Galego de Traducción. Vigo 1995. Actas publicadas como Anexo de la Revista de Traducción *Viceversa*. Facultad de Traducción de la Universidad de Vigo, 1995, p. 127-133.

Saade, I. (1990): "Obras españolas de literatura ascético-mística traducidas al árabe en la primera mitad del siglo XVIII". Actas de las Jornadas de Hispanismo Arabe (Madrid mayo 1988), publicadas por F. de Agreda (1990). Madrid, Agencia Española de Cooperación Internacional, p. 385-394.

Sabio Pinilla, J.A; Extremera Tapia, N. (1989): "La traducción de *Os Lusiadas* de Benito Caldera y sus modificaciones textuales". *Actas del VI Simposio de la Sociedad Española de Literatura General y Comparada* (13-15 marzo 1986). Actas publicadas por J. Paredes Nuñez, A. Soria Olmedo (1989), Granada, Publicaciones de la Universidad, p. 301-308.

Sagrador Gil, J. (1985): *La Escuela de Traductores de Toledo y sus colaboradores judíos*. Toledo, IPIET, Diputación Provincial de Toledo.

Sánchez García, M. (1994): *Desplazamientos léxico-semánticos en* ***El cuarteto de Alejandría*** *de Lawrence Durell: Un ejercicio en traductología descriptiva con un enfoque funcional combinado*. Tesis inédita, Universidad de Granada.

Sánchez Regueira, I. (1985): "El hispanista francés César Oudin, primer traductor de *El Quijote* al francés". *Anales Cervantinos* 23, p. 115-131.

Sánchez-Barrejón Ruíz, M.T. (1988): "Notas sobre la lengua castellana y las escuelas de traductores de Toledo". Jornadas de Traducción, Ciudad Real 1986. Actas publicadas en 1986 con el título de *Actas de las Jornadas de Traducción*. Public. de la Fac. de Letras de la Universidad de Castilla-La Mancha, p. 45-52.

Santamaria, J.M. (1989): "La traducción de obras inglesas en el s. XIX". I Jornadas Nacionales de Historia de la Traducción, León 1987. Actas publicadas por J.C. Santoyo, R. Rabadán, T. Guzmán, J.L. Chamosa (1987) *Fidus interpres*, vol. 1 y (1989) *Fidus Interpres*, vol. 2. Public. de la Universidad de León, vol. II, p. 169-173.

Santano Moreno, B. (1993): "La enigmática anglosajona: traducción y tradición". *Anuario de Estudios Filológicos* 16, 1993, p. 367-372.

Santoyo, J.C. (1986): "Pioneros históricos de la traducción inglés-castellano (1577-1600)". Actas del VII Congreso de la AEDEAN, Madrid 1984. Madrid 1995, Universidad UNED, p. 207-213.

Santoyo, J.C. (1987): "El 'Lazarillo' en Inglaterra: Primera traducción (1568) primera edición (1576)". *De clásicos y traducciones*. J.C. Santoyo, I. Verdaguer (eds.). Barcelona, Promociones y Publicaciones Universitarias, p. 7-24.

Santoyo, J.C. (1987): *Teoría y Crítica de la Traducción: Antología*. Public. de la Universidad Autónoma de Barcelona.

Santoyo, J.C. (1994): "El siglo XIV: Traducciones y reflexiones sobre la traducción". *Livius*, 6 (1994), p. 17-34.

Santoyo, J.C; Verdaguer Clavera, I. (1987): *De clásicos y traducciones: Clásicos españoles en versiones inglesas (siglos XVI y XVII)*. Barcelona, Promociones y Publicaciones Universitarias.

Seco Santos, E. (1985): *Historia de las traducciones literarias del italiano al español durante el Siglo de Oro (influencias)*. Universidad Complutense de Madrid.

Shu Li, Y.F. (1986): *Problemática de la traducción: estudio crítico de las versiones inglesa y española de Chuang-Izu*. Tesis inédita, Universidad de Valencia.

Siguán, M. (1990): "Sobre traducciones de literatura en lengua alemana a lenguas hispánicas (1976-1987)". II Encuentros Complutenses sobre la Traducción, Madrid 1988. Actas publicadas con el mismo nombre en 1990. Public. de la Univ. Complutense de Madrid, p. 271-278.

Sobrino Vázquez, P. (1990): "La Escuela de Traductores de Toledo". *Revista Hispanorama* 56.

Solomon, M. (1994): "Translation disease: The vernacular medical treatise in the Late Medieval Kingdom of Aragon". *Livius*, 6 (1994), p. 91-106.

Soltero Godoy, M. (1995): "Reflexiones sobre la Historia de la Traducción". V Encuentros Complutenses sobre la Traducción, Madrid 1994. Actas publicadas con el mismo nombre en 1995. Public. de la Univ. Complutense de Madrid, p. 451-458.

Suso López, J. (1995): "La conception de la traduction en France au XVIe siècle". III Coloquio de la APFFUE, Barcelona 1995. Actas publicadas por F. Lafarga, A. Ribas, M. Tricas (1995): *La Traducción. Metodología, Historia, Literatura, Ambito hispanofrancés*. Barcelona, PPU, p. 115-122.

Taillefer de Haya, L. (1995): "Nobles ingleses en la Historia de la traslación". VI Encuentros Complutenses sobre la Traducción, Madrid 1995. Actas en prensa.

Taillefer de Haya, L. (1995): "Traducciones inglesas del Renacimiento". *Hieronymus Complutensis* nº 2, 1995, p. 61-66.

Talavera Esteso, F.J. (1994): "La práctica de la traducción emuladora de Mallara y su contexto literario". *Analecta Malacitana* XVII, 1, 1994, p. 73-77.

Tejera, D. (1987): "Dos traducciones políticas del siglo XVII (1648 y 1663)". I Jornadas Nacionales de Historia de la Traducción, León 1987. Actas publicadas por J.C. Santoyo, R. Rabadán, T. Guzmán, J.L. Chamosa (1987) *Fidus interpres*, vol. 1 y (1989) *Fidus Interpres*, vol. 2. Public. de la Universidad de León, vol. I, p. 115-122.

Thanoon, A.J. (1990): "El *Romancero gitano* de ... Hamid Said". Actas de las Jornadas de Hispanismo Arabe (Madrid mayo 1988), publicadas por F. de Agreda (1990). Madrid, Agencia Española de Cooperación Internacional, p. 325-332.

Toda Iglesia, F. (1992): "La primera traducción de **Tristram Shandy** en España: el traductor como censor". II Jornadas Nacionales de Historia de la Traducción, León 1990. Actas publicadas en la revista *Livius* nº 1 y 2, 1992. Public. de la Universidad de León, vol. I, p. 123-132.

Toda Iglesia, F. (1995): "Observaciones sobre la traducción de textos medievales". E. Le Bel (ed.) (1995): *Le masque et la plume. Traducir: reflexiones, experiencias y prácticas*, Servicio de Publicaciones de la Universidad de Sevilla, p. 21-32.

Torre Serrano, E. (1987): "Garcilaso y Boscán en la historia de la Traductología española". I Jornadas Nacionales de Historia de la Traducción, León 1987. Actas publicadas por J.C. Santoyo, R. Rabadán, T. Guzmán, J.L. Chamosa (1987) *Fidus interpres*, vol. 1 y (1989) *Fidus Interpres*, vol. 2. Public. de la Universidad de León, vol. I, p. 148-155.

Tromp, H. (1993): "Las traducciones de **Beatrijs**, **Lanseloet** y **Elckerlijc** o la transhumancia de textos neerlandeses medievales". III Encuentros Complutenses sobre la Traducción, Madrid 1990. Actas publicadas con el mismo nombre en 1993. Public. de la Univ. Complutense de Madrid, p. 207-214.

Ungerer, G. (1987): "Thomas Diggs and Sancho de Londoño's Military Ordinances of 1568". I Jornadas Nacionales de Historia de la Traducción, León 1987. Actas publicadas por J.C. Santoyo, R. Rabadán, T. Guzmán, J.L. Chamosa (1987) *Fidus interpres*, vol. 1 y (1989) *Fidus Interpres*, vol. 2. Public. de la Universidad de León, vol. I, p. 130-139.

Urpinell i Jovani, L. (1984): "Sobre la història de la traducció de poesia anglesa i nord-americana als països catalans". *Cuadernos de Traducción e Interpretación*, 4, 1984, p. 127-132.

Urzainqui, I. (1991): "Batteux español". *Imágenes de Francia en las letras hispánicas*. Ed. Francisco Lafarga. Barcelona, PPU, 1989, p. 239-260.

Urzainqui, I. (1991): "Hacia una tipología de la traducción en el siglo XVIII: los horizontes del traductor". Coloquio Traducción y Adaptación Cultural España-Francia, Oviedo 1990. Actas publicadas en 1991 por M.L. Donaire, F. Lafarga: *Traducción y Adaptación cultural España-Francia*. Public. de la Universidad de Oviedo, p. 623-638.

Valdivia Campos, C. (1994): "La traducción y la adaptación teatral en Francia en el siglo XVII". *Sendebar*, vol. 5, 1994, p. 9-15.

Varela Salinas, M.-J. (1992): "Traducción y traductores en Alemania en la primera mitad del siglo XIX: Johann Diederich Gries". II Jornadas Nacionales de Historia de la Traducción, León 1990. Actas publicadas en la revista *Livius* nº 1 y 2, 1992. Public. de la Universidad de León, vol. I, p. 147-156.

Vega Cernuda, M.A. (1994): "Haciendo historia: V Encuentros Complutenses en torno a la traducción". *Vasos comunicantes* 3, p. 88-95.

Vega Cernuda, M.A. (1994): *Textos clásicos de la teoría de la traducción*. Madrid, Cátedra.

Vega Cernuda, M.A. (1995): "Las teorías translatorias del abbé Desfontaines". *Hieronymus Complutensis* nº 2, 1995, p. 67-74.

Verdaguer Clavera, I. (1986): "Traducciones al inglés del *Libro de la Vida*". Actas del X Congreso Nacional de la AEDEAN, Zaragoza,

Verdaguer Clavera, I. (1987): "Las digresiones morales en las versiones inglesas del *Guzmán de Alfarache*". I Jornadas Nacionales de Historia de la Traducción, León 1987. Actas publicadas por J.C. Santoyo, R. Rabadán, T. Guzmán, J.L. Chamosa (1987) *Fidus interpres*, vol. 1 y (1989) *Fidus Interpres*, vol. 2. Public. de la Universidad de León, vol. I, p. 229-232.

Vila Ascariz, S. (1994): "La Recepción de Joyce a través de la Traducción". I Encuentro Interdisciplinar de Teoría y Práctica de la Traducción, Cádiz 1993. *Reflexiones sobre la Traducción*. Actas publicadas por L. Charlo Brea (1994). Public. de la Universidad de Cádiz, p. 733-742.

Villoria Andreu, S. (1989): "La **traducción** de un sistema educativo". I Jornadas Nacionales de Historia de la Traducción, León 1987. Actas publicadas por J.C. Santoyo, R. Rabadán, T. Guzmán, J.L. Chamosa (1987) *Fidus interpres*, vol. 1 y (1989) *Fidus Interpres*, vol. 2. Public. de la Universidad de León, vol. II, p. 285-291.

Villoria Andreu, S; Lanero Fernández, J.J. (1992): *La historia traducida: Versiones españolas de las obras de W.H. Prescott en el siglo XIX*. León, Publicaciones de la Universidad.

Wislocka, B. (1990): "Rara avis: traducciones españolas del polaco". II Encuentros Complutenses sobre la Traducción, Madrid 1988. Actas publicadas con el mismo nombre en 1990. Public. de la Univ. Complutense de Madrid, p. 279-290.

Wittlin, C. (1995): *De la traducció literal a la creació literaria. Estudis filologics i literaris sobre textos antics catalans i valencians*. Publicacions de l'Abadia de Montserrat,

Young, H.T. (1993): "T.S. Elliot y sus primeros traductores en el mundo hispanohablante 1927-1940". *Livius*, 3 (1993), p. 269-277.

Zabaleta, J.M. (1995): "A traducción en Euskadi". I Simposio Galego de Traducción. Vigo 1995. Actas publicadas como Anexo de la Revista de Traducción *Viceversa*. Facultad de Traducción de la Universidad de Vigo, 1995, p. 135-144.

INFORMÁTICA Y TRADUCCIÓN AUTOMÁTICA

Aguado de Cea, G. (1992): *Problemas de traducción de la terminología informática en España*. Universidad Complutense de Madrid, tesis inédita.

Aguado de Cea, G. (1993): "**Comando, instrucción, sentencia**: ¿sinónimos en el campo informático?". III Encucntros Complutenses sobre la Traducción, Madrid 1990. Actas publicadas con el mismo nombre en 1993. Public. de la Univ. Complutense de Madrid, p. 155-168.

Alcántara Iglesias, F. (1992): "El ordenador como herramienta lingüística para la traducción de un texto histórico: consideraciones sobre la significación, la informática y la traducción". Actas publicadas por Parcerisas, F. (ed.) (1995): *Actes del I Congrès Internacional sobre Traducció* (abril 1992). Publicacions de l'Universitat Autónoma de Barcelona, p. 121-130.

Alcina Caudet, M.A. (1991): "La traducción por ordenador". Actas del I Simposio sobre *Lingüística aplicada y tecnología*, Valencia, publicadas por J. Calvo Pérez, p. 133-137.

Alcina Caudet, M.A; Pruñonosa, M. (1992): "Uso del ordenador para el estudio teminológico previo a la traducción de un texto". Actas publicadas por Parcerisas, F. (ed.) (1995): *Actes del I Congrès Internacional sobre Traducció* (abril 1992). Publicacions de l'Universitat Autónoma de Barcelona, p. 103-112.

Alvarez, G; Amores Corredano, J.G. (1994): "Contextual Delection of Object and Ambiguity in Machine Translation". *Revista Alicantina de Estudios Ingleses* 7, p. 97-106.

Amores Corredano, J.G. (1989): "El sistema de traducción asistida por ordenador Micro-CAT: Sus ventajas y limitaciones". *Rev. Española de Lingüística Aplicada* 5, 1989, p. 63-72.

Artigas Guillamon, M.C. (1989): "En torno al ordenador: Un nuevo campo léxico. Estudio comparativo Francés-Español". *Anales de Filología Francesa*, 3, 1989, p. 5-18.

Badia, T; Ramírez Bustamante, F. (1993): "Contrastes en el uso del artículo en inglés y castellano: Un algoritmo para la traducción automática". *Revista Española de Lingüística* 23/2, 1993, p. 253-293.

Barrado Belmar, M.C. (1990): "Traducción humana/máquinas de traducir (Notas sobre la polémica)". II Encuentros Complutenses sobre la Traducción, Madrid 1988. Actas publicadas con el mismo nombre en 1990. Public. de la Univ. Complutense de Madrid, p. 395-400.

Birkenhauer, K. (1993): "La praxis traductora y el procesamiento de textos". III Encuentros Complutenses sobre la Traducción, Madrid 1990. Actas publicadas con el mismo nombre en 1993. Public. de la Univ. Complutense de Madrid, p. 283-294.

Blanco, J. (1995): "La explotación de corpus bilingües en soporte electrónico". Actas del II Coloquio Internacional de Lingüística Francesa: *La Lingüística Francesa: gramática, historia y epistemología* (Sevilla 1995). Dpto. de Filología Francesa de la Universidad de Sevilla (en prensa).

Boquera Matarredona, M; Jaime Pastor, M.A. (1995): "Análisis de la traducción al inglés de un texto científico con el programa **Microtac-Software**". VI Encuentros Complutenses sobre la Traducción, Madrid 1995. Actas en prensa.

Cerdá, R. (1994): "Perspectivas en traducción automática". *Traducción y Contraste Lingüístico-Cultural.* Valencia 1994, UIMP, vol. I, p. 8-16.

Coello, B. (1990): "La aportación de los ordenadores a la traducción". II Encuentros Complutenses sobre la Traducción, Madrid 1988. Actas publicadas con el mismo nombre en 1990. Public. de la Univ. Complutense de Madrid, p. 401-404.

Corpas, G; Moreno, A.J. (1995): "Technical and Linguistic Analysis of a Commercial Machine Translation System (**Power Translator**)". VI Encuentros Complutenses sobre la Traducción, Madrid 1995. Actas en prensa.

Cruz Cabanillas, I. (1995): "La traducción de términos informáticos". I Encuentros Alcalainos de Traducción. Cultura sin fronteras. *Encuentros en torno a la traducción.* Actas publicadas por C. Valero Garcés (1995). Publicaciones de la Universidad de Alcalá de Henares, p. 187-190.

Chaves, M.J. (1995): "La traducción del texto audiovisual". Actas del II Coloquio Internacional de Lingüística Francesa: *La Lingüística Francesa: gramática, historia y epistemología* (Sevilla 1995). Dpto. de Filología Francesa de la Universidad de Sevilla (en prensa).

Díaz Prieto, P. (1989): "Los pioneros de la máquina de traducir". I Jornadas Nacionales de Historia de la Traducción, León 1987. Actas publicadas por J.C. Santoyo, R. Rabadán, T. Guzmán, J.L. Chamosa (1987) *Fidus interpres*, vol. 1 y (1989) *Fidus Interpres*, vol. 2. Public. de la Universidad de León, vol. II, p. 305-309.

Duque García, M.M; Carpintero Santamaría, N; Cuadrado Esclápez, G. (1994): "La autotraducción en el campo de la ciencia y de la tecnología". I Congreso Internacional de traducción e Interpretación de Soria, 1993. Actas publicadas por A. Bueno, M. Ramiro, J.M. Zarandona (1994): *La traducción de lo inefable*. Publicaciones del Colegio Universitario de Soria, p. 463-478.

Duro Moreno, M. (1992): "La traducción profesional de informática del inglés al castellano". Actas publicadas por Parcerisas, F. (ed.) (1995): *Actes del I Congrès Internacional sobre Traducció* (abril 1992). Publicacions de l'Universitat Autónoma de Barcelona, p. 113-120.

Duro Moreno, M. (1994): "La noción de revisión en la traducción profesional de informática del inglés al español". I Encuentro Interdisciplinar de Teoría y Práctica de la Traducción, Cádiz 1993. *Reflexiones sobre la Traducción*. Actas publicadas por L. Charlo Brea (1994). Public. de la Universidad de Cádiz, p. 245-256.

Duro Moreno, M. (1995): "Estilo y modos del verbo. Pequeño catálogo de recomendaciones para el mejor uso del indicativo y subjuntivo en la traducción profesional de informática del inglés al español". V Encuentros Complutenses sobre la Traducción, Madrid 1994. Actas publicadas con el mismo nombre en 1995. Public. de la Univ. Complutense de Madrid, p. 565-574.

Fernández Nistal, P. (1994): "Introducción a la traducción automática". II Curso Superior de Traducción Inglés-Español, Valladolid 1993. Textos publicados por P. Fernández Nistral (ed.) (1994): *Aspectos de la traducción Inglés-Español*. Public. del ICE de la Univ. de la Universidad de Valladolid, p. 135-150.

García Fernández, M.M; Aguado de Cea, G. (1989): "La traducción técnica en un marco interdisciplinar en los estudios de Informática". I Jornadas Nacionales de Historia de la Traducción, León 1987. Actas publicadas por J.C. Santoyo, R. Rabadán, T. Guzmán, J.L. Chamosa (1987) *Fidus interpres*, vol. 1 y (1989) *Fidus Interpres*, vol. 2. Public. de la Universidad de León, vol. II, p. 310-314.

Garrido Medina, J.C. (1988): "Dos estratégias de traducción automática y una hipótesis de teoría de la traducción". Jornadas de Traducción, Ciudad Real 1986. Actas publicadas en 1986 con el título de *Actas de las Jornadas de Traducción.* Public. de la Fac. de Letras de la Universidad de Castilla-La Mancha, p. 53-60.

Hens Córdoba, M.A; Vella, M. (1990): "La traducción de textos informáticos: Implicaciones para la didáctica de la traducción". Actas del VIII Congreso Nacional de Lingüística Aplicada (AESLA), Vigo Mayo 1990, publicadas por J.R. Losada Durán, M. Mansilla García (1990). Facultad de Letras (F. Inglesa) Universidad de Vigo, p. 361-370.

Hutchins, W.J.; Somers, H.L. (1995): Introducción a la Traducción automática.

Marapoli, C; Fajardo, D. (1993): "Spanish Software Translation: the Callenges". *Sendebar*, vol. 4, 1993, p. 29-44.

Marcos Marín, F. (1987): "La traducción por ordenador: **Eurotra**". *Razón y Fe* 220, 1987, p. 1123-1130.

Marcos Marín, F. (1988): "El proyecto EUROTRA en el marco de la investigación sobre traducción por ordenador". *Telos* 16, 1988, p. 90-99.

Marcos Marín, F; Sánchez Lobato, J. (1988): "La traducción por ordenador". *Lingüística Aplicada.* Publ. por F. Marcos Marín, J. Sánchez Lobato. Madrid, Síntesis, 1988, p. 109-117.

Martín González, G. (1993): "La traducción de textos informáticos: un caso concreto". III Encuentros Complutenses sobre la Traducción, Madrid 1990. Actas publicadas con el mismo nombre en 1993. Public. de la Univ. Complutense de Madrid, p. 151-154.

Martín González, G. (1994): "La traducción de textos informáticos: un caso concreto (alemán-español)". IV Encuentros Complutenses sobre la Traducción, Madrid 1992. Actas publicadas con el mismo nombre en 1994. Public. de la Universidad Complutense de Madrid, p. 275-278.

Martín González, G; Solís Giráldez, R. (1995): "Analizador morfológico de lengua inglesa informatizado". VI Encuentros Complutenses sobre la Traducción, Madrid 1995. Actas en prensa.

Martín Mingorance, L. (1995): "Lexical fields, predicate frames and inheritance mechanims in the structuring of a lexical database for computed-assisted translation". *III Curso Superior de Traducción: Perspectivas de la traducción inglés / español.* Textos publicados por P. Fernández Nistral, J.Mª. Bravo Gozalo (eds.) 1995. ICE de la Universidad de Valladolid, p. 119-152.

Martín, L. (1994): "Bases de datos léxicas multilingües y traducción". *Traducción y Contraste Lingüístico-Cultural.* Valencia 1994, UIMP, vol. II, p. 48-63.

Martínez, N. (1988): "Traduction et ordinateur: Quelques suggestions d'exploitation pédagogique: 3) Traduction vers la langue étrangère". Actas de las X Jornadas Pedagógicas sobre la Enseñanza del Francés en España: *Langue et méthodologie, Littérature et Civilisation, Informatique et FLE*. Actas publicadas por A. Blas, C. Mestreit, M. Tost, (1988). Publicacions de l'ÌCE de l'Universitat Autònoma de Barcelona, p. 257-269.

Mata Pastor, M. (1994): "La traducción de material informático: problemática de las formas verbales". I Jornadas Internacionales de Traducción e Interpretación: Tendencias actuales, Las Palmas de Gran Canaria 1994. Actas en prensa.

Meya Llopart, M. (1979): *Aproximación a la traducción automática del español al alemán: Modelo de procesamiento semántico de datos lingüísticos*. Tesis, Universidad de Barcelona.

Molina Plaza, S. (1994): "*Eurotra, Meteo, Paho*: Tres proyectos de traducción automática". I Congreso Internacional de traducción e Interpretación de Soria, 1993. Actas publicadas por A. Bueno, M. Ramiro, J.M. Zarandona (1994): *La traducción de lo inefable*. Publicaciones del Colegio Universitario de Soria, p. 479.

Muñoz Muñoz, J.M; Moya Anegón, F. de; Hipola Ruíz, P. (1988): "Aportaciones al estudio del vocabulario especializado de términos informáticos en inglés y español". Jornadas de Traducción, Ciudad Real 1986. Actas publicadas en 1986 con el título de *Actas de las Jornadas de Traducción*. Public. de la Fac. de Letras de la Universidad de Castilla-La Mancha, p. 285-290.

Muñoz Muñoz, J.M; Vella, M. (1989): "Inteligencia artificial y traducción automática". Actas del VII Congreso Nacional de Lingüística Aplicada (AESLA), Sevilla abril 1989, publicadas por F. Garrudo Carabias, J. Rincón (1990). Dpto. de Filología Inglesa de la Universidad de Sevilla, p. 399-404.

Muñoz Muñoz, J.M; Vella, M; Cremades Schulz, P; Hens Córdoba, M.A. (1992): "Evaluación de un sistema de traducción automática (Globalink: inglés-español)". Actas del IX Congreso Nacional de Lingüística Aplicada (AESLA), Bilbao: *Bilingüismo y adquisición de lenguas*, publicadas por F. Etxeberria, J. Arzamendi (1992). Dpto. de Pedagogía del Lenguaje de la Universidad del País Vasco, p. 457-468.

Neunzig, W; Presas Corbella, M. (1991): "Traducción - Lengua - Informática". Actas de las XV Jornadas Pedagógicas sobre la enseñanza del Francés en España (febrero - marzo 1991): *Actes de la section de français du I Congrés International sur l'enseignement du français en Espagne: Les*

Langues étrangères dans l'Europe de l'Acte unique, publicadas por R. Gauchola, C. Mestreit, M. Tost (1991). Barcelona, publicacions de l'ICE de l'Universitat Autònoma.

Piot, M. (1994): "Problèmes linguistiques dans la traduction automatique". II Coloquio Internacional de Traductología, Valencia 1991. Actas publicadas por B. Lépinette, A. Olivares, E. Sopeña (1994) *Actas del Primer Coloquio Internacional de traductología*. Public. por la Universitat de Valencia, *Quaderns de Filologia*, p. 29-38.

Pique i Huerta, R. (1988): "Traduction et ordinateur: Quelques suggestions d'exploitation pédagogique: 1) El Software utilitzat". Actas de las X Jornadas Pedagógicas sobre la Enseñanza del Francés en España: *Langue et méthodologie, Littérature et Civilisation, Informatique et FLE*. Actas publicadas por A. Blas, C. Mestreit, M. Tost, (1988). Publicacions de l'ICE de l'Universitat Autònoma de Barcelona, p. 241-246.

Pique i Huerta, R. (1992): "CALIS, un sistema d'autor per a l'ensenyament de llengua i traducció". Actas publicadas por Parcerisas, F. (ed.) (1995): *Actes del I Congrès Internacional sobre Traducció* (abril 1992). Publicacions de l'Universitat Autónoma de Barcelona, p. 97-102.

Pique i Huerta, R; Tricás Preckler, M. (1993): "Un sistema informático para el aprendizaje de la traducción francés-español". Actas de las XV Jornadas Pedagógicas sobre la enseñanza del Francés en España (febrero - marzo 1991): *Actes de la section de français du I Congrés International sur l'enseignement du français en Espagne: Les Langues étrangères dans l'Europe de l'Acte unique*, publicadas por R. Gauchola, C. Mestreit, M. Tost (1991). Barcelona, publicacions de l'ICE de l'Universitat Autònoma, p. 273-282.

Presas Corbella, M. (1992): "L'aprenentatge de llengua estrangera i de traducció asistit per ordinador". Actas publicadas por Parcerisas, F. (ed.) (1995): *Actes del I Congrès Internacional sobre Traducció* (abril 1992). Publicacions de l'Universitat Autónoma de Barcelona, p. 91-96.

Rico Pérez, C. (1992): "Aplicaciones informáticas y traducción. La experiencia didáctica en la Universidad de Alicante". Actas publicadas por Parcerisas, F. (ed.) (1995): *Actes del I Congrès Internacional sobre Traducció* (abril 1992). Publicacions de l'Universitat Autónoma de Barcelona, p. 131-140.

Román, E. (1995): "Aplicaciones prácticas de los recursos telemáticos a la traducción de acrónimos y abreviaturas". VI Encuentros Complutenses sobre la Traducción, Madrid 1995. Actas en prensa.

Ruiperez, G. (1995): *Enseñanza de lenguas y traducción con ordenadores*. Madrid, Ediciones Pedagógicas.

Sager, J.C; Pugh, J. (1992): "Evolución y estado actual de la traducción automática en Europa". *Sendebar*, vol. 3, 1992, p. 53-74.

Schaetzen, C. (1995): "Gestionnaires de glossaires pour Windows". *Hieronymus Complutensis* nº 2, 1995, p. 81-90.

Schwarz, E. (1994): "Desarrollo de aplicaciones informáticas útiles para el traductor con ayuda de programas a su alcance: diseño de bases de datos con WordPerfect". IV Encuentros Complutenses sobre la Traducción, Madrid 1992. Actas publicadas con el mismo nombre en 1994. Public. de la Universidad Complutense de Madrid, p. 637-649.

Sommers, H.L; Hutchins, W.J. (1995): *Introducción a la traducción automática*. Madrid, Visor.

Tricás Preckler, M. (1988): "Traduction et ordinateur: quelques suggestions d'exploitation pédagogique: La traduction". Actas de las X Jornadas Pedagógicas sobre la enseñanza del Francés en España: *Langue et méthodologie, Littérature et Civilisation, Informatique et FLE*, publicadas por A. Blas, C. Mestreit, M. Tost (1988). Barcelona, Publicacions de l'ICE de l'Universidad Autónoma, p. 247-256.

Vivancos Machimbarrena, M. (1994): "Usos y abusos de los anglicismos léxicos en el vocabulario informático". I Jornadas Internacionales de Traducción e Interpretación: Tendencias actuales, Las Palmas de Gran Canaria 1994. Actas en prensa.

INTERPRETACIÓN

Aguilera Pleguezuelo, J. (1985): *Temas monográficos sobre interpretación simultánea y toma de notas para la traducción consecutiva*. Madrid, Univ. Autónoma. Depto. Interuniversitario de Idiomas Modernos, Cuadernos del Intérprete y Traductor.

Aguilera Pleguezuelo, J. (1985): *Temas monográficos sobre interpretación simultánea y toma de notas para la traducción consecutiva*. Madrid, Universidad Autónoma, Dpto. Interfacultativo de Idiomas Modernos, Cuadernos del Intérprete y Traductor.

Alvarez Polo, J. (1994): "La figura del intérprete en el *Voyage en Orient* de Nerval". I Encuentro Interdisciplinar de Teoría y Práctica de la Traducción, Cádiz 1993. *Reflexiones sobre la Traducción*. Actas publicadas por L. Charlo Brea (1994). Public. de la Universidad de Cádiz, p. 137-144.

Alvarez Polo, J. (1995): "Peculiaridades y limitaciones de los materiales audiovisuales como recurso didáctico en la enseñanza de la interpretación". VI Encuentros Complutenses sobre la Traducción, Madrid 1995. Actas en prensa.

Alvarez Polo, J. (1995): "Propuesta de ejercicios para la enseñanza de la interpretación simultánea". V Encuentros Complutenses sobre la Traducción, Madrid 1994. Actas publicadas con el mismo nombre en 1995. Public. de la Univ. Complutense de Madrid, p. 681-686.

Alvarez Rodríguez, R; Corchado Pascasio, M.T; Oncins Martínez, J.L. (1992): "La traducción consecutiva/simultánea como práctica contrastiva en la enseñanza del inglés para fines generales y específicos". I Curso Superior de Traducción Inglés-Español, Valladolid 1992. Textos publicados por P. Fernández Nistral (ed.) (1992): *Estudios de Traducción*. Public. del ICE de la Universidad de Valladolid, p. 71-78.

Arroyo Ortega, A; Sevilla Muñoz, J. (1993): "La traducción a la vista (francés-español)". *Sendebar*, vol. 4, 1993, p. 253-261.

Bordons, B; Jiménez, A. (1996): "La enseñanza de la interpretación". III Jornades sobre la Traducció: Didáctica de la Traducció. Universitat Jaume I, Mayo 1995. Actas publicadas por A. Hurtado Albir (ed.) (1996) *La enseñanza en la traducción*. Universitat Jaume I de Castelló, p. 217-222.

Calvo García, J.J. (1991): "La práctica pedagógica de la interpretación: Propuesta para una asignatura algo desnortada en teoría". Actas del XII Congreso Nacional de la AEDEAN, Alicante 1988, p. 227-233.

Casado Díaz, I. (1994): "La enseñanza de la traducción y la interpretación: diseño de un programa de formación profesional". I Jornadas Internacionales de Traducción e Interpretación: Tendencias actuales, Las Palmas de Gran Canaria 1994. Actas en prensa.

Clarencia, S. (1994): "Tratamiento de algunos términos de conferencia en los organismos internacionales". IV Encuentros Complutenses sobre la Traducción, Madrid 1992. Actas publicadas con el mismo nombre en 1994. Public. de la Universidad Complutense de Madrid, p. 323-328.

Curvers, P; Klein, J; Riva, N; Wuilmart, C. (1984): "Vers l'interprétation de conférence par le biais du compte rendu oral en langue maternelle". *Cuadernos de Traducción e Interpretación*, 4, 1984, p. 7-30.

Curvers, P; Klein, J; Riva, N; Wuilmart, C. (1986): "La traduction à vue comme exercice préparatoire et complémentaire à l'interprétation de conférence". *Cuadernos de Traducción e Interpretación*, 7, 1986, p. 97-116.

Curvers, P; Klein, J; Riva, N; Wuilmart, C. (1987): "Contribution à une pédagogie de l'interprétation". *Cuadernos de Traducción e Interpretación*, 8/9, 1987, p. 219-236.

Curvers, P; Klein, J; Riva, N; Wuilmart, C. (1988): "Contribution a une pédagogie de l'interprétation (II)". *Cuadernos de Traducción e Interpretación*, 10, 1988, p. 95-114.

Curvers, P; Klein, J; Riva, N; Wuilmart, C. (1992): "Contribution à une pédagogie de l'interprétation". *Cuadernos de Traducción e Interpretación*, 11/12, 1992, p. 177-194.

Elvira Rodríguez, A. (1988): "Aspectos de la metodología de la interpretación en la E.U.T.I. de Granada". Jornadas europeas de traducción e interpretación, Granada 1987. *Actas de las Jornadas Europeas de Traducción e Interpretación* (1988). Public. de la Universidad de Granada, p. 79-86.

Engemann, F; Martín, A. (1985): "La toma de apuntes en la interpretación consecutiva". *Babel: rev. de los estudiantes de la EUTI* 3, p. 67-79.

Fernández Méndez, C. (1986): *Cuadernos del Intérprete y Traductor. Léxico básico instrumental.* Vol. 14: Ruso-Español. Public. del Dpto. Interuniversitario de Idiomas Modernos, Univ. Autónoma de Madrid.

Fernández Méndez, C. (1986): *Cuadernos del Intérprete y Traductor. Léxico básico instrumental.* Vol. 13: Español-Ruso. Public. del Dpto. Interuniversitario de Idiomas Modernos, Univ. Autónoma de Madrid.

Fernández Sánchez, M.M; Marín Hita, M.T. (1990): "La traducción a la vista: su importancia en la formación del traductor". II Encuentros Complutenses sobre la Traducción, Madrid 1988. Actas publicadas con el mismo nombre en 1990. Public. de la Univ. Complutense de Madrid, p. 221-224.

García-Landa, M. (1984): "Práctica y teoría de la interpretación". *Cuadernos de Traducción e Interpretación*, 4, 1984, p. 31-50.

García-Landa, M. (1988): "Qué es la interpretación de conferencia". Jornadas europeas de traducción e interpretación, Granada 1987. *Actas de las Jornadas Europeas de Traducción e Interpretación* (1988). Public. de la Universidad de Granada, p. 9-32.

Harris, B. (1993): "Un intérprete diplomático inglés en el siglo XIX en Japón". *Livius*, 3 (1993), p. 115-136.

Harris, B. (1995): "Panorámica de los distintos tipos de interpretación". *III Curso Superior de Traducción: Perspectivas de la traducción inglés / español.* Textos publicados por P. Fernández Nistral, J.Mª. Bravo Gozalo (eds.) 1995. ICE de la Universidad de Valladolid, p. 27-48.

Herrero Muñoz-Cobo, B. (1995): "La interpretación en los juzgados". V Encuentros Complutenses sobre la Traducción, Madrid 1994. Actas publicadas con el mismo nombre en 1995. Public. de la Univ. Complutense de Madrid, p. 687-692.

Igoa, J.M; García Albea, J.E. (1988): "Procesamiento en la comprensión y la producción de oraciones en una tarea de traducción oral simultánea". *Cognitiva* 1-2, 1988, p. 123-153.

Kohrs Kegel, H. (1994): "Elementos visuales en la interpretación simultánea". *Sendebar*, vol. 5, 1994, p. 105-112.

Lamberger, H. (1994): "The question of copyright and its impact on interpretation research - basic considerations". I Jornadas Internacionales de Traducción e Interpretación: Tendencias actuales, Las Palmas de Gran Canaria 1994. Actas en prensa.

Lecuona, L. (1994): "Entre el doblaje y la subtitulación: La interpretación simultánea en el cine". Jornadas sobre Trasvases Culturales: Literatura, Cine, Traducción (20-22 mayo 1993). Actas publicadas por F. Eguiluz (1994). Vitoria, Public. de la Univ. del País Vasco, p. 279-286.

López Moreno, P. (1985): *Introducción a la interpretación: Intérprete de conferencias*. Granada, Imprenta Márquez.

Marín Hita, M.T. (1994): "La traducción a vista: algunas sugerencias metodológicas para su enseñanza basadas en ejemplos prácticos". I Jornadas Internacionales de Traducción e Interpretación: Tendencias actuales, Las Palmas de Gran Canaria 1994. Actas en prensa.

Martín González, G; Cámara Delgado, M. (1995): "La videoconferencia: Traducción y transcripción". I Encuentros Alcalainos de Traducción. Cultura sin fronteras. *Encuentros en torno a la traducción*. Actas publicadas por C. Valero Garcés (1995). Publicaciones de la Universidad de Alcalá de Henares, p. 207-214.

Martín, A. (1994): "La traducción e interpretación de referencias culturales de carácter institucional". I Jornadas Internacionales de Traducción e Interpretación: Tendencias actuales, Las Palmas de Gran Canaria 1994. Actas en prensa.

Martín, A; Padilla Benítez, P. (1987): "Introducción a la interpretación simultánea en la Escuela de Traductores e Intérpretes de la Universidad de Granada". Actas del IV Congreso Nacional de Lingüística Aplicada (AESLA), Córdoba abril 1986: *Lenguaje y Educación*, 2 vols., publicadas por A. León Sandra (1989). Universidad de Córdoba, p. 217-229.

Martín, A; Padilla Benítez, P. (1988): "Adecuación de la enseñanza de la interpretación a la realidad laboral: los congresos científico-técnicos". Jornadas europeas de traducción e interpretación, Granada 1987. *Actas de las Jornadas Europeas de Traducción e Interpretación* (1988). Public. de la Universidad de Granada, p. 115-122.

Martín, A; Padilla Benítez, P. (1991): "Las referencias culturales de carácter institucional en la interpretación de conferencias". *Sendebar*, vol. 2, 1991, p. 37-44.

Matthews, J. (1984): "Notes on consecutive interpretation, 1". *Cuadernos de Traducción e Interpretación*, 4, 1984, p. 85-90.

Monacelli, C. (1994): "Is it possible to teach an old dog new tricks?". I Jornadas Internacionales de Traducción e Interpretación: Tendencias actuales, Las Palmas de Gran Canaria 1994. Actas en prensa.

Nadstoga, Z. (1994): "Interpreter training in the context of foreign language pedagogy". I Jornadas Internacionales de Traducción e Interpretación: Tendencias actuales, Las Palmas de Gran Canaria 1994. Actas en prensa.

Nicholson, N.S. (1994): "Trends in interpreter training: pedagogical strategies for the development of intensive seminars". I Jornadas Internacionales de Traducción e Interpretación: Tendencias actuales, Las Palmas de Gran Canaria 1994. Actas en prensa.

Olcese Santoja, R. (1986): *Cuadernos del Intérprete y Traductor. Léxico básico instrumental.* Vol. 12: Italiano-Español. Depto. Interuniversitario de Idiomas Modernos, Univ. Autónoma de Madrid.

Ortega Arjonilla, E; Echeverría Pereda, E. (1996): *Enseñanza de Lenguas, Traducción e Interpretación (Francés-Español).* Universidad de Málaga, Colección Manuales.

Ozores, V. (1984): "Anglicismo y electrónica. Una situación paradójica del Intérprete de Conferencia". *Cuadernos de Traducción e Interpretación*, 4, 1984, p. 91-95.

Padilla Benítez, P. (1985): "Adquisición de la técnica de comunicación oral como preámbulo a la interpretación consecutiva". Actas de las I Jornadas de intercambio de experiencias didácticas en la Universidad. Publicadas por el ICE de la Universidad de Granada, 1985, p. 285-294.

Padilla Benítez, P. (1994): "Procesos de memoria y atención: Hacia una teoría cognitiva de la interpretación". *Sendebar*, vol. 5, 1994, p. 55-66.

Pochhacker, F. (1994): "Skopos theory and simultaneous interpreting". I Jornadas Internacionales de Traducción e Interpretación: Tendencias actuales, Las Palmas de Gran Canaria 1994. Actas en prensa.

Prüfer Leske, I. (1994): "¿Cómo nace un intérprete jurado en España? - ¿De dónde viene y a dónde va?". I Jornadas Internacionales de Traducción e Interpretación: Tendencias actuales, Las Palmas de Gran Canaria 1994. Actas en prensa.

Rocha Barco, T. (1993): "La dimensión hermenéutica del traductor: El traductor como intérprete". *Essays on Translation. Ensayos sobre Traducción* I, Cáceres 1993, p. 83-88.

Sánchez de Zavala, V. (1982): "La interpretación (interidiomática) y la teoría lingüística". *Cuadernos de Traducción e Interpretación*, 1, 1982, p. 75-84.

Sunnari, M. (1994): "Observations on the development of strategies in simultaneous interpreting". I Jornadas Internacionales de Traducción e Interpretación: Tendencias actuales, Las Palmas de Gran Canaria 1994. Actas en prensa.

Tirkkonen-Condit, S. (1994): "Evaluations in translation processes: a survey of think-aloud protocols". I Jornadas Internacionales de Traducción e Interpretación: Tendencias actuales, Las Palmas de Gran Canaria 1994. Actas en prensa.

Tommola, J. (1994): "Experiments on interpreting: which dependent variable?". I Jornadas Internacionales de Traducción e Interpretación: Tendencias actuales, Las Palmas de Gran Canaria 1994. Actas en prensa.

Veglia, A. (1982): *Cuadernos del intérprete y traductor. Léxico básico instrumental.* Vol. 3: Español-Francés, Public. de la Univ. Autónoma de Madrid.

Way, C. (1994): "La interpretación ante los tribunales en España". I Jornadas Internacionales de Traducción e Interpretación: Tendencias actuales, Las Palmas de Gran Canaria 1994. Actas en prensa.

LINGÜÍSTICA CONTRASTIVA

Abaitua Odriozola, J.K. (1994): "Segmentación y establecimiento de correspondencias en textos paralelos bilingües". I Jornadas Internacionales de Traducción e Interpretación: Tendencias actuales, Las Palmas de Gran Canaria 1994. Actas en prensa.

Acosta, L.A. (1988): "Transferencias lingüísticas: préstamos y calcos". Mesa redonda en torno a la Traducción. Madrid 1987, Fundación Alfonso X el Sabio. Textos publicados el mismo año por la Fundación con el título *Problemas de la traducción*, p. 51-57.

Adrada Rafael, C. (1995): "La traducción de los nombres propios en *Madame Bovary* de Flaubert". VI Encuentros Complutenses sobre la Traducción, Madrid 1995. Actas en prensa.

Aguado de Cea, G. (1990): "Interferencias lingüísticas en los textos técnicos". II Encuentros Complutenses sobre la Traducción, Madrid 1988. Actas publicadas con el mismo nombre en 1990. Public. de la Univ. Complutense de Madrid, p. 163-170.

Aguado de Cea, G. (1994): "Las siglas y otras abreviaturas en el campo informático". IV Encuentros Complutenses sobre la Traducción, Madrid 1992. Actas publicadas con el mismo nombre en 1994. Public. de la Universidad Complutense de Madrid, p. 279-294.

Albarrán González, B. (1989): "El problema lingüístico en los contactos hispaño-filipinos". I Jornadas Nacionales de Historia de la Traducción, León 1987. Actas publicadas por J.C. Santoyo, R. Rabadán, T. Guzmán, J.L. Chamosa (1987) *Fidus interpres*, vol. 1 y (1989) *Fidus Interpres*, vol. 2. Public. de la Universidad de León, vol. II, p. 52-59.

Aleza Izquierda, M; García-Medall Villanueva, J. (1985): "Unos problemas en la traducción al español de *Gli amori difficili*, de Italo Calvino". Actas del III Congreso Nacional de Lingüística Aplicada (AESLA), Valencia abril 1985: *Pasado, presente y futuro de la lingüística aplicada en España*, publicadas por F. Fernández (1986), p. 265-268.

Alfaro Amieiro, M. (1995): "Las dinámicas concesivas: un ejemplo de interconexión entre lengua oral y lengua escrita". III Coloquio de la APFFUE, Barcelona 1995. Actas publicadas por F. Lafarga, A. Ribas, M. Tricas (1995): *La Traducción. Metodología, Historia, Literatura, Ambito hispanofrancés*. Barcelona, PPU, p. 373-378.

Alonso Gallo, L. (1995): "Consideraciones lingüístico estilísticas en torno a un relato: el relato posmodernista". V Encuentros Complutenses sobre la Traducción, Madrid 1994. Actas publicadas con el mismo nombre en 1995. Public. de la Univ. Complutense de Madrid, p. 711-720.

Alonso, E; Rubiales, M. (1995): "Apreciaciones en torno a la traducción al francés de la palabra **cursi**". Actas del II Coloquio Internacional de Lingüística Francesa: *La Lingüística Francesa: gramática, historia y epistemología* (Sevilla 1995). Dpto. de Filología Francesa de la Universidad de Sevilla (en prensa).

Arriandiaga, T. (1993): "Reflexiones sobre los modismos en inglés y en español: estudio comparativo". Actas del XI Congreso Nacional de Lingüística Aplicada (AESLA), Valladolid 1993, publicadas por J.M. Ruiz Ruiz, P. Sheerin Nolan, E. González - Cascos (1995). Universidad de Valladolid, p. 103-108.

Arroyo Ortega, A; Sevilla Muñoz, J. (1994): "La traducción del determinante francés **des**". *Sendebar*, vol. 5, 1994, p. 215-224.

Badia, T; Ramírez Bustamante, F. (1993): "Contrastes en el uso del artículo en inglés y castellano: Un algoritmo para la traducción automática". *Revista Española de Lingüística* 23/2, 1993, p. 253-293.

Bagno, S. (1993): "Perfecto desde el punto de vista estilístico: Traducciones y traductores de *El Quijote* en ruso". *Gaceta de la Traducción*, nº 1, jun. 1993, p. 21-47.

Bango de la Campa, F.M. (1993): "La formulación del 'realce' en francés y en español". Actas del XI Congreso Nacional de Lingüística Aplicada (AESLA), Valladolid 1993, publicadas por J.M. Ruiz Ruiz, P. Sheerin

Nolan, E. González - Cascos (1995). Universidad de Valladolid, p. 109-116.

Bango de la Campa, F.M. (1994): "Parámetros para una traducción del **on**". II Coloquio Internacional de Traductología, Valencia 1991. Actas publicadas por B. Lépinette, A. Olivares, E. Sopeña (1994) *Actas del Primer Coloquio Internacional de traductología*. Public. por la Universitat de Valencia, *Quaderns de Filologia*, p. 83-90.

Bango de la Campa, F.M. (1995): "Dinámica argumentativa, valores y traducción del conector **pourtant** en los siglos XIV y XV". III Coloquio de la APF-FUE, Barcelona 1995. Actas publicadas por F. Lafarga, A. Ribas, M. Tricas (1995): *La Traducción. Metodología, Historia, Literatura, Ambito hispanofrancés*. Barcelona, PPU, p. 345-352.

Barba Martínez, A. (1991): "Fraseología aeronáutica: el entorno del Radar". *Sendebar*, vol. 2, 1991, p. 107-114.

Barcelona, A. (1988): "Análisis contrastivo del léxico figurado de la ira en inglés y en español". Actas del VI Congreso Nacional de Lingüística Aplicada (AESLA), Santander, Abril 1988: *Adquisición de Lenguas: Teorías y Aplicaciones*, publicadas por T. Labrador Gutiérrez, R.M. Sainz de la Maza, R. Viejo García (1989). Universidad de Cantabria, p. 139-146.

Barcelona, A. (1989): "'Being crestfallen' y 'Estar con las orejas gachas', o por qué es metafórica y metonímica la depresión en inglés y en español". XI Congreso de AEDEAN, León 1987. Actas publicadas por J.C. Santoyo (1989): *Translation Across Cultures*: La traducción en el mundo hispánico y anglosajón, relaciones lingüísticas, culturales y literarias. Publicaciones de la Univ. de León, p. 219-224.

Barros Ochoa, M. (1993): "La adaptación fonológica como proceso de traducción". Actas del XV Congreso Nacional de la AEDEAN, Logroño, publicadas por F.J. Ruíz de Mendoza & C. Cunchillos (1991). Universidad de La Rioja, p. 747-753.

Barros Ochoa, M. (1993): *La traducción del nombre propio inglés-español: Teoría y práctica*. Universidad de León, tesis inédita.

Barros Ochoa, M. (1994): "El análisis del nombre propio en la crítica de traducciones". I Jornadas Internacionales de Traducción e Interpretación: Tendencias actuales, Las Palmas de Gran Canaria 1994. Actas en prensa.

Bernárdez, E. (1988): "El nombre propio: su función y su traducción". Mesa redonda en torno a la Traducción. Madrid 1987, Fundación Alfonso X el Sabio. Textos publicados el mismo año por la Fundación con el título *Problemas de la traducción*, p. 11-21.

Berrocal Hernández, J. (1993): "Mutación semántica y mutación sintáctica en las expresiones idiomáticas del inglés técnico y científico". Actas del XI Congreso Nacional de Lingüística Aplicada (AESLA), Valladolid 1993, publicadas por J.M. Ruiz Ruiz, P. Sheerin Nolan, E. González - Cascos (1995). Universidad de Valladolid, p. 139-146.

Blanco García, P. (1993): "Dificultades traductológicas de las lenguas marginales en la propia comunidad lingüística". III Encuentros Complutenses sobre la Traducción, Madrid 1990. Actas publicadas con el mismo nombre en 1993. Public. de la Univ. Complutense de Madrid, p. 41-48.

Bodarko, A.V. (1993): "La gramática funcional en la esfera de la eslavística: problemas y perspectivas". *Sendebar*, vol. 4, 1993, p. 111-128.

Bombardo Soles, C; Ginés Gilbert, M. (1989): "Estudio pragmático comparativo de las construcciones pasivas del discurso técnico en inglés y castellana". Actas del VII Congreso Nacional de Lingüística Aplicada (AESLA), Sevilla abril 1989, publicadas por F. Garrudo Carabias, J. Rincón (1990). Dpto. de Filología Inglesa de la Universidad de Sevilla, p. 119-128.

Brehm, J. (1994): "Tomar un baño - tomar una decisión: la reducción semántica en los componentes verbales de algunas locuciones como problema de la traducción". I Jornadas Internacionales de Traducción e Interpretación: Tendencias actuales, Las Palmas de Gran Canaria 1994. Actas en prensa.

Cantera Ortiz de Urbina, J. (1988): "La problemática de la expresividad en las traducciones entre el francés y el español". Jornadas de Traducción, Ciudad Real 1986. Actas publicadas en 1986 con el título de *Actas de las Jornadas de Traducción*. Public. de la Fac. de Letras de la Universidad de Castilla-La Mancha, p. 179-202.

Cantera Ortiz de Urbina, J. (1988): "La problemática de los nombres propios en la traducción del francés al español". Mesa redonda en torno a la Traducción. Madrid 1987, Fundación Alfonso X el Sabio. Textos publicados el mismo año por la Fundación con el título *Problemas de la traducción*, p. 23-31.

Cantera Ortiz de Urbina, J. (1995): "La problemática de los nombres propios en la traducción". E. Le Bel (ed.) (1995): *Le masque et la plume. Traducir: reflexiones, experiencias y prácticas*, Servicio de Publicaciones de la Universidad de Sevilla, p. 161-176.

Carratalá García, E. (1972): *Problemas morfosintácticos de las traducciones castellanas de* ***L'Avare*** *de Molière*. Facultad de Filología de la Universitat de Barcelona, tesis inédita.

Cartagena, N. (1994): "Acerca de la estructura del núcleo verbal en tecnolectos del español y del alemán". *Sendebar*, vol. 5, 1994, p. 175-194.

Cierva García, P; Cuellar Serrano, M.C. (1994): "Terminologie spécifique/langue générale. Étude linguistique et contrastive". Actas del Congreso Luso-Hispano de Lenguas Aplicadas a las Ciencias y la Tecnología: *Lenguas para fines específicos: temas fundamentales*, publicadas por R. Alejo, M. McGinity, S. Gómez (1994). Dpto. de Filología Inglesa de la Universidad de Extremadura, p. 126-129.

Conde Pardilla, M.A. (1994): "Pasajes obscenos del soliloquio de Molly Bloom de J. Joyce y sus traducciones al español". *Barcarola* 44-45, 1995, p. 91-141.

Constenla Bergueiro, G. (1995): "A traducción do inglés ó galego". I Simposio Galego de Traducción. Vigo 1995. Actas publicadas como Anexo de la Revista de Traducción *Viceversa*. Facultad de Traducción de la Universidad de Vigo, 1995, p. 91-98.

Contreras Palao, M.A. (1994): "Traducción al español del **passé composé** en la novela contemporánea francesa (*L'amant* de Marguerite Duras)". IV Encuentros Complutenses sobre la Traducción, Madrid 1992. Actas publicadas con el mismo nombre en 1994. Public. de la Universidad Complutense de Madrid, p. 531-538.

Coronado González, M.L; García González, J. (1991): "La traducción de los antropónimos". *Rev. Española de Lingüística Aplicada* 7, p. 49-72.

Cortes Vázquez, L. (1988): "¿Se han de traducir los nombres propios?". Mesa redonda en torno a la Traducción. Madrid 1987, Fundación Alfonso X el Sabio. Textos publicados el mismo año por la Fundación con el título *Problemas de la traducción*, p. 33-40.

Curell i Gotor, H. (1994): "The need for tense/aspect maps in translation". I Jornadas Internacionales de Traducción e Interpretación: Tendencias actuales, Las Palmas de Gran Canaria 1994. Actas en prensa.

Curell, C; Privat, M. (1992): "Un problème de langue: *Le japonais* (Travail de retraduction et analyse contrastive français-espagnol)". Actas publicadas por Parcerisas, F. (ed.) (1995): *Actes del I Congrès Internacional sobre Traducció* (abril 1992). Publicacions de l'Universitat Autónoma de Barcelona, p. 603-612.

Chejne, A. (1987): "Plegaria bilingüe árab-aljamiada de un morisco". *Homenaje a Alvaro Galmés de Fuentes*, Universidad de Oviedo, Gredos, vol. III, p. 621-647.

Chiclana, A. (1990): "La frase malsonante, el insulto y la blasfemia, según el ámbito lingüístico-cultural". II Encuentros Complutenses sobre la Traducción, Madrid 1988. Actas publicadas con el mismo nombre en 1990. Public. de la Univ. Complutense de Madrid, p. 81-94.

Delgado Yoldi, M. (1990): "La traducción de la expresión malsonante (inglés-español)". II Encuentros Complutenses sobre la Traducción, Madrid 1988. Actas publicadas con el mismo nombre en 1990. Public. de la Univ. Complutense de Madrid, p. 101-106.

Delgado, E. (1989): "The English Progressive, A difficult Case for Translators". XI Congreso de AEDEAN, León 1987. Actas publicadas por J.C. Santoyo (1989): *Translation Across Cultures*: La traducción en el mundo hispánico y anglosajón, relaciones lingüísticas, culturales y literarias. Publicaciones de la Univ. de León, p. 79-86.

Díaz Ferrero, A.M; Murillo Melero, M. (1994): "La traducción de las expresiones idiomáticas en Portugués y Español: análisis comparativo de algunas Expresiones Idiomáticas relacionadas con el vestuario". I Encuentro Interdisciplinar de Teoría y Práctica de la Traducción, Cádiz 1993. *Reflexiones sobre la Traducción.* Actas publicadas por L. Charlo Brea (1994). Public. de la Universidad de Cádiz, p. 227-244.

Díaz Peralta, M. (1994): "Los signos de puntuación como mecanismo de cohesión textual". I Jornadas Internacionales de Traducción e Interpretación: Tendencias actuales, Las Palmas de Gran Canaria 1994. Actas en prensa.

Domínguez Domínguez, F. (1986): "Traducción y lexemática". *Estudios Humanísticos: Filología* 8, 1986, p. 69-77.

Donaire Fernández, M.L. (1995): "Parámetros argumentativos para la traducción del conector **pourtant** en los siglos XII y XIII". III Coloquio de la APFFUE, Barcelona 1995. Actas publicadas por F. Lafarga, A. Ribas, M. Tricas (1995): *La Traducción. Metodología, Historia, Literatura, Ambito hispanofrancés*. Barcelona, PPU, p. 335-344.

Duro Moreno, M. (1995): "Estilo y modos del verbo. Pequeño catálogo de recomendaciones para el mejor uso del indicativo y subjuntivo en la traducción profesional de informática del inglés al español". V Encuentros Complutenses sobre la Traducción, Madrid 1994. Actas publicadas con el mismo nombre en 1995. Public. de la Univ. Complutense de Madrid, p. 565-574.

Duro Moreno, M. (1995): "La lingüística contrastiva en los estudios de traducción e interpretación". VI Encuentros Complutenses sobre la Traducción, Madrid 1995. Actas en prensa.

Elamane, A. (1992): "Problemas particulares de la traducción entre parejas de lenguas cercanas y parejas de lenguas de origen diferente". Actas publicadas por Parcerisas, F. (ed.) (1995): *Actes del I Congrès Internacional sobre Traducció* (abril 1992). Publicacions de l'Universitat Autónoma de Barcelona, p. 253-264.

Espinal, M.T. (1983): "La interpretació dels adverbis modals". *Cuadernos de Traducción e Interpretación*, 2, 1983, p. 127-140.

Espinal, M.T. (1992): "Sobre la traducción de los nombres propios". *Cuadernos de Traducción e Interpretación*, 11/12, 1992, p. 73-94.

Farghal, M. (1994): "The translatability of Arabic terms into English". I Jornadas Internacionales de Traducción e Interpretación: Tendencias actuales, Las Palmas de Gran Canaria 1994. Actas en prensa.

Farghal, M. (1995): "Jordanian proverbs: an ethbographic and translational perspective". *Sendebar*, vol. 6, 1995, p. 197-208.

Fernández González, J.R. (1991): "La presencia de francos en la Península Ibérica y su influjo lingüístico". Coloquio Traducción y Adaptación Cultural España-Francia, Oviedo 1990. Actas publicadas en 1991 por M.L. Donaire, F. Lafarga: *Traducción y Adaptación cultural España-Francia*. Public. de la Universidad de Oviedo, p. 453-468.

Fernández González, J.R. (1995): "Algunas reflexiones sobre aspectos gramaticales e interlingüísticos de las expresiones idiomáticas". C. Hernández & al.: *Aspectes de la reflexió i de la praxi interlingüística*. Quaderns de Filologia I, Fac. de Filologia, Univ. de Valencia, p. 231-246.

Fernández Murga, F. (1992): "El conector **bien que** en francés y su traducción al español". *Archivum*, 41-42.

Ferreres Masplá, F. (1991): "Significantes, diferencias sistemáticas y sistemas diferentes: **Mais** y **sinon** en francés". I Coloquio Internacional de Traductología, Valencia 1989. Actas publicadas por B. Lépinette, A. Olivares, E. Sopeña, E. (1991) *Actas del Primer Coloquio Internacional de traductología*. Public. por la Universitat de Valencia, *Quaderns de Filologia*, p. 97-100.

Ferreres Masplá, F. (1994): "Les signifiants français le/ce, celui (-ci) et espagnols el/aquel". II Coloquio Internacional de Traductología, Valencia 1991. Actas publicadas por B. Lépinette, A. Olivares, E. Sopeña (1994) *Actas del Primer Coloquio Internacional de traductología*. Public. por la Universitat de Valencia, *Quaderns de Filologia*, p. 111-120.

Ferreres Masplá, F. (1995): "Condiciones sistemático-enunciativas de traducción entre los imperfectos de subjuntivo español y francés". III Coloquio de la APFFUE, Barcelona 1995. Actas publicadas por F. Lafarga, A. Ribas, M. Tricas (1995): *La Traducción. Metodología, Historia, Literatura, Ambito hispanofrancés*. Barcelona, PPU, p. 387-396.

Ferreres Masplá, F; Olivares Vaquero, M.D. (1995): "Hacia una sistemática del condicional en francés y en español". Actas del II Coloquio Internacional de Lingüística Francesa: *La Lingüística Francesa: gramá-*

tica, historia y epistemología (Sevilla 1995). Dpto. de Filología Francesa de la Universidad de Sevilla (en prensa).

Figuerola Cabrol, M.C. (1995): "La frase simple, una tarea ardua en la traducción de *Espagne, Espagne!*". Actas del II Coloquio Internacional de Lingüística Francesa: *La Lingüística Francesa: gramática, historia y epistemología* (Sevilla 1995). Dpto. de Filología Francesa de la Universidad de Sevilla (en prensa).

Fontcuberta i Gel, J. (1982): "La traducció i el contacte entre llengües. Algunes consideracions". *Cuadernos de Traducción e Interpretación*, 1, 1982, p. 29-38.

Gallardo San Salvador, N. (1985): "Los colores y la traducción". *Babel: rev. de los estudiantes de la EUTI* 3, p. 6-10.

Garces García, P. (1993): "Cuestiones problemáticas para la traducción de cuatro modales auxiliares ingleses. Parte B) Desde una perspectiva coloquial situacional". Actas del XI Congreso Nacional de Lingüística Aplicada (AESLA), Valladolid 1993, publicadas por J.M. Ruiz Ruiz, P. Sheerin Nolan, E. González - Cascos (1995). Universidad de Valladolid, p. 769-772.

García Domínguez, M.J; Marrero Pulido, V; Piñero Piñero, G. (1994): "Problemática en torno a algunos usos preposicionales en la creación textual". I Encuentro Interdisciplinar de Teoría y Práctica de la Traducción, Cádiz 1993. *Reflexiones sobre la Traducción*. Actas publicadas por L. Charlo Brea (1994). Public. de la Universidad de Cádiz, p. 277-288.

García López, R. (1992): "Dificultades vinculadas con los valores de los adjetivos demostrativos en la comprensión del texto y en la traducción (Sus connotaciones en *Moderato Cantabile* de Marguerite Duras)". Actas publicadas por Parcerisas, F. (ed.) (1995): *Actes del I Congrès Internacional sobre Traducció* (abril 1992). Publicacions de l'Universitat Autónoma de Barcelona, p. 273-280.

García Yebra, V. (1993): "¿Traducción del castellano al gallego o del gallego al castellano?". III Encuentros Complutenses sobre la Traducción, Madrid 1990. Actas publicadas con el mismo nombre en 1993. Public. de la Univ. Complutense de Madrid, p. 19-32.

Garrudo Carabias, F. (1994): "Observaciones sobre la traducción de la sintaxis". II Curso Superior de Traducción Inglés-Español, Valladolid 1993. Textos publicados por P. Fernández Nistral (ed.) (1994): *Aspectos de la traducción Inglés-Español*. Public. del ICE de la Univ. de la Universidad de Valladolid, p. 91-100.

Giersiepen, C. (1992): "Un sistema contrastivo en la enseñanza de lenguas extranjeras orientado a la traducción. La importancia de la lengua materna". Actas del II Congreso Internacional de la Sociedad de Didáctica de la Lengua y la Literatura, Las Palmas de Gran Canaria 1992, publicadas por A. Delgado y F. Menéndez (1992), nº 3 de la revista *El Guiniguada*, p. 355-364.

González Pueyo, M.I. (1990): *Traducción al español de las preposiciones inglesas que indican una relación espacial, de mayor frecuencia en el inglés científico-técnico*. Universidad de Zaragoza, tesis inédita.

González Royo, C. (1985): "Italiano y español: análisis de los errores gramaticales en la lengua escrita durante el aprendizaje del español por italófonos". Actas del III Congreso Nacional de Lingüística Aplicada (AESLA), Valencia abril 1985: *Pasado, presente y futuro de la lingüística aplicada en España*, publicadas por F. Fernández (1986), p. 541-556.

Gordillo Vázquez, M.C. (1992): "Recursos lingüísticos empleados en una traducción del s. XV. II Jornadas Nacionales de Historia de la Traducción, León 1990. Actas publicadas en la revista *Livius* nº 1 y 2, 1992. Public. de la Universidad de León, vol. II, p. 27-36.

Guillén Calvo, J.J. (1989): "Dificultades en la traducción de algunos verbos ingleses modificados o complementados por partícula o preposición". I Jornadas Nacionales de Historia de la Traducción, León 1987. Actas publicadas por J.C. Santoyo, R. Rabadán, T. Guzmán, J.L. Chamosa (1987) *Fidus interpres*, vol. 1 y (1989) *Fidus Interpres*, vol. 2. Public. de la Universidad de León, vol. II, p. 267-271.

Gutiérrez Díez, F. (1995): "Idiomaticidad y traducción". *Cuadernos de Filología Inglesa* 4, 1995, p. 27-42.

Guzmán Tirado, R; Herrador del Pino, M. (1992): "Sobre el orden temporal entre acciones en la oración subordinada en ruso". *Sendebar*, vol. 3, 1992, p. 157-164.

Hernández Sacristán, C. (1994): "Notas sobre pragmática contrastiva". II Coloquio Internacional de Traductología, Valencia 1991. Actas publicadas por B. Lépinette, A. Olivares, E. Sopeña (1994) *Actas del Primer Coloquio Internacional de traductología*. Public. por la Universitat de Valencia, *Quaderns de Filologia*, p. 121-128.

Hernández, F.J. (1988): "Consideraciones en torno a la traducción de los nombres propios de personas en obras literarias francesas". Mesa redonda en torno a la Traducción. Madrid 1987, Fundación Alfonso X el Sabio. Textos publicados el mismo año por la Fundación con el título *Problemas de la traducción*, p. 41-44.

Hernando Cuadrado, L.A. (1995): "Fundamentos gramaticales para la traducción del suplemento español". V Encuentros Complutenses sobre la

Traducción, Madrid 1994. Actas publicadas con el mismo nombre en 1995. Public. de la Univ. Complutense de Madrid, p. 651-656.

Jaime Pastor, M.A; Briz Gómez, E.A; Serra Alegre, E.N. (1985): "Algunos problemas de la traducción del artículo determinado entre inglés y español". Actas del III Congreso Nacional de Lingüística Aplicada (AESLA), Valencia abril 1985: *Pasado, presente y futuro de la lingüística aplicada en España*, publicadas por F. Fernández (1986), p. 197-208.

Konieczna, J. (1992): "Sobre el aspecto bilingüe de Recuenco de Luis Goytisolo". *Cuadernos de Traducción e Interpretación*, 11/12, 1992, p. 31-36.

Konieczna, J. (1994): "¿Es posible una traducción creativa?". I Jornadas Internacionales de Traducción e Interpretación: Tendencias actuales, Las Palmas de Gran Canaria 1994. Actas en prensa.

Labrador Gutiérrez, T. (1995): "Contenidos semánticos y comportamientos sintácticos: posición del adjetivo dentro del SN". V Encuentros Complutenses sobre la Traducción, Madrid 1994. Actas publicadas con el mismo nombre en 1995. Public. de la Univ. Complutense de Madrid, p. 657-670.

Ladrón de Cegama Fernández, E. (1991): "La semántica gramatical en la traducción francés-español". I Coloquio Internacional de Traductología, Valencia 1989. Actas publicadas por B. Lépinette, A. Olivares, E. Sopeña, E. (1991) *Actas del Primer Coloquio Internacional de traductología*. Public. por la Universitat de Valencia, _Quaderns de Filologia_, p. 125-130.

Lanero Fernández, J.J. (1994): "Trends In Cross-Cultural Training". Actas del Congreso Luso-Hispano de Lenguas Aplicadas a las Ciencias y la Tecnología: *Lenguas para fines específicos: temas fundamentales*, publicadas por R. Alejo, M. McGinity, S. Gómez (1994). Dpto. de Filología Inglesa de la Universidad de Extremadura, p. 136-138.

Lejarcegui Gutiérrez, M.C. (1994): "Lingüística contrastiva y traducción". I Jornadas Internacionales de Traducción e Interpretación: Tendencias actuales, Las Palmas de Gran Canaria 1994. Actas en prensa.

Lépinette, B. (1988): "Lexicografía bilingüe frances-español y las operaciones de codificación y descodificación del francés". Actas del VI Congreso Nacional de Lingüística Aplicada (AESLA), Santander, Abril 1988: *Adquisición de Lenguas: Teorías y Aplicaciones*, publicadas por T. Labrador Gutiérrez, R.M. Sainz de la Maza, R. Viejo García (1989). Universidad de Cantabria, p. 349-362.

Lépinette, B. (1994): "L'analyse contrastive (français-espagnol) de verbes polysémiques". II Coloquio Internacional de Traductología, Valencia 1991.

Actas publicadas por B. Lépinette, A. Olivares, E. Sopeña (1994) *Actas del Primer Coloquio Internacional de traductología*. Public. por la Universitat de Valencia, *Quaderns de Filologia*, p. 39-46.

Lépinette, B. (1994): "La lexicografía bilingüe no convencional. Propuesta para la constitución de una base de datos contrastivos destinada a la traducción automática". I Encuentro Interdisciplinar de Teoría y Práctica de la Traducción, Cádiz 1993. *Reflexiones sobre la Traducción*. Actas publicadas por L. Charlo Brea (1994). Public. de la Universidad de Cádiz, p. 345-354.

Lirola Delgado, P. (1994): "En torno a algunos problemas que se presentan en la traducción del teatro dialectal egipcio contemporáneo". I Encuentro Interdisciplinar de Teoría y Práctica de la Traducción, Cádiz 1993. *Reflexiones sobre la Traducción*. Actas publicadas por L. Charlo Brea (1994). Public. de la Universidad de Cádiz, p. 355-366.

López Carrillo, R. (1989): "Choix d'expressions françaises utilisant une partie du corps humain (I: La Tête) et leur traduction a l'Espagnol". *Anales de Filología Francesa*, 3, 1989, p. 73-106.

López Carrillo, R. (1992): "Choix d'expressions françaises utilisant une partie du corps humain (II: LE TRONC) et leur traduction à l'espagnol". *Anales de Filología Francesa*, 4, 1992, p. 73-88.

López García, A. (1994): "Teorías contrastivas". *Traducción y Contraste Lingüístico-Cultural*. Valencia 1994, UIMP, vol. II, p. 64-81.

Lorda, C.U. (1991): "La traducción del aspecto temporal en *Viaje al final de la noche*, versión de Carlos Manzano de *Voyage au bout de la nuit* de L.F. Celine". I Coloquio Internacional de Traductología, Valencia 1989. Actas publicadas por B. Lépinette, A. Olivares, E. Sopeña, E. (1991) *Actas del Primer Coloquio Internacional de traductología*. Public. por la Universitat de Valencia, *Quaderns de Filologia*, p. 147-150.

Lorenzo Criado, E. (1988): "La 'voz pasiva' en la traducción". Mesa redonda en torno a la Traducción. Madrid 1987, Fundación Alfonso X el Sabio. Textos publicados el mismo año por la Fundación con el título *Problemas de la traducción*, p. 107-117.

Lorenzo Criado, E. (1992): "El español, la traducción y los peligros parentescos románicos". *Cuadernos de Traducción e Interpretación*, 11/12, 1992, p. 195-208.

Lozano González, W.C. (1992): "Aproximación al problema de las expresiones idiomáticas y su traducción". *Sendebar*, vol. 3, 1992, p. 141-155.

Lucia de Oliveira, V. (1992): "Algumas consideraç~oes sobre o bilingüismo em campo literário". Actas publicadas por Parcerisas, F. (ed.) (1995): *Actes del I Congrès Internacional sobre Traducció* (abril 1992). Publicacions de l'Universitat Autónoma de Barcelona, p. 831-838.

Luque Toro, L. (1995): "La expresión coloquial en español y su traducción al inglés: casos especiales". V Encuentros Complutenses sobre la Traducción, Madrid 1994. Actas publicadas con el mismo nombre en 1995. Public. de la Univ. Complutense de Madrid, p. 671-678.

Lvóvskaya, Z. (1994): "Enfoque textual de la estilística contrastiva". I Jornadas Internacionales de Traducción e Interpretación: Tendencias actuales, Las Palmas de Gran Canaria 1994. Actas en prensa.

Mañas Lahoz, P. (1992): "La traducción de expresiones adverbiales en un texto narrativo de D.H. Lawrence". *Cuadernos de Traducción e Interpretación*, 11/12, 1992, p. 113-120.

Maqsud M. Kamal, A. (1990): "La traducción del español al árabe y viceversa. Interferencias léxicas y estructurales". Actas de las Jornadas de Hispanismo Arabe (Madrid mayo 1988), publicadas por F. de Agreda (1990). Madrid, Agencia Española de Cooperación Internacional, p. 103-108.

Marrero Pulido, V; García Domínguez, M.J; Piñero Piñero, G. (1994): "Instrucción gramatical y diagnosis en la producción de textos escritos". I Jornadas Internacionales de Traducción e Interpretación: Tendencias actuales, Las Palmas de Gran Canaria 1994. Actas en prensa.

Martí García, C. (1985): "Análisis contrastivo de los demostrativos nominales selectivos en inglés y español: errores de cohesión debidos a la interferencia de la lengua materna". Actas del III Congreso Nacional de Lingüística Aplicada (AESLA), Valencia abril 1985: *Pasado, presente y futuro de la lingüística aplicada en España*, publicadas por F. Fernández (1986), p. 533-540.

Mata Pastor, M. (1994): "La traducción de material informático: problemática de las formas verbales". I Jornadas Internacionales de Traducción e Interpretación: Tendencias actuales, Las Palmas de Gran Canaria 1994. Actas en prensa.

Mateo Martínez-Bartolomé, M. (1994): "¿Lady Sneerwell o Doña Virtudes?: la traducción de los nombres propios emblemáticos en las comedias". IV Encuentros Complutenses sobre la Traducción, Madrid 1992. Actas publicadas con el mismo nombre en 1994. Public. de la Universidad Complutense de Madrid, p. 433-444.

Mateo Martínez-Bartolomé, M. (1994): "Traducir transcribiendo: rasgos fonéticos que influyen en las decisiones del traductor". I Jornadas Internacionales de Traducción e Interpretación: Tendencias actuales, Las Palmas de Gran Canaria 1994. Actas en prensa.

Mayoral Asensio, R. (1989): "Problemas de traducción de los sistemas de referencia de segunda y tercera persona". Actas del VII Congreso Nacional de Lingüística Aplicada (AESLA), Sevilla abril 1989, publicadas por F. Garrudo Carabias, J. Rincón (1990). Dpto. de Filología Inglesa de la Universidad de Sevilla, p. 367-374.

Mayoral Asensio, R. (1990): "Comentario a la traducción de algunas variedades de lengua". II Encuentros Complutenses sobre la Traducción, Madrid 1988. Actas publicadas con el mismo nombre en 1990. Public. de la Univ. Complutense de Madrid, p. 65-72.

Mayoral Asensio, R. (1990): "Comentario a la traducción de algunas variedades de lengua". *Sendebar*, vol. 1, 1990, p. 35-46.

Mayoral Asensio, R. (1992): "Formas inarticuladas y formas onomatopéyicas en inglés y español. Problemas de traducción". *Sendebar*, vol. 3, 1992, p. 107-140.

Mazars Denys, E. (1994): "La traducción de los anglicismos en la lengua comercial francesa". IV Encuentros Complutenses sobre la Traducción, Madrid 1992. Actas publicadas con el mismo nombre en 1994. Public. de la Universidad Complutense de Madrid, p. 303-308.

Mazars Denys, E. (1994): "Le chien dans quelques locutions et expresions françaises et espagnoles". Actas del II Coloquio de Filología Francesa en la Universidad Española, Almagro 1993, publicadas por J. Bravo (1994). Universidad de Castilla-La Mancha, p. 155-160.

Meliss, M. (1995): "Das **Hörbare** im Deutschen und Spanischen. Kontrastive Wortfeldung als Hilfe für Übersetzungsprobleme im lexikalisch-semantischen Bereich". V Encuentros Complutenses sobre la Traducción, Madrid 1994. Actas publicadas con el mismo nombre en 1995. Public. de la Univ. Complutense de Madrid, p. 147-160.

Mendiguren Bereziartu, X. (1993): "Incidencia de la traducción en la normalización lingüística del Euskara". *Livius*, 4 (1993), p. 107-116.

Mestreit, C; Poch Olivé, D. (1983): "Para un diagnóstico de errores fonemáticos y prosódicos en alumnos de francés". *Cuadernos de Traducción e Interpretación*, 3, 1983, p. 33-50.

Molina Plaza, S. (1995): "Anglicismos léxicos y sintácticos en la traducción literaria de textos del inglés al español". VI Encuentros Complutenses sobre la Traducción, Madrid 1995. Actas en prensa.

Montesinos Oltra, A. (1991): "Interrelación lingüística y traducción". Actas del I Simposio sobre *Lingüística aplicada y tecnología*, Valencia, publicadas por J. Calvo Pérez, p. 125-132.

Moreno Fernández, F. (1994): "Análisis contrastivo en etnografía de la comunicación". *Traducción y Contraste Lingüístico-Cultural.* Valencia 1994, UIMP, vol. II, p. 1-17.

Moya, V. (1993): "Nombres propios: Su traducción". *Revista de Filología* 12, 1993, p. 233-247.

Muñiz Cachón, C. (1991): "Morfemas subjetivos en español y en francés". Coloquio Traducción y Adaptación Cultural España-Francia, Oviedo 1990. Actas publicadas en 1991 por M.L. Donaire, F. Lafarga: *Traducción y Adaptación cultural España-Francia.* Public. de la Universidad de Oviedo, p. 481-492.

Muñoz i Morata, A.M. (1992): "I de les partícules modals alemanyes, què en fem?". *Cuadernos de Traducción e Interpretación*, 11/12, 1992, p. 99-112.

Muñoz, C. (1989): "La traducción de elementos 'redundantes': una ilustración en el área pronominal". XI Congreso de AEDEAN, León 1987. Actas publicadas por J.C. Santoyo (1989): *Translation Across Cultures*: La traducción en el mundo hispánico y anglosajón, relaciones lingüísticas, culturales y literarias. Publicaciones de la Univ. de León, p. 127-134.

Navarro Salazar, M.T. (1984): "La traducción de las partículas italianas **ci** y **vi**". Nueva Revista de Enseñanzas Medias nº 6: *La Traducción, Arte y Técnica*, 1984, M.E.C., p. 111-119.

Noya Gallardo, C. (1995): "Los **falsos amigos** y los calcols en las traducciones de terminologías específicas". V Encuentros Complutenses sobre la Traducción, Madrid 1994. Actas publicadas con el mismo nombre en 1995. Public. de la Univ. Complutense de Madrid, p. 589-594.

Ojanguren Fernández, A. (1995): "Diferentes soluciones para la traducción al alemán de los refranes de Sancho Panza en la segunda parte del Quijote: Tieck, Braunfels, Bertuch y Soltau". VI Encuentros Complutenses sobre la Traducción, Madrid 1995. Actas en prensa.

Olivares Pardo, M.A. (1985): "La traducción del aspecto en el léxico francés y español". Actas del III Congreso Nacional de Lingüística Aplicada (AESLA), Valencia abril 1985: *Pasado, presente y futuro de la lingüística aplicada en España*, publicadas por F. Fernández (1986), p. 209-220.

Olivares Pardo, M.A. (1988): "Auxiliaridad, pasiva y aspecto en francés: ambigüedades y dificultades para un hispanófono". Actas del VI Congreso Nacional de Lingüística Aplicada (AESLA), Santander, Abril 1988: *Adquisición de Lenguas: Teorías y Aplicaciones*, publicadas por T. Labrador Gutiérrez, R.M. Sainz de la Maza, R. Viejo García (1989). Universidad de Cantabria, p. 445-452.

Olivares Pardo, M.A. (1992): "Tipos de predicaciones en francés y en español: problemas de traducción". Actas publicadas por Parcerisas, F. (ed.) (1995): *Actes del I Congrès Internacional sobre Traducció* (abril 1992). Publicacions de l'Universitat Autónoma de Barcelona, p. 301-314.

Olivares Pardo, M.A. (1995): "Usos anafóricos del demostrativo en francés y en español". C. Hernández & al.: *Aspectes de la reflexió i de la praxi interlingüística*. Quaderns de Filologia I, Fac. de Filologia, Univ. de Valencia, p. 277-294.

Olivares Pardo, M.A; Lépinette, B. (1991): "La sufijación contrastiva (francés-español) en el léxico de economía". I Coloquio Internacional de Traductología, Valencia 1989. Actas publicadas por B. Lépinette, A. Olivares, E. Sopeña, E. (1991) *Actas del Primer Coloquio Internacional de traductología*. Public. por la Universitat de Valencia, *Quaderns de Filologia*, p. 159-162.

Oliver Frade, J.M. (1995): "Léxico y traducción: a propósito de la lengua francesa medieval". III Coloquio de la APFFUE, Barcelona 1995. Actas publicadas por F. Lafarga, A. Ribas, M. Tricas (1995): *La Traducción. Metodología, Historia, Literatura, Ambito hispanofrancés*. Barcelona, PPU, p. 217-224.

Ozaeta Gálvez, M.R. (1991): "La traduction des locutions et des expressions idiomatiques". *Cuadernos de Filología Francesa* 5, p. 199-219.

Ozaeta Gálvez, M.R. (1992): "Algunos aspectos de la equivalencia idiomática en francés y en castellano". *Epos* 8, 1992, p. 329-351.

Pamies Beltrán, A. (1985): "El problema de la concordancia temporal en el subjuntivo en la traducción francés-español". *Babel: rev. de los estudiantes de la EUTI* 3, p. 105-110.

Pamies Beltrán, A. (1992): "Algunas paradojas acerca de la paradoja". *Sendebar*, vol. 3, 1992, p. 165-174.

Pamies Beltrán, A. (1994): "Reducción vocálica y acento". *Sendebar*, vol. 5, 1994, p. 195-213.

Pamies Beltrán, A. (1995): "La jerga de la drogadicción". *Sendebar*, vol. 6, 1995, p. 185-196.

Payán Sotomayor, P. (1994): "La traducción de las lenguas románicas: una tarea más fácil". I Encuentro Interdisciplinar de Teoría y Práctica de la Traducción, Cádiz 1993. *Reflexiones sobre la Traducción*. Actas publicadas por L. Charlo Brea (1994). Public. de la Universidad de Cádiz, p. 521-526.

Pereira Silverio, M. (1985): "Estudio comparado de las perífrasis verbales en la obra *Cien años de soledad* de Gabriel García Márquez y en su traducción francesa". *Cauce* 8, 1985, p. 41-58.

Pintori Olivotto, A. (1994): "Indice de frecuencia de errores en la traducción de las expresiones idiomáticas". I Jornadas Internacionales de Traducción e Interpretación: Tendencias actuales, Las Palmas de Gran Canaria 1994. Actas en prensa.

Piñel, R. (1990): "**Schimpfwort** e insulto: una equivalencia difícil". II Encuentros Complutenses sobre la Traducción, Madrid 1988. Actas publicadas con el mismo nombre en 1990. Public. de la Univ. Complutense de Madrid, p. 107-112.

Piñel, R. (1993): "La traducción de los diversos valores del diminutivo español al alemán". III Encuentros Complutenses sobre la Traducción, Madrid 1990. Actas publicadas con el mismo nombre en 1993. Public. de la Univ. Complutense de Madrid, p. 85-98.

Piñero Piñero, G; Marrero Pulido, V; García Domínguez, M.J. (1994): "Una propuesta para la enseñanza del sistema verbal español". I Jornadas Internacionales de Traducción e Interpretación: Tendencias actuales, Las Palmas de Gran Canaria 1994. Actas en prensa.

Planelles Iváñez, M. (1994): "La traducción de los nombres de profesión referidos a mujer, ¿una cuestión de planificación lingüística?". I Congreso Internacional de traducción e Interpretación de Soria, 1993. Actas publicadas por A. Bueno, M. Ramiro, J.M. Zarandona (1994): *La traducción de lo inefable*. Publicaciones del Colegio Universitario de Soria, p. 451-462.

Postigo, E; Chamizo, P.J. (1995): "Falsos cognados: traducción inglés-español". VI Encuentros Complutenses sobre la Traducción, Madrid 1995. Actas en prensa.

Prüfer Leske, I. (1994): *La traducción de las partículas modales del alemán al español y al inglés*. Publicaciones de la Universidad de Alicante.

Pruñonosa, M. (1994): "De las formas relativas en español e italiano". II Coloquio Internacional de Traductología, Valencia 1991. Actas publicadas por B. Lépinette, A. Olivares, E. Sopeña (1994) *Actas del Primer Coloquio Internacional de traductología*. Public. por la Universitat de Valencia, *Quaderns de Filologia*, p. 167-178.

Rabadán Alvarez, R. (1987): "Morfología del calco inglés-español". Actas del IV Congreso Nacional de Lingüística Aplicada (AESLA), Córdoba abril 1986: *Lenguaje y Educación*, 2 vols., publicadas por A. León Sandra (1989). Universidad de Córdoba,

Rabadán Alvarez, R; Guzmán, T. (1989): "Las inequivalencias lingüísticas en la traducción inglés-español". XI Congreso de AEDEAN, León 1987. Actas publicadas por J.C. Santoyo (1989): *Translation Across Cultures*: La traducción en el mundo hispánico y anglosajón, relaciones lingüísticas, culturales y literarias. Publicaciones de la Univ. de León, p. 141-146.

Raders, M. (1994): "Zur spanischen Rezeption des Werks der Schriftstellerfamilie Mann anhand der Übersetzungen". IV Encuentros Complutenses sobre la Traducción, Madrid 1992. Actas publicadas con el mismo nombre en 1994. Public. de la Universidad Complutense de Madrid, p. 569-584.

Raders, M. (1995): "Zur spanischen Rezeption des Werks der Schriftsteller-familie Mann anhand der Übersetzungen: Golo Mann". V Encuentros Complutenses sobre la Traducción, Madrid 1994. Actas publicadas con el mismo nombre en 1995. Public. de la Univ. Complutense de Madrid, p. 417-430.

Raders, M. (1995): "Zur spanischen Rezeption des Werks der Schriftstellerfamilie Mann anhand der Übersetzungen: Klaus Mann". VI Encuentros Complutenses sobre la Traducción, Madrid 1995. Actas en prensa.

Regales Serna, A. (1988): "Cuestiones lingüísticas y extralingüísticas en la traducción de frases hechas y giros idiomáticos (con especial referencia a la traducción del alemán)". Jornadas de Traducción, Ciudad Real 1986. Actas publicadas en 1986 con el título de *Actas de las Jornadas de Traducción*. Public. de la Fac. de Letras de la Universidad de Castilla-La Mancha, p. 105-136.

Rodríguez Baixeras, X. (1995): "Alguns problemas específicos da traducción doutras linguas románicas ó galego". I Simposio Galego de Traducción. Vigo 1995. Actas publicadas como Anexo de la Revista de Traducción *Viceversa*. Facultad de Traducción de la Universidad de Vigo, 1995, p. 121-126.

Rodríguez González, F. (1990): "La traducción de las siglas inglesas". F. Rodríguez González (ed.) (1990): *Estudios de Filología Inglesa: Homenaje al Doctor Pedro Jesús Marcos Pérez*. Publicaciones del Dpto. de Filología Inglesa de la Universidad de Alicante, p. 169-182.

Ruiz de Zarobe, L. (1994): "Conectores y traducción: el caso de **mais**". IV Encuentros Complutenses sobre la Traducción, Madrid 1992. Actas publicadas con el mismo nombre en 1994. Public. de la Universidad Complutense de Madrid, p. 233-242.

Sabio Pinilla, J.A. (1992): "Traducir del portugués al español: la engañosa facilidad". Actas publicadas por Parcerisas, F. (ed.) (1995): *Actes del I Congrès Internacional sobre Traducció* (abril 1992). Publicacions de l'Universitat Autónoma de Barcelona, p. 613-620.

Sáez Durán, J; Viñez Sánchez, A. (1994): "Funcionalidad literaria de los adverbios pronominales en la Cantiga de Amor y su traducción". I Encuentro Interdisciplinar de Teoría y Práctica de la Traducción, Cádiz 1993.

Reflexiones sobre la Traducción. Actas publicadas por L. Charlo Brea (1994). Public. de la Universidad de Cádiz, p. 659-668.

Sánchez Escribano, F.J. (1988): "Traducción de refranes españoles al inglés: la primera colección publicada en Inglaterra". Jornadas de Traducción, Ciudad Real 1986. Actas publicadas en 1986 con el título de *Actas de las Jornadas de Traducción*. Public. de la Fac. de Letras de la Universidad de Castilla-La Mancha, p. 233-248.

Sánchez Paños, I. (1990): "La traducción de la expresión malsonante (francés-español)". II Encuentros Complutenses sobre la Traducción, Madrid 1988. Actas publicadas con el mismo nombre en 1990. Public. de la Univ. Complutense de Madrid, p. 113-116.

Sánchez Puig, M. (1994): "Léxico de drogadictos en el ruso actual: sistematización y traducción". IV Encuentros Complutenses sobre la Traducción, Madrid 1992. Actas publicadas con el mismo nombre en 1994. Public. de la Universidad Complutense de Madrid, p. 259-266.

Sanguineti de Serrano, N. (1992): "Cohesive Devices across Languages". Actas publicadas por Parcerisas, F. (ed.) (1995): *Actes del I Congrès Internacional sobre Traducció* (abril 1992). Publicacions de l'Universitat Autónoma de Barcelona, p. 265-272.

Santoyo, J.C. (1988): "La 'traducción' de los nombres propios". Mesa redonda en torno a la Traducción. Madrid 1987, Fundación Alfonso X el Sabio. Textos publicados el mismo año por la Fundación con el título *Problemas de la traducción*, p. 45-50.

Sanz Casares, M.C. (1993): "Cuestiones problemáticas para la traducción de cuatro modales auxiliares ingleses. A) Su aplicación en textos literarios". Actas del XI Congreso Nacional de Lingüística Aplicada (AESLA), Valladolid 1993, publicadas por J.M. Ruiz Ruiz, P. Sheerin Nolan, E. González - Cascos (1995). Universidad de Valladolid, p. 761-768.

Sarazá Cruz, P. (1994): "Correspondencias e interferencias de adverbios de tiempo y locuciones temporales en francés y en español". IV Encuentros Complutenses sobre la Traducción, Madrid 1992. Actas publicadas con el mismo nombre en 1994. Public. de la Universidad Complutense de Madrid, p. 209-224.

Sarmiento Pérez, M. (1994): "La estructura y la morfosintaxis: dos elementos importantes en la traducción de textos especializados". I Jornadas Internacionales de Traducción e Interpretación: Tendencias actuales, Las Palmas de Gran Canaria 1994. Actas en prensa.

Sevilla Muñoz, J. (1990): "La traducción al español de algunas paremias francesas". II Encuentros Complutenses sobre la Traducción, Madrid 1988. Actas publicadas con el mismo nombre en 1990. Public. de la Univ. Complutense de Madrid, p. 145-150.

Sevilla Muñoz, J. (1992): "Algunas referencias sobre las traducciones paremiológicas entre el francés y el español". II Jornadas Nacionales de Historia de la Traducción, León 1990. Actas publicadas en la revista *Livius* nº 1 y 2, 1992. Public. de la Universidad de León, vol. II, p. 95-106.

Sevilla Muñoz, J. (1993): "La terminología heráldica en francés y en español". III Encuentros Complutenses sobre la Traducción, Madrid 1990. Actas publicadas con el mismo nombre en 1993. Public. de la Univ. Complutense de Madrid, p. 77-84.

Sevilla Muñoz, J; Burrel Arguis, M. (1994): "La traducción en las colecciones peremiográficas plurilingües". *Livius*, 5 (1994), p. 189-198.

Sierra Soriano, A. (1993): "La traduction des noms propres et de leurs derivés dans la lexicographie bilingue français-espagnol". *Contrastes* mai 1993, p. 131-143.

Sierra Soriano, A. (1994): "La traduction des technolectes dans la pratique dictionnaire bilingue générale (français-espagnol): relations d'équivalence". Actas del Congreso Luso-Hispano de Lenguas Aplicadas a las Ciencias y la Tecnología: *Lenguas para fines específicos: temas fundamentales*, publicadas por R. Alejo, M. McGinity, S. Gómez (1994). Dpto. de Filología Inglesa de la Universidad de Extremadura, p. 241-247.

Slavomirsky, J. (1993): "El antisemitismo en la lengua: algunos ejemplos en la lengua polaca". *Sendebar*, vol. 4, 1993, p. 129-132.

Solé, M.J. (1989): "Translating Intonation". XI Congreso de AEDEAN, León 1987. Actas publicadas por J.C. Santoyo (1989): *Translation Across Cultures*: La traducción en el mundo hispánico y anglosajón, relaciones lingüísticas, culturales y literarias. Publicaciones de la Univ. de León, p. 181-194.

Sopeña Balordi, A.E. (1994): "Un análisis de algunos procedimientos de traducción del francés al español". II Coloquio Internacional de Traductología, Valencia 1991. Actas publicadas por B. Lépinette, A. Olivares, E. Sopeña (1994) *Actas del Primer Coloquio Internacional de traductología.* Public. por la Universitat de Valencia, *Quaderns de Filologia*, p. 71-82.

Tordesillas, M. (1995): "**Pourtant** en el siglo XVI: **pour cela** o **cependant**, he ahí la cuestión". III Coloquio de la APFFUE, Barcelona 1995. Actas publicadas por F. Lafarga, A. Ribas, M. Tricas (1995): *La Traducción. Metodología, Historia, Literatura, Ambito hispanofrancés*. Barcelona, PPU, p. 353-362.

Tourover, G. (1994): "La traducción como fuente lingüística". I Jornadas Internacionales de Traducción e Interpretación: Tendencias actuales, Las Palmas de Gran Canaria 1994. Actas en prensa.

Tricás Preckler, M. (1990): "L'énoncé ná qu'un seul sujet? Eh bien! Réfléchis un peu, voyons! (La théorie de la polyphonie et certains connecteurs argumentatifs)". Actas de las XIII Jornadas Pedagógicas sobre la enseñanza del Francés en España. *Apprentissages, Adquisition: Langue, Littérature, Civilisation*, publicadas por R. Gauchola, C. Mestreit, M. Tost (1990). Barcelona, Publicacions de l'ICE de l'Universitat Autónoma, p. 54-60.

Tricás Preckler, M. (1991): "*Enfin, j'ai compris!* (Les valeurs pragmatiques du connecteur et sa traduction)". Actas de las XIV Jornadas pedagógicas sobre la enseñanza del francés en España: *Méthodologie, formation, pragmatique et analyse textuelle*, publicadas por R. Gauchola, C. Mestreit, M. Tost (1991). Barcelona, Publicacions de l'ICE de la Universidad Autónoma, p. 107-115.

Tricás Preckler, M. (1993): "'Les mots du discours': Nuevas tendencias en el Análisis del Discurso y Traducción". *Livius*, 4 (1993), p. 253-266.

Tricás Preckler, M. (1994): "Coincidencia y oposición: la traducción de dos conectores franceses". IV Encuentros Complutenses sobre la Traducción, Madrid 1992. Actas publicadas con el mismo nombre en 1994. Public. de la Universidad Complutense de Madrid, p. 243-252.

Tricás Preckler, M. (1995): "Algunos usos del conector **pourtant** en el francés actual". III Coloquio de la APFFUE, Barcelona 1995. Actas publicadas por F. Lafarga, A. Ribas, M. Tricas (1995): *La Traducción. Metodología, Historia, Literatura, Ambito hispanofrancés*. Barcelona, PPU, p. 363-372.

Tynan, John. (1989): "The Conditional Connection". XI Congreso de AEDEAN, León 1987. Actas publicadas por J.C. Santoyo (1989): *Translation Across Cultures*: La traducción en el mundo hispánico y anglosajón, relaciones lingüísticas, culturales y literarias. Publicaciones de la Univ. de León, p. 271-278.

Ulrich, M. (1989): "Fraseología y traducción: A propósito de los weterismos". XI Congreso de AEDEAN, León 1987. Actas publicadas por J.C. Santoyo (1989): *Translation Across Cultures*: La traducción en el mundo hispánico y anglosajón, relaciones lingüísticas, culturales y literarias. Publicaciones de la Univ. de León, p. 199-206.

Usach Muñoz, F. (1991): "Reflexions sobre una traducció francés-català: locucions i frases fetes". I Coloquio Internacional de Traductología, Valencia 1989. Actas publicadas por B. Lépinette, A. Olivares, E. Sopeña, E. (1991) *Actas del Primer Coloquio Internacional de traductología*. Public. por la Universitat de Valencia, *Quaderns de Filologia*, p. 209-212.

Vázquez Marruecos, J.L; Ramírez García M.R. (1985): "Aportación al estudio contrastivo del modismo inglés-español por campos semánticos". Actas del III Congreso Nacional de Lingüística Aplicada (AESLA), Valencia abril 1985: *Pasado, presente y futuro de la lingüística aplicada en España*, publicadas por F. Fernández (1986), p. 623-634.

Vázquez Molina, J.F. (1995): "Las traducciones de los conectores **pourtant** y **cependant** en el teatro contemporáneo". III Coloquio de la APFFUE, Barcelona 1995. Actas publicadas por F. Lafarga, A. Ribas, M. Tricas (1995): *La Traducción. Metodología, Historia, Literatura, Ambito hispanofrancés*. Barcelona, PPU, p. 379-386.

Vega Cernuda, M.A. (1995): "'Corrida' o 'Course de taureaux', o sea, primacía del 'real' sobre la lengua. Consideraciones pedagógicas y traductivas a propósito de la presencia lingüística y cultural de España en el **Midi** franc. VI Encuentros Complutenses sobre la Traducción, Madrid 1995. Actas en prensa.

Vega, J.L. (1994): "*Der Aufbruch / El Arranque*: un ejemplo de las traducciones expresionistas". *Sendebar*, vol. 5, 1994, p. 241-248.

Véglia, A. (1992): "Faux amis dans les Relations Internationales". Actas publicadas por Parcerisas, F. (ed.) (1995): *Actes del I Congrès Internacional sobre Traducció* (abril 1992). Publicacions de l'Universitat Autónoma de Barcelona, p. 515-522.

Vicente, E. de; López, C. (1988): "Voz pasiva". Mesa redonda en torno a la Traducción. Madrid 1987, Fundación Alfonso X el Sabio. Textos publicados el mismo año por la Fundación con el título *Problemas de la traducción*, p. 119-126.

Vila de la Cruz, M.P. (1994): "Problemática de la traducción en las expresiones idiomáticas de color (inglés-español)". IV Encuentros Complutenses sobre la Traducción, Madrid 1992. Actas publicadas con el mismo nombre en 1994. Public. de la Universidad Complutense de Madrid, p. 253-258.

Vivancos Machimbarrena, M. (1994): "Usos y abusos de los anglicismos léxicos en el vocabulario informático". I Jornadas Internacionales de Traducción e Interpretación: Tendencias actuales, Las Palmas de Gran Canaria 1994. Actas en prensa.

PROYECTOS DE INVESTIGACIÓN

Arroyo Ortega, A. (1994): "Lingüística y traducción del/al francés: un programa de investigación". IV Encuentros Complutenses sobre la Traducción, Madrid 1992. Actas publicadas con el mismo nombre en 1994. Public. de la Universidad Complutense de Madrid, p. 195-202.

Muñoz Martín, R; Sánchez, M.E. (1995): "Textos paralelos. Proyecto de investigación". V Encuentros Complutenses sobre la Traducción, Madrid

1994. Actas publicadas con el mismo nombre en 1995. Public. de la Univ. Complutense de Madrid, p. 169-174.

TÉCNICAS DE TRADUCCIÓN

Aguado de Cea, G. (1990): "Interferencias lingüísticas en los textos técnicos". II Encuentros Complutenses sobre la Traducción, Madrid 1988. Actas publicadas con el mismo nombre en 1990. Public. de la Univ. Complutense de Madrid, p. 163-170.

Alba de Diego, V. (1990): "Cacofemia y eufemia". II Encuentros Complutenses sobre la Traducción, Madrid 1988. Actas publicadas con el mismo nombre en 1990. Public. de la Univ. Complutense de Madrid, p. 95-100.

Alba de Diego, V. (1995): "El problema del préstamo y su adaptación". V Encuentros Complutenses sobre la Traducción, Madrid 1994. Actas publicadas con el mismo nombre en 1995. Public. de la Univ. Complutense de Madrid, p. 641-650.

Alcaraz Varó, E. (1993): "Pragmática y traducción". R. López Ortega, J.L. Oncins Martínez: *Essays on Translation* I, Public. de la Univ. de Extremadura, p. 17-23.

Almendral Oppermann, A.I. (1993): "La onomatopeya en Annette von Droste-Hülshoff y su posible traducción". III Encuentros Complutenses sobre la Traducción, Madrid 1990. Actas publicadas con el mismo nombre en 1993. Public. de la Univ. Complutense de Madrid, p. 233-238.

Almendral Oppermann, A.I. (1995): "Técnica de traducción: un texto de Peter Adam en los **Berliner Festspielen**". V Encuentros Complutenses sobre la Traducción, Madrid 1994. Actas publicadas con el mismo nombre en 1995. Public. de la Univ. Complutense de Madrid, p. 85-92.

Alvarez Calleja, M.A. (1990): "Denotación y connotación". II Encuentros Complutenses sobre la Traducción, Madrid 1988. Actas publicadas con el mismo nombre en 1990. Public. de la Univ. Complutense de Madrid, p. 47-52.

Alvarez Calleja, M.A. (1993): "Crítica sistemática de la traducción". *Revista Alicantina de Estudios Ingleses* 6, p. 9-17.

Alvarez Calleja, M.A. (1993): "La recreación del lenguaje metafórico de Angela Carter". III Encuentros Complutenses sobre la Traducción, Madrid 1990. Actas publicadas con el mismo nombre en 1993. Public. de la Univ. Complutense de Madrid, p. 253-260.

Alvarez Gutiérrez, A. (1989): "La traducción como técnica y estilo literarios". Actas del VII Congreso Español de Estudios Clásicos. Madrid, Universidad Complutense, 2 vols., 1987, p. 807-812.

Arrimadas Saavedra, J. (1988): "Préstamos, barbarismos y neologismos en la traducción científica y técnica". Mesa redonda en torno a la Traducción. Madrid 1987, Fundación Alfonso X el Sabio. Textos publicados el mismo año por la Fundación con el título *Problemas de la traducción*, p. 59-73.

Bagno, S. (1993): "Perfecto desde el punto de vista estilístico". *Gaceta de la Traducción*, nº 1, jun. 1993, p. 21-48.

Ballester Casada, A; Chamorro Guerrero, M.D. (1993): "La traducción como estrategia cognitiva en el aprendizaje de segundas lenguas". Actas del III Congreso Nacional de la ASELE: *El español como lengua extranjera*, publicadas por S. Montesa Peydró, A. Garrido Moraga. Universidad de Málaga,

Barcelona, A. (1989): "'Being crestfallen' y 'Estar con las orejas gachas', o por qué es metafórica y metonímica la depresión en inglés y en español". XI Congreso de AEDEAN, León 1987. Actas publicadas por J.C. Santoyo (1989): *Translation Across Cultures*: La traducción en el mundo hispánico y anglosajón, relaciones lingüísticas, culturales y literarias. Publicaciones de la Univ. de León, p. 219-224.

Bermejo, A. (1985): "Sobre la traducción de obras extranjeras". *Gaceta del Libro* 23, 1985, p. 37.

Bertrand, A. (1991): "Aspects pratiques et théoriques de la traduction spécialisée". I Coloquio Internacional de Traductología, Valencia 1989. Actas publicadas por B. Lépinette, A. Olivares, E. Sopeña, E. (1991) *Actas del Primer Coloquio Internacional de traductología*. Public. por la Universitat de Valencia, *Quaderns de Filologia*, p. 63-66.

Blanco, A.-L; Santacecilia, M.S. (1995): "Neologismos en el Lenguaje Deportivo". VI Encuentros Complutenses sobre la Traducción, Madrid 1995. Actas en prensa.

Blas, A. (1992): "L'organisation textuelle des discours scientifiques: les textes de vulgarisation". Actas publicadas por Parcerisas, F. (ed.) (1995): *Actes del I Congrès Internacional sobre Traducció* (abril 1992). Publicacions de l'Universitat Autónoma de Barcelona, p. 213-228.

Bouza Alvarez, M.A. (1992): "Comprensión-traducción de textos de especialidad". Actas publicadas por Parcerisas, F. (ed.) (1995): *Actes del I Congrès Internacional sobre Traducció* (abril 1992). Publicacions de l'Universitat Autónoma de Barcelona, p. 205-212.

Bravo de Urquía, L. (1995): "Atrición y regresión. Problemas de merma lingüística". V Encuentros Complutenses sobre la Traducción, Madrid 1994. Actas publicadas con el mismo nombre en 1995. Public. de la Univ. Complutense de Madrid, p. 99-104.

Carbonell, O. (1995): "Traducir el Otro: Perspectivas sobre la traducción del textoposcolonial". VI Encuentros Complutenses sobre la Traducción, Madrid 1995. Actas en prensa.

Codoñer, C. (1985): "El renacer de los géneros en las traducciones". *VI Academia Literaria Renacentista*, Salamanca, marzo 1985.

Coronado González, M.L; García González, J. (1991): "La traducción de los antropónimos". *Rev. Española de Lingüística Aplicada* 7, p. 49-72.

Corpas, G. (1992): "Las Colocaciones como problema en la traducción actual: Inglés-Español". *Revista de Filología Moderna* 2-3, Ciudad Real, p. 179-186.

Chan, L.A. (1994): "Translation Ideas vs. translation words: a breakdown of the situation in the medieval France". *Sendebar*, vol. 5, 1994, p. 17-26.

Dancette, J. (1994): "Under investigation: who, what and how?". I Jornadas Internacionales de Traducción e Interpretación: Tendencias actuales, Las Palmas de Gran Canaria 1994. Actas en prensa.

Downing, A. (1989): "Translating Grammatical Metaphor". XI Congreso de AEDEAN, León 1987. Actas publicadas por J.C. Santoyo (1989): *Translation Across Cultures*: La traducción en el mundo hispánico y anglosajón, relaciones lingüísticas, culturales y literarias. Publicaciones de la Univ. de León, p. 87-96.

Drabble, M. (1989): "Realism and Magic". XI Congreso de AEDEAN, León 1987. Actas publicadas por J.C. Santoyo (1989): *Translation Across Cultures*: La traducción en el mundo hispánico y anglosajón, relaciones lingüísticas, culturales y literarias. Publicaciones de la Univ. de León, p. 237-244.

Eguiluz, F. (1991): "El binomio objetividad - subjetividad en traducción". *Studia Patriciae Shaw Oblata*. Publ. por S. González Fernández-Corugedo & al. (eds.). Universidad de Oviedo, vol. I, p. 160-170.

Elena García, P. (1994): "La crítica de la traducción y su aplicación pedagógica". I Jornadas Internacionales de Traducción e Interpretación: Tendencias actuales, Las Palmas de Gran Canaria 1994. Actas en prensa.

Fernández Sánchez, M.M. (1992): "Traducir la ironía: aspectos semánticos, pragmáticos y retóricos". Actas publicadas por Parcerisas, F. (ed.) (1995): *Actes del I Congrès Internacional sobre Traducció* (abril 1992). Publicacions de l'Universitat Autónoma de Barcelona, p. 751-760.

Formosa, F. (1995): "El teatro clásico alemán y la traducción pragmática". *El difícil lugar del traductor*. Quimera, Barcelona, Ed. Montesinos, p. 70-71.

García Bascuñana, J.F. (1995): "Traducción y neologismos en francés medio". III Coloquio de la APFFUE, Barcelona 1995. Actas publicadas por F.

Lafarga, A. Ribas, M. Tricas (1995): *La Traducción. Metodología, Historia, Literatura, Ambito hispanofrancés*. Barcelona, PPU, p. 99-106.

García Yebra, V. (1988): "El Neologismo". *Gaceta de la Traducción*, nº 0, 1988, p. 25-93.

García Yebra, V. (1988): "Préstamo y calco en español y alemán. Su interés lingüístico y su tratamiento en la traducción". Mesa redonda en torno a la Traducción. Madrid 1987, Fundación Alfonso X el Sabio. Textos publicados el mismo año por la Fundación con el título *Problemas de la traducción*, p. 75-89.

Gómez de Enterría, J. (1994): "Creación neológica en el vocabulario económico". IV Encuentros Complutenses sobre la Traducción, Madrid 1992. Actas publicadas con el mismo nombre en 1994. Public. de la Universidad Complutense de Madrid, p. 295-302.

González Fernández, F. (1991): "Ecología de una idea en la obra de Flaubert y de Unamuno". Coloquio Traducción y Adaptación Cultural España-Francia, Oviedo 1990. Actas publicadas en 1991 por M.L. Donaire, F. Lafarga: *Traducción y Adaptación cultural España-Francia*. Public. de la Universidad de Oviedo, p. 31-44.

González Fisac, J. (1994): "La violencia de la traducción: apuntes para la lectura de *Die Aufgabe des Übersetzers* de Walter Benjamin". IV Encuentros Complutenses sobre la Traducción, Madrid 1992. Actas publicadas con el mismo nombre en 1994. Public. de la Universidad Complutense de Madrid, p. 75-84.

Greer MacDonald, J. (1990): "La traducción del **do** enfático-conversacional". II Encuentros Complutenses sobre la Traducción, Madrid 1988. Actas publicadas con el mismo nombre en 1990. Public. de la Univ. Complutense de Madrid, p. 131-136.

Guillén Selfa, A. (1995): "Catch 22. Análisis comparativo y valoración crítica de versiones contrastadas". I Encuentros Alcalainos de Traducción. Cultura sin fronteras. *Encuentros en torno a la traducción*. Actas publicadas por C. Valero Garcés (1995). Publicaciones de la Universidad de Alcalá de Henares, p. 125-134.

Hernández Esteban, M. (1987): "Traducción y censura en la versión castellana antigua del *Decamerón*". I Jornadas Nacionales de Historia de la Traducción, León 1987. Actas publicadas por J.C. Santoyo, R. Rabadán, T. Guzmán, J.L. Chamosa (1987) *Fidus interpres*, vol. 1 y (1989) *Fidus Interpres*, vol. 2. Public. de la Universidad de León, vol. I, p. 164-171.

Hernández Guerrero, M.J. (1993): "El alejamiento cronológico entre el original y su traducción: Perspectiva histórica". *Livius*, 3 (1993), p. 137-144.

Hernández, I; Tamames, G. (1995): "La traducción del diminutivo en la narrativa de Gottfreid Keller: Una manera peculiar de entender la realidad". VI Encuentros Complutenses sobre la Traducción, Madrid 1995. Actas en prensa.

Hochel, B. (1994): "Reviewing translation, or the criticism of translation". I Jornadas Internacionales de Traducción e Interpretación: Tendencias actuales, Las Palmas de Gran Canaria 1994. Actas en prensa.

Hoepffner, B. (1993): "El original es infiel a la traducción". *Letra Internacional* 30/31, 1993, p. 63-66.

Jiménez Hurtado, C. (1990): "El texto ideológico: modelo de análisis para la enseñanza dela traducción en clase". Actas del VIII Congreso Nacional de Lingüística Aplicada (AESLA), Vigo Mayo 1990, publicadas por J.R. Losada Durán, M. Mansilla García (1990). Facultad de Letras (F. Inglesa) Universidad de Vigo, p. 395-402.

Kess, A. (1993): "Traducir a Galdós: Ironía como elemento estilístico y conceptual de Tristana y la traducción rusa de 1987". *Cuarto Congreso Internacional de Estudios Galdosianos: Actas*. Las Palmas de G.C., Cabildo Insular, vol. II, p. 93-99.

Kralova-Kullova, J. (1995): "Traducción a las lenguas de menor difusión: incidencia en la situación lingüística". V Encuentros Complutenses sobre la Traducción, Madrid 1994. Actas publicadas con el mismo nombre en 1995. Public. de la Univ. Complutense de Madrid, p. 123-128.

Kundera, M. (1993): "Traducción y pasión por la palabra". *Gaceta de la Traducción*, nº 1, jun. 1993, p. 77-108.

Ladrón de Cegama Fernández, E. (1988): "Traducción libre / traducción literal: ¿Un falso dilema?". Jornadas de Traducción, Ciudad Real 1986. Actas publicadas en 1986 con el título de *Actas de las Jornadas de Traducción*. Public. de la Fac. de Letras de la Universidad de Castilla-La Mancha, p. 61-74.

López Alonso, C. (1994): "Una operación interlingüística en el proceso de la traducción: la reformulación". II Coloquio Internacional de Traductología, Valencia 1991. Actas publicadas por B. Lépinette, A. Olivares, E. Sopeña (1994) *Actas del Primer Coloquio Internacional de traductología*. Public. por la Universitat de Valencia, *Quaderns de Filologia*, p. 17-28.

López Fanego, O. (1991): "Una tentación de los traductores: el refuerzo y la atenuación expresivos". Coloquio Traducción y Adaptación Cultural España-Francia, Oviedo 1990. Actas publicadas en 1991 por M.L. Donaire, F. Lafarga: *Traducción y Adaptación cultural España-Francia*. Public. de la Universidad de Oviedo, p. 469-480.

López Folgado, V. (1995): "Beyond the nuts and bolts of Translation". V Encuentros Complutenses sobre la Traducción, Madrid 1994. Actas publicadas con el mismo nombre en 1995. Public. de la Univ. Complutense de Madrid, p. 135-140.

López Folgado, V. (1995): "The linguistic sign held hostage". VI Encuentros Complutenses sobre la Traducción, Madrid 1995. Actas en prensa.

López García, A. (1991): "Sinonimia intralingüística y sinonimia interlingüística". I Coloquio Internacional de Traductología, Valencia 1989. Actas publicadas por B. Lépinette, A. Olivares, E. Sopeña, E. (1991) *Actas del Primer Coloquio Internacional de traductología*. Public. por la Universitat de Valencia, *Quaderns de Filologia*, p. 41-46.

Lorente, M. (1994): "La **traduction sourcière** ou **traduction cibliste**: une étude de cas". II Coloquio Internacional de Traductología, Valencia 1991. Actas publicadas por B. Lépinette, A. Olivares, E. Sopeña (1994) *Actas del Primer Coloquio Internacional de traductología*. Public. por la Universitat de Valencia, *Quaderns de Filologia*, p. 129-132.

Lovenberg, F. (1994): "Speech act theory and case grammar applied to text retrievaland translation". I Jornadas Internacionales de Traducción e Interpretación: Tendencias actuales, Las Palmas de Gran Canaria 1994. Actas en prensa.

Lozano González, W.C. (1994): "Consideraciones sobre la empatía y su figuración en la teoría de la traducción literaria". *Sendebar*, vol. 5, 1994, p. 255-265.

Lvóvskaya, Z. (1992): "Concepto de texto paralelo en la traducción especializada". Actas publicadas por Parcerisas, F. (ed.) (1995): *Actes del I Congrès Internacional sobre Traducció* (abril 1992). Publicacions de l'Universitat Autónoma de Barcelona, p. 163-168.

Magrelli, V. (1993): "Traducción y escritura". *Letra Internacional* 30/31, 1993, p. 51-53.

Marcos Marín, F. (1990): "Nuevas técnicas para la traducción". Actas de las Jornadas de Hispanismo Arabe (Madrid mayo 1988), publicadas por F. de Agreda (1990). Madrid, Agencia Española de Cooperación Internacional, p. 49-58.

Mariño, F.M. (1989): "Sobre las notas a pie de página en las traducciones del **Werther** español". *Universitas Tarraconensis* 12, 1988-89, p. 65-75.

Mateo Martínez-Bartolomé, M. (1990): "La traducción del Black English y el argot negro norteamericano". *Revista Alicantina de Estudios Ingleses* 7, p. 97-106.

Mateo Martínez-Bartolomé, M. (1993): "Variaciones traductoras sobre el humor de *The School for Scandal*". *Miscelánea* 14, 1993, p. 86-101.

Mayoral Asensio, R. (1985): "La traducción de sistemas de escritura: latinización y transliteración". *Babel: rev. de los estudiantes de la EUTI* 3, p. 75-104.

Mayoral Asensio, R. (1987): "El texto como unidad en la traducción del tabú lingüístico". Actas del IV Congreso Nacional de Lingüística Aplicada (AESLA), Córdoba abril 1986: *Lenguaje y Educación*, 2 vols., publicadas por A. León Sandra (1989). Universidad de Córdoba,

Mayoral Asensio, R. (1994): "La explicitación de la información en la traducción intercultural". I Jornades sobre la Traducció, Castelló 1993. Actas publicadas por A. Hurtado Albir (1994) *Estudis sobre la Traducció*. Public. de la Universitat Jaume I de Castelló, p. 73-96.

Merino, J; Sheerin, P. (1989): *El manual de traducción inversa español-inglés*. Madrid, Ed. Anglo-Didáctica.

Miguel Crespo, O. (1995): "Una aproximación a la metáfora". *Dossier: El difícil arte de traducir. Quimera*, 140-141, p. 56-58.

Monacelli, C. (1994): "Is it possible to teach an old dog new tricks?". I Jornadas Internacionales de Traducción e Interpretación: Tendencias actuales, Las Palmas de Gran Canaria 1994. Actas en prensa.

Mora Millán, M.L. (1991): "La traducción de elementos fáticos: Un hecho de discurso". I Coloquio Internacional de Traductología, Valencia 1989. Actas publicadas por B. Lépinette, A. Olivares, E. Sopeña, E. (1991) *Actas del Primer Coloquio Internacional de traductología*. Public. por la Universitat de Valencia, *Quaderns de Filologia*, p. 155-156.

Mora Millán, M.L. (1994): "La traducción del **¿adverbe? de phrase**". IV Encuentros Complutenses sobre la Traducción, Madrid 1992. Actas publicadas con el mismo nombre en 1994. Public. de la Universidad Complutense de Madrid, p. 225-232.

Morant Marco, R. (1994): "Sobre la traducción de siglas". II Coloquio Internacional de Traductología, Valencia 1991. Actas publicadas por B. Lépinette, A. Olivares, E. Sopeña (1994) *Actas del Primer Coloquio Internacional de traductología*. Public. por la Universitat de Valencia, *Quaderns de Filologia*, p. 133-140.

Morrás Ruiz-Falcó, M. (1994): "El traductor como censor de la Edad Media al Renacimiento". I Encuentro Interdisciplinar de Teoría y Práctica de la Traducción, Cádiz 1993. *Reflexiones sobre la Traducción*. Actas publicadas por L. Charlo Brea (1994). Public. de la Universidad de Cádiz, p. 415-426.

Muir, K. (1995): "Translation vs. Adaptation in Spain and England". *Revista Alicantina de Estudios Ingleses* 8, p. 155-160.

Oliver, M. (1995): "Retórica y traducción". III Coloquio de la APFFUE, Barcelona 1995. Actas publicadas por F. Lafarga, A. Ribas, M. Tricas

(1995): *La Traducción. Metodología, Historia, Literatura, Ambito hispanofrancés*. Barcelona, PPU, p. 23-26.

Otal Campo, J.L; Buesa Gómez, C; Rodríguez-Maimón, M.J. (1989): "Aspectos discursivos de la traducción". Actas del VII Congreso Nacional de Lingüística Aplicada (AESLA), Sevilla abril 1989, publicadas por F. Garrudo Carabias, J. Rincón (1990). Dpto. de Filología Inglesa de la Universidad de Sevilla, p. 615-624.

Peña Gonzalo, L. (1989): "A vueltas con la indeterminación de la traducción y los enunciados existenciales". Actas del IV Congreso de Lenguajes Naturales y Lenguajes Formales, publicadas por C. Martín Vide (1989). Universidad de Barcelona, p. 67-96.

Pérez Gil, V. (1995): "La primera traducción al español de Robert Walwer: *Jakob von Gunten* (Guiños, complicidades y azar en el mundo de la traducción y de la recepción literaria)". VI Encuentros Complutenses sobre la Traducción, Madrid 1995. Actas en prensa.

Pérez Ruiz, L. (1995): "¿Restricción versus Perturbación? El coeficiente de ironía afirmadora?". III Coloquio de la APFFUE, Barcelona 1995. Actas publicadas por F. Lafarga, A. Ribas, M. Tricas (1995): *La Traducción. Metodología, Historia, Literatura, Ambito hispanofrancés*. Barcelona, PPU, p. 43-48.

Pérez Ruiz, L. (1995): "La traducción y sus metáforas". Actas del II Coloquio Internacional de Lingüística Francesa: *La Lingüística Francesa: gramática, historia y epistemología* (Sevilla 1995). Dpto. de Filología Francesa de la Universidad de Sevilla (en prensa).

Pliego Sánchez, I. (1993): "La traducción de la metáfora". *Essays on Translation. Ensayos sobre Traducción* I, Cáceres 1993, p. 97-104.

Praga Terente, I. (1989): "Humor y traducción: Su problemática". I Jornadas Nacionales de Historia de la Traducción, León 1987. Actas publicadas por J.C. Santoyo, R. Rabadán, T. Guzmán, J.L. Chamosa (1987) *Fidus interpres*, vol. 1 y (1989) *Fidus Interpres*, vol. 2. Public. de la Universidad de León, vol. II, p. 246-257.

Prieto González, M.L. (1994): "La traducción de la metáfora del árabe al español". I Encuentro Interdisciplinar de Teoría y Práctica de la Traducción, Cádiz 1993. *Reflexiones sobre la Traducción*. Actas publicadas por L. Charlo Brea (1994). Public. de la Universidad de Cádiz, p. 591-602.

Quevedo Aparicio, M.T. (1995): "Traducción y expansión de la terminología mafiosa". V Encuentros Complutenses sobre la Traducción, Madrid 1994. Actas publicadas con el mismo nombre en 1995. Public. de la Univ. Complutense de Madrid, p. 595-602.

Rabadán Alvarez, R. (1987): "Morfología del calco inglés-español". Actas del IV Congreso Nacional de Lingüística Aplicada (AESLA), Córdoba abril 1986: *Lenguaje y Educación*, 2 vols., publicadas por A. León Sandra (1989). Universidad de Córdoba,

Ramos Gómez, M.T. (1991): "La transtylisation: Analyse des Exercices de style de Queneau, traduits par Antonio Fernández Ferrer". I Coloquio Internacional de Traductología, Valencia 1989. Actas publicadas por B. Lépinette, A. Olivares, E. Sopeña, E. (1991) *Actas del Primer Coloquio Internacional de traductología*. Public. por la Universitat de Valencia, *Quaderns de Filologia*, p. 173-176.

Recio, R. (1994): "El concepto de la belleza de Alfonso de Madrigal (El Tostado): La problemática de la traducción literal y libre". *Livius*, 6 (1994), p. 59-68.

Regales Serna, A. (1987): "La traducción de textos medievales: cuestiones generales ejemplificadas en el caso específico de la traducción de textos alemanes". I Jornadas Nacionales de Historia de la Traducción, León 1987. Actas publicadas por J.C. Santoyo, R. Rabadán, T. Guzmán, J.L. Chamosa (1987) *Fidus interpres*, vol. 1 y (1989) *Fidus Interpres*, vol. 2. Public. de la Universidad de León, vol. I, p. 233-242.

Rey, J. (1995): "Analyse des occurrences de *En Effet* dans des textes scientifiques et leur traduction en espagnol". Actas del II Coloquio Internacional de Lingüística Francesa: *La Lingüística Francesa: gramática, historia y epistemología* (Sevilla 1995). Dpto. de Filología Francesa de la Universidad de Sevilla (en prensa).

Rodríguez Espinosa, M. (1995): "El prólogo como elemento contextualizador de la traducción: Charles Dickens en España". VI Encuentros Complutenses sobre la Traducción, Madrid 1995. Actas en prensa.

Rodríguez Rochette, V. (1991): "La traducción de los neologismos en *L'arrache-coeur* de Boris Vian". I Coloquio Internacional de Traductología, Valencia 1989. Actas publicadas por B. Lépinette, A. Olivares, E. Sopeña, E. (1991) *Actas del Primer Coloquio Internacional de traductología*. Public. por la Universitat de Valencia, *Quaderns de Filologia*, p. 181-182.

Roffé Gómez, A. (1992): "Essai de clarification désignative et conceptuelle sur les langages spéciaux". Actas publicadas por Parcerisas, F. (ed.) (1995): *Actes del I Congrès Internacional sobre Traducció* (abril 1992). Publicacions de l'Universitat Autónoma de Barcelona, p. 157-162.

Roger Arilla, M. (1991): "La traduction oblique: Analyse des Exercices de style de Queneau, traduits par Antonio Fernández Ferrer". I Coloquio Internacional de Traductología, Valencia 1989. Actas publicadas por B.

Lépinette, A. Olivares, E. Sopeña, E. (1991) *Actas del Primer Coloquio Internacional de traductología*. Public. por la Universitat de Valencia, *Quaderns de Filologia*, p. 183-184.

Romanov, Y. (1992): "Aspectos estilísticos de la traducción". *Sendebar*, vol. 3, 1992, p. 49-52.

Roser Nebot, N. (1995): "La inversión inferencial en la reconstrucción de entornos. Propuesta de ejercicios didácticos para la enseñanza/aprendizaje de la traducción inversa español-árabe". VI Encuentros Complutenses sobre la Traducción, Madrid 1995. Actas en prensa.

Ruiz Moneva, M.A. (1995): "The translation of humour in Rastell's version of *La Celestina*: An inferential study". VI Encuentros Complutenses sobre la Traducción, Madrid 1995. Actas en prensa.

Samaniego Fernández, E. (1995): "La Metáfora y los Estudios de Traducción". *III Curso Superior de Traducción: Perspectivas de la traducción inglés / español*. Textos publicados por P. Fernández Nistral, J.Mª. Bravo Gozalo (eds.) 1995. ICE de la Universidad de Valladolid, p. 91-118.

Santoyo, J.C. (1988): "Los calcos como forma de traducción". Mesa redonda en torno a la Traducción. Madrid 1987, Fundación Alfonso X el Sabio. Textos publicados el mismo año por la Fundación con el título *Problemas de la traducción*, p. 91-97.

Santoyo, J.C. (1988): "Traducciones, calcos lingüísticos y español actual". Jornadas de Traducción, Ciudad Real 1986. Actas publicadas en 1986 con el título de *Actas de las Jornadas de Traducción*. Public. de la Fac. de Letras de la Universidad de Castilla-La Mancha, p. 31-44.

Scheu, D; Aguado Giménez, P. (1995): "A.W. Schlegel: Los principios de fidelidad y agilidad estilística en la traducción de W. Shakespeare". *Cuadernos de Filología Inglesa* 4, 1995, p. 75-92.

Siemers, M. (1991): "Los papeles de la comunicación y la lengua en el proceso de la traducción". I Coloquio Internacional de Traductología, Valencia 1989. Actas publicadas por B. Lépinette, A. Olivares, E. Sopeña, E. (1991) *Actas del Primer Coloquio Internacional de traductología*. Public. por la Universitat de Valencia, *Quaderns de Filologia*, p. 189-190.

Taillefer de Haya, L. (1995): "La traducción del relato feminista: problemas y soluciones". V Encuentros Complutenses sobre la Traducción, Madrid 1994. Actas publicadas con el mismo nombre en 1995. Public. de la Univ. Complutense de Madrid, p. 755-759.

Thiériot, J. (1995): "La traducción en todos sus estados". *Hieronymus Complutensis* nº 2, 1995, p. 45-52.

Toda Iglesia, F. (1992): "Diacronía, variedad lingüística y traducción". I Curso Superior de Traducción Inglés-Español, Valladolid 1992. Textos publicados por P. Fernández Nistral (ed.) (1992): *Estudios de Traducción*. Public. del ICE de la Universidad de Valladolid, p. 33-44.

Trias Folch, L. (1986): "Notas para la traducción de la *Historia do Futuro* del P. Antonio Vieira". *Actas del VI Simposio de la Sociedad Española de Literatura General y Comparada* (13-15 marzo 1986). Actas publicadas por J. Paredes Nuñez, A. Soria Olmedo (1989), Granada, Publicaciones de la Universidad, p. 435-444.

Usandizaga, A. (1989): "La autobiografía: Ficción-traducción de la identidad". XI Congreso de AEDEAN, León 1987. Actas publicadas por J.C. Santoyo (1989): *Translation Across Cultures*: La traducción en el mundo hispánico y anglosajón, relaciones lingüísticas, culturales y literarias. Publicaciones de la Univ. de León, p. 279-284.

Valenzuela, F. (1993): "Nota del traductor". *Letra Internacional* 30/31, 1993, p. 45-47.

Vázquez Jiménez, L. (1994): "Estrategias paratextuales de la traducción: En torno a las versiones españolas de las ficciones francesas del siglo XVIII". I Encuentro Interdisciplinar de Teoría y Práctica de la Traducción, Cádiz 1993. *Reflexiones sobre la Traducción*. Actas publicadas por L. Charlo Brea (1994). Public. de la Universidad de Cádiz, p. 707-720.

Winkow Hauser, J.L. (1995): "La traducción de textos dialectales: Nestroy y su (im)posible traducción al español". V Encuentros Complutenses sobre la Traducción, Madrid 1994. Actas publicadas con el mismo nombre en 1995. Public. de la Univ. Complutense de Madrid, p. 465-471.

Wotjak, G. (1986): "Acerca de la adecuación de la traducción al receptor". *Revista de Filología Románica* 6, 1986, p. 369-376.

Zurdo Ruiz-Ayucar, M.I.T. (1988): "Algunas consideraciones sobre el préstamo". Mesa redonda en torno a la Traducción. Madrid 1987, Fundación Alfonso X el Sabio. Textos publicados el mismo año por la Fundación con el título *Problemas de la traducción*, p. 99-106.

TEORÍA DE LA TRADUCCIÓN

Alcaraz Varó, E. (1993): "Pragmática y traducción". R. López Ortega, J.L. Oncins Martínez: *Essays on Translation* I, Public. de la Univ. de Extremadura, p. 17-23.

Alvarez Calleja, M.A. (1990): "La traducción entre las disciplinas lingüísticas". Actas del Congreso de la Sociedad Española de Lingüística: XX Aniversario, publicadas por M.A. Alvarez Martínez. Madrid, Gredos, p. 843-852.

Allah al-Imrani, A. (1990): "La traducción al servicio del desarrollo intelectual (A)". Actas de las Jornadas de Hispanismo Arabe (Madrid mayo 1988), publicadas por F. de Agreda (1990). Madrid, Agencia Española de Cooperación Internacional, p. 435-444.

Andrés Martín, M. (1989): "En torno a la teoría del traductor en España a principios del siglo XVI". *Carthaginensia* V, 7-8, p. 101-103.

Aragón Fernández, M.A. (1991): "Una teoría de la traducción en el siglo XVII: Covarrubias". Coloquio Traducción y Adaptación Cultural España-Francia, Oviedo 1990. Actas publicadas en 1991 por M.L. Donaire, F. Lafarga: *Traducción y Adaptación cultural España-Francia*. Public. de la Universidad de Oviedo, p. 531-540.

Arcaini, E. (1995): "Réflexion hermeneutique, linguistique et traduction". VI Encuentros Complutenses sobre la Traducción, Madrid 1995. Actas en prensa.

Ardemagni, E.J. (1994): "The role of translation in medieval spanish and catalan literature". *Livius*, 6 (1994), p. 71-78.

Ardila Cordero, A. (1995): "Análisis semiótico-semántico del discurso en la traducción: estudio de un texto jurídico". III Coloquio de la APFFUE, Barcelona 1995. Actas publicadas por F. Lafarga, A. Ribas, M. Tricas (1995): *La Traducción. Metodología, Historia, Literatura, Ambito hispanofrancés*. Barcelona, PPU, p. 423-432.

Arredondo, M.S. (1991): "Problemas de la traducción en los siglos XVI y XVII: soluciones y teorías de Charles Sorel". Coloquio Traducción y Adaptación Cultural España-Francia, Oviedo 1990. Actas publicadas en 1991 por M.L. Donaire, F. Lafarga: *Traducción y Adaptación cultural España-Francia*. Public. de la Universidad de Oviedo, p. 541-550.

Arrencibia Rodríguez, L. (1994): "Comunicación, interacción textual y traducción". *Sendebar*, vol. 5, 1994, p. 27-38.

Ballester, J; Miralles, V. (1991): "Traducció: Crear o recrear?". I Coloquio Internacional de Traductología, Valencia 1989. Actas publicadas por B. Lépinette, A. Olivares, E. Sopeña, E. (1991) *Actas del Primer Coloquio Internacional de traductología*. Public. por la Universitat de Valencia, *Quaderns de Filologia*, p. 59-60.

Barreiro Sánchez, M.A. (1994): "Los actos de habla en el proceso de traducción". *Sendebar*, vol. 5, 1994, p. 39-54.

Beltrán Gandullo, M. (1995): "Zur Beschreibung von gestischen Übersetzungsvorgängen: Deutsch-Spanisch". V Encuentros Complutenses sobre la Traducción, Madrid 1994. Actas publicadas con el mismo nombre en 1995. Public. de la Univ. Complutense de Madrid, p. 513-520.

Benz Busch, H. (1994): "Algunas consideraciones sobre la importancia de los conocimientos culturales en la traducción". I Encuentro Interdisciplinar de Teoría y Práctica de la Traducción, Cádiz 1993. *Reflexiones sobre la Traducción*. Actas publicadas por L. Charlo Brea (1994). Public. de la Universidad de Cádiz, p. 181-190.

Blanco Lázaro, E.T. (1984-85): "La problemática de la traducción". *Yelmo* 62-63, p. 17-18.

Bouzalmate, H. (1995): "Traducción y empatía". V Encuentros Complutenses sobre la Traducción, Madrid 1994. Actas publicadas con el mismo nombre en 1995. Public. de la Univ. Complutense de Madrid, p. 93-98.

Bowen, D. (1988): "Quality in translation". Jornadas europeas de traducción e interpretación, Granada 1987. *Actas de las Jornadas Europeas de Traducción e Interpretación* (1988). Public. de la Universidad de Granada, p. 43-50.

Broeck, R. (1994): "The Burden and the Splendour of the Ruin at Babel Or: How Translation May Modify the (in) ettable". I Congreso Internacional de traducción e Interpretación de Soria, 1993. Actas publicadas por A. Bueno, M. Ramiro, J.M. Zarandona (1994): *La traducción de lo inefable*. Publicaciones del Colegio Universitario de Soria, p. 19-34.

Bueno García, A. (1995): "La imagen del 'yo' en la traducción (o la escritura de dos 'yo' superpuestos)". VI Encuentros Complutenses sobre la Traducción, Madrid 1995. Actas en prensa.

Burrel Arguis, M. (1994): "De Gumiliόv a Etkind: principios de traducción poética". IV Encuentros Complutenses sobre la Traducción, Madrid 1992. Actas publicadas con el mismo nombre en 1994. Public. de la Universidad Complutense de Madrid, p. 49-60.

Calero Calero, F. (1990): "La teoría de la traducción del Maestro Baltasar Céspedes". *Epos* 6, 1990, p. 455-462.

Calero Calero, F. (1991): "Teoría y Práctica de la traducción en Fray Luis de León". *Epos* 7, 1991, p. 541-558.

Calvo García, J.J. (1983): *El problema de la traducción diacrónica: 'The Tempest', de W. Shakespeare: Informe y propuesta de traslación*. Facultad de Filología de la Universitat de València, tesis inédita.

Calvo Pérez, J. (1994): "Signo lingüístico y traducción". II Coloquio Internacional de Traductología, Valencia 1991. Actas publicadas por B. Lépinette, A. Olivares, E. Sopeña (1994) *Actas del Primer Coloquio Internacional de traductología*. Public. por la Universitat de Valencia, *Quaderns de Filologia*, p. 97-106.

Campos Plaza, N. (1992): "La traduction: question de sens". *Rev. del Dpto. de Filologia Moderna* 4, Ciudad Real, p. 179-186.

Campos Plaza, N. (1994): "La ambigüedad en la traducción: ¿problema o estilo?". Actas del II Coloquio de Filología Francesa en la Universidad Española, Almagro 1993, publicadas por J. Bravo (1994). Universidad de Castilla-La Mancha, p. 189-194.

Campos, H.. (1983): "Transluciferación". *Cuadernos de Traducción e Interpretación*, 3, 1983, p. 99-104.

Canellas de Castro Duarte, D. (1993): "Abordaje de la traducción a partir del paralelismo y la discrepancia de la proximidad lingüística". III Encuentros Complutenses sobre la Traducción, Madrid 1990. Actas publicadas con el mismo nombre en 1993. Public. de la Univ. Complutense de Madrid, p. 33-40.

Canellas de Castro Duarte, D. (1995): "Las 'normativas nacionales' del portugués: problemática de una teoría de la traducción". VI Encuentros Complutenses sobre la Traducción, Madrid 1995. Actas en prensa.

Cantera Ortiz de Urbina, J. (1990): "Problemática de la traducción a través de diferentes versiones españolas del Antiguo Testamento". II Encuentros Complutenses sobre la Traducción, Madrid 1988. Actas publicadas con el mismo nombre en 1990. Public. de la Univ. Complutense de Madrid, p. 171-186.

Cantera Ortiz de Urbina, J. (1994): "Traducción y especialidad". IV Encuentros Complutenses sobre la Traducción, Madrid 1992. Actas publicadas con el mismo nombre en 1994. Public. de la Universidad Complutense de Madrid, p. 85-104.

Cañigral, L. de. (1987): "Pedro Simón Abril, teórico de la traducción". I Jornadas Nacionales de Historia de la Traducción, León 1987. Actas publicadas por J.C. Santoyo, R. Rabadán, T. Guzmán, J.L. Chamosa (1987) *Fidus interpres*, vol. 1 y (1989) *Fidus Interpres*, vol. 2. Public. de la Universidad de León, vol. I, p. 215-221.

Cañigral, L. de. (1988): "Fidus interpres: Pedro Simon Abril y la traducción". Jornadas de Traducción, Ciudad Real 1986. Actas publicadas en 1986 con el título de *Actas de las Jornadas de Traducción*. Public. de la Fac. de Letras de la Universidad de Castilla-La Mancha, p. 137-152.

Cifuentes Honrubia, J.L. (1994): "Teoría semántica y traducción". *Estudios de Lingüística* 10, 1994-95, p. 437-442.

Cifuentes Honrubia, J.L; Sánchez Pérez, M. (1991): "Propuestas metateóricas para la traducción de los elementos relacionantes". I Coloquio Internacional de Traductología, Valencia 1989. Actas publicadas por B. Lépinette, A. Olivares, E. Sopeña, E. (1991) *Actas del Primer Coloquio Internacional de traductología*. Public. por la Universitat de Valencia, *Quaderns de Filologia*, p. 79-82.

Congost Maestre, N. (1993): *Una visión pragmática de la traducción al español del lenguaje médico: Teoría y práctica*. Universidad de Alicante, tesis de licenciatura.

Copceag, D. (1982): "Las designaciones imaginarias en el proceso de la traducción". *Cuadernos de Traducción e Interpretación*, 1, 1982, p. 21-28.

Coseriu, E. (1994): "Alcance y límites de la traducción". *Traducción y Contraste Lingüístico-Cultural*. Valencia 1994, UIMP.

Coseriu, E. (1995): "Los límites reales de la Traducción". En J. Fernández-Barrientos, c. Wallhead (eds.) *Temas de lingüística aplicada*. Universidad de Granada, p. 155-169.

Costa Palacios, L. (1991): "Lingüística y traducción". *Alfinge* 7, 1991, p. 127-142.

Checa Beltrán, J. (1991): "Opiniones dieciochistas sobre la traducción como elemento enriquecedor o deformador de la propia lengua". Coloquio Traducción y Adaptación Cultural España-Francia, Oviedo 1990. Actas publicadas en 1991 por M.L. Donaire, F. Lafarga: *Traducción y Adaptación cultural España-Francia*. Public. de la Universidad de Oviedo, p. 593-602.

Chevalier, C. (1992): "Traduction et orthonymie". Actas publicadas por Parcerisas, F. (ed.) (1995): *Actes del I Congrès Internacional sobre Traducció* (abril 1992). Publicacions de l'Universitat Autónoma de Barcelona, p. 11-38.

Delport, M.F. (1992): "Traduction et temporalité: *l'éternel imparfait* de Gustave Flaubert". Actas publicadas por Parcerisas, F. (ed.) (1995): *Actes del I Congrès Internacional sobre Traducció* (abril 1992). Publicacions de l'Universitat Autónoma de Barcelona, p. 697-712.

Despres, C. (1991): "La traduction calque: Analyse des Exercices de style de Queneau, traduits par Fernández Ferrer". I Coloquio Internacional de Traductología, Valencia 1989. Actas publicadas por B. Lépinette, A. Olivares, E. Sopeña, E. (1991) *Actas del Primer Coloquio Internacional de traductología*. Public. por la Universitat de Valencia, *Quaderns de Filologia*, p. 89-92.

Díaz Vera, J. (1995): "Teoría y práctica de la traducción en la Inglaterra Normanda". VI Encuentros Complutenses sobre la Traducción, Madrid 1995. Actas en prensa.

Donaire Fernández, M.L. (1991): "Opacidad lingüística, idiosincrasia cultural". Coloquio Traducción y Adaptación Cultural España-Francia, Oviedo 1990. Actas publicadas en 1991 por M.L. Donaire, F. Lafarga: *Traducción y Adaptación cultural España-Francia*. Public. de la Universidad de Oviedo, p. 79-92.

Duque García, M.M; González, M.T; Catrain, M. (1993): "Transposición y modulación en la traducción técnica". III Encuentros Complutenses sobre la Traducción, Madrid 1990. Actas publicadas con el mismo nombre en 1993. Public. de la Univ. Complutense de Madrid, p. 137-150.

Echeverría Pereda, E; Ortega Arjonilla, E. (1995): "Los límites extralingüísticos de los Estudios de Traducción". VI Encuentros Complutenses sobre la Traducción, Madrid 1995. Actas en prensa.

El-Madkouri, M. (1994): "La ironía y la traducción". I Encuentro Interdisciplinar de Teoría y Práctica de la Traducción, Cádiz 1993. *Reflexiones sobre la Traducción*. Actas publicadas por L. Charlo Brea (1994). Public. de la Universidad de Cádiz, p. 391-404.

Elena García, P. (1989): *La traducción de textos alemanes: Cuestiones de teoría y práctica*. Universidad de Salamanca.

Elena García, P. (1990): *Aspectos teóricos y prácticos de la traducción (Alemán-Español)*. Public. de la Universidad de Salamanca.

Fanger, D. (1987): "Dostoevsky and Cervantes in the theory of Bakhtin; the theory of Bakhtin in Cervantes and Dostoevsky". *Cuadernos de Traducción e Interpretación*, 8/9, 1987, p. 141-160.

Fernández Cardo, J.M. (1995): "De la práctica a la teoría de la traducción dramática". Coloquio Teatro y Traducción, Salamanca 1993. Actas publicadas por F. Lafarga, R. Dengler (1995) *Teatro y Traducción*. Barcelona, Public. de la Universitat Pompeu Fabra, p. 405-412.

Fernández Díaz, M.C. (1989): "Antonio de Capmany y el problema de la traducción y del aprendizaje del francés en la España del siglo XVIII". I Jornadas Nacionales de Historia de la Traducción, León 1987. Actas publicadas por J.C. Santoyo, R. Rabadán, T. Guzmán, J.L. Chamosa (1987) *Fidus interpres*, vol. 1 y (1989) *Fidus Interpres*, vol. 2. Public. de la Universidad de León, vol. II, p. 272-277.

Fernández Gómez, J.F; Nieto Fernández, N. (1991): "Tendencias de la traducción de obras francesas en el siglo XVIII". Coloquio Traducción y Adaptación Cultural España-Francia, Oviedo 1990. Actas publicadas en 1991 por M.L. Donaire, F. Lafarga: *Traducción y Adaptación cultural España-Francia*. Public. de la Universidad de Oviedo, p. 579-592.

Fernández Ocampo, A. (1995): "Intertextualité et traduction chez Marie de France: commentaire à la traduction en galicien de lai du **laüstic**". III Coloquio de la APFFUE, Barcelona 1995. Actas publicadas por F. Lafarga, A. Ribas, M. Tricas (1995): *La Traducción. Metodología, Historia, Literatura, Ambito hispanofrancés*. Barcelona, PPU, p. 195-202.

Fernández Polo, F. (1992): "Aproximación al concepto de 'equivalencia de experiencia' y a los 'principios regulativos' en la construcción de textos traducidos". Actas publicadas por Parcerisas, F. (ed.) (1995): *Actes del I Congrès Internacional sobre Traducció* (abril 1992). Publicacions de l'Universitat Autónoma de Barcelona, p. 293-300.

Fernández Rodríguez, A. (1995): "El modelo de traducción y el traductor del discurso teatral". Coloquio Teatro y Traducción, Salamanca 1993. Actas publicadas por F. Lafarga, R. Dengler (1995) *Teatro y Traducción*. Barcelona, Public. de la Universitat Pompeu Fabra, p. 37-46.

Fernández Vernet, E. (1995): "1950-1985: La escuela soviética de traducción (1ª parte)". *Sendebar*, vol. 6, 1995, p. 53-72.

Frasie Gay, M. (1993): "La **concepción** del texto en el proceso de la traducción". III Encuentros Complutenses sobre la Traducción, Madrid 1990. Actas publicadas con el mismo nombre en 1993. Public. de la Univ. Complutense de Madrid, p. 73-76.

Gallardo San Salvador, N. (1985): "Problemas planteados por la disyunción **símbolo lingüístico/ concepto** en la traducción". Actas de las I Jornadas de intercambio de experiencias didácticas en la Universidad. Publicadas por el ICE de la Universidad de Granada, 1985,

Gallego Roca, M. (1991): "La teoría del polisistema y los estudios sobre traducción". *Sendebar*, vol. 2, 1991, p. 63-70.

Gambini, D. (1993): "Apuntes sobre el acto de traducción: una aproximación según la crítica estética post-crociana (M. Fubini y C. de Lollis)". III Encuentros Complutenses sobre la Traducción, Madrid 1990. Actas publicadas con el mismo nombre en 1993. Public. de la Univ. Complutense de Madrid, p. 49-58.

García de la Banda, F. (1990): "Nuevas tendencias en los estudios de la traducción". II Encuentros Complutenses sobre la Traducción, Madrid 1988. Actas publicadas con el mismo nombre en 1990. Public. de la Univ. Complutense de Madrid, p. 225-230.

García de Toro, A.C. (1994): "Idiolecto y traducción". I Congreso Internacional de traducción e Interpretación de Soria, 1993. Actas publicadas por A. Bueno, M. Ramiro, J.M. Zarandona (1994): *La traducción de lo inefable*. Publicaciones del Colegio Universitario de Soria, p. 91-102.

García Gual, C. (1993): "Problemas de la traducción de textos filosóficos". *Gaceta de la Traducción*, nº 1, jun. 1993, p. 109-122.

García Jurado, F. (1992): "Las ideas sobre la traducción (latín-castellano) en el *Diálogo de la lengua* de Juan Valdés en relación con algunos aspectos dela moderna lexemática". II Jornadas Nacionales de Historia de la Traducción, León 1990. Actas publicadas en la revista *Livius* nº 1 y 2, 1992. Public. de la Universidad de León, vol. II, p. 37-48.

García Landa, M. (1985): "La teoría de la traducción y la psicología experimental de los procesos de percepción del lenguaje". *Estudios de Psicología* 19-20, 1985, p. 173-193.

García Yebra, V. (1982): *Teoría y práctica de la traducción*. Madrid, Gredos, 2 vols.

García Yebra, V. (1983): *En torno a la traducción*. Madrid, Gredos. 2ª edición en 1989.

García Yebra, V. (1988): "La traducción: ¿Equivalencia o adecuación?". Jornadas europeas de traducción e interpretación, Granada 1987. *Actas de las Jornadas Europeas de Traducción e Interpretación* (1988). Public. de la Universidad de Granada, p. 39-42.

García Yebra, V. (1994): *Traducción: Historia y teoría*. Madrid, Gredos.

García Yebra, V. (1995): "Sobre crítica de la traducción". *Hieronymus Complutensis* nº 2, 1995, p. 37-44.

Gargatagli, A. (1984): "Traducción y creación". *Cuadernos de Traducción e Interpretación*, 4, 1984, p. 137-142.

Garrido Medina, J.C. (1988): "Dos estratégias de traducción automática y una hipótesis de teoría de la traducción". Jornadas de Traducción, Ciudad Real 1986. Actas publicadas en 1986 con el título de *Actas de las Jornadas de Traducción*. Public. de la Fac. de Letras de la Universidad de Castilla-La Mancha, p. 53-60.

Gil Rovira, M. (1989): "La traducción como aporía: Visión diacrónica". I Jornadas Nacionales de Historia de la Traducción, León 1987. Actas publicadas por J.C. Santoyo, R. Rabadán, T. Guzmán, J.L. Chamosa (1987) *Fidus interpres*, vol. 1 y (1989) *Fidus Interpres*, vol. 2. Public. de la Universidad de León, vol. II, p. 73-78.

González Millán, X. (1995): "Cara a uhna teoría de traducción para sistemas literarios marxinais: A situación galega". *Viceversa* 1, 1995, p. 63-71.

González Vázquez, C. (1994): "La pretendida fidelidad en la traducción: un ejemplo del latín y el español". I Encuentro Interdisciplinar de Teoría y Práctica de la Traducción, Cádiz 1993. *Reflexiones sobre la Traducción*. Actas publicadas por L. Charlo Brea (1994). Public. de la Universidad de Cádiz, p. 307-316.

Guiloineau, J. (1995): "La traduction n'est pas un passage mais une rupture". VI Encuentros Complutenses sobre la Traducción, Madrid 1995. Actas en prensa.

Guzmán Pitarch, J.R. (1994): "Las teorías de la recepción: Precisiones sobre la traducción de algunos de sus conceptos fundamentales". I Congreso Internacional de traducción e Interpretación de Soria, 1993. Actas publicadas por A. Bueno, M. Ramiro, J.M. Zarandona (1994): *La traducción de lo inefable*. Publicaciones del Colegio Universitario de Soria, p. 65-74.

Hagerty, M.J. (1992): "La escuela Tibbonida de traductores". *Sendebar*, vol. 3, 1992, p. 7-12.

Hatim, B. (1996): "The method in their adness: the juggling of texs, discourse and genres in the language of advertising and implications for the translator". III Jornades sobre la Traducció: Didáctica de la Traducció. Universitat Jaume I, Mayo 1995. Actas publicadas por A. Hurtado Albir (ed.) (1996) *La enseñanza en la traducción*. Universitat Jaume I de Castelló, p. 109-126.

Hatim, B; Mason, I. (1990=1995): *Teoría de la traducción: una aproximación al discurso*. Barcelona: Ariel. Trad. por Salvador Peña.

Hausmann, F.J. (1995): "Le traducteur et la linguistique". VI Encuentros Complutenses sobre la Traducción, Madrid 1995. Actas en prensa.

Hermans, T. (1993): "On Modelling Translation: Models, Norms and the Field of Translation". *Livius*, 4 (1993), p. 69-88.

Hermans, T. (1995): "Disciplinary Objectives: The Shifting Grounds of Translation Studies". *III Curso Superior de Traducción: Perspectivas de la traducción inglés / español*. Textos publicados por P. Fernández Nistral, J.Mª. Bravo Gozalo (eds.) 1995. ICE de la Universidad de Valladolid, p. 9-26.

Hernández Guerrero, J.A. (1994): "La Traducción: una mediación inevitable". I Encuentro Interdisciplinar de Teoría y Práctica de la Traducción, Cádiz 1993. *Reflexiones sobre la Traducción*. Actas publicadas por L. Charlo Brea (1994). Public. de la Universidad de Cádiz, p. 13-20.

Hernández Guerrero, M.J. (1995): "Una aproximación teórica a la crítica de la traducción". VI Encuentros Complutenses sobre la Traducción, Madrid 1995. Actas en prensa.

Hernández Sacristán, C. (1994): *Naturaleza del traducir*. Valencia, Universidad: Centro de Semiótica y Teoría del Espectáculo. EUTOPIAS 2ª época, nº 68.

Hernández Sacristán, C. (1995): "Para una perspectiva 'natural' en teoría del contraste lingüístico y de la traducción". C. Hernández & al.: *Aspectes de la reflexió i de la praxi interlingüística*. Quaderns de Filologia I, Fac. de Filologia, Univ. de Valencia, p. 11-24.

Hulst, J.W.M. (1994): "Text analysis in translation: pragmatic or communicative?". I Jornadas Internacionales de Traducción e Interpretación: Tendencias actuales, Las Palmas de Gran Canaria 1994. Actas en prensa.

Hurtado Albir, A. (1988): "Hacia un enfoque comunicativo de la traducción". Actas de las Segundas Jornadas Internacionales de Didáctica del Español como lengua extranjera. Madrid, Ministerio de Cultura, p. 53-79.

Hurtado Albir, A. (1990): "La fidelidad al sentido: problemas de definición". II Encuentros Complutenses sobre la Traducción, Madrid 1988. Actas publicadas con el mismo nombre en 1990. Public. de la Univ. Complutense de Madrid, p. 57-64.

Hurtado Albir, A. (1991): "Traducir el sentido: Una apuesta teórica y metodológica". I Coloquio Internacional de Traductología, Valencia 1989. Actas publicadas por B. Lépinette, A. Olivares, E. Sopeña, E. (1991) *Actas del Primer Coloquio Internacional de traductología*. Public. por la Universitat de Valencia, *Quaderns de Filologia*, p. 119-120.

Hurtado Albir, A. (1995): "La ficción y la función de la cita directa en la traducción". *Sendebar*, vol. 6, 1995, p. 95-104.

Hurtado Albir, A. (1995): "La traductología". E. Le Bel (ed.) (1995): *Le masque et la plume. Traducir: reflexiones, experiencias y prácticas*, Servicio de Publicaciones de la Universidad de Sevilla, p. 9-20.

Hurtado Albir, A. (1995): "Modalidades y tipos de traducción". *Vasos Comunicantes* 4, p. 19-27.

Hurtley, J.A. (1994): "Translation as subversion". II Curso Superior de Traducción Inglés-Español, Valladolid 1993. Textos publicados por P. Fernández Nistral (ed.) (1994): *Aspectos de la traducción Inglés-Español*. Public. del ICE de la Univ. de la Universidad de Valladolid, p. 55-62.

Ibrahim, A.H. (1991): "La traduction". I Coloquio Internacional de Traductología, Valencia 1989. Actas publicadas por B. Lépinette, A. Olivares, E. Sopeña, E. (1991) *Actas del Primer Coloquio Internacional de traductología*. Public. por la Universitat de Valencia, *Quaderns de Filologia*, p. 25-28.

Ignatieff, M. (1993): "¿Es posible traducir?". *Letra Internacional* 30/31, 1993, p. 35-37.

Israel, F. (1994): "La créativité en traduction ou le texte réinventé". IV Encuentros Complutenses sobre la Traducción, Madrid 1992. Actas publicadas con el mismo nombre en 1994. Public. de la Universidad Complutense de Madrid, p. 105-118.

Jakobson, R. (1983): "Aspectes lingüístics de la traducció". *Cuadernos de Traducción e Interpretación*, 2, 1983, p. 153-160.

Kirste, W. (1994): "La traducción vista desde la perspectiva del concepto de Literatura Universal de Johann Wofgang von Goethe (1749-1832)".

Jornadas sobre Trasvases Culturales: Literatura, Cine, Traducción (20-22 mayo 1993). Actas publicadas por F. Eguiluz (1994). Vitoria, Public. de la Univ. del País Vasco, p. 269-277.

Koster, C. (1994): "The pragmatic dimension in descriptive translation studies". I Jornadas Internacionales de Traducción e Interpretación: Tendencias actuales, Las Palmas de Gran Canaria 1994. Actas en prensa.

Kundera, M. (1993): "Traducción y pasión por la palabra". *Gaceta de la Traducción*, nº 1, jun. 1993, p. 77-108.

Laderer, M. (1988): "La traduction humaine". *Cuadernos de Traducción e Interpretación*, 10, 1988, p. 47-58.

Ladmiral, J.R. (1991): "Sémantique et traduction". I Coloquio Internacional de Traductología, Valencia 1989. Actas publicadas por B. Lépinette, A. Olivares, E. Sopeña, E. (1991) *Actas del Primer Coloquio Internacional de traductología*. Public. por la Universitat de Valencia, *Quaderns de Filologia*, p. 29-36.

Ladrón de Cegama Fernández, E. (1991): "La traducción como ejercicio de comprehensión y de re-producción textual". I Coloquio Internacional de Traductología, Valencia 1989. Actas publicadas por B. Lépinette, A. Olivares, E. Sopeña, E. (1991) *Actas del Primer Coloquio Internacional de traductología*. Public. por la Universitat de Valencia, *Quaderns de Filologia*, p. 131-134.

Lago Alonso, J. (1995): "Sur la notion de Translation en linguistique". Actas del II Coloquio Internacional de Lingüística Francesa: *La Lingüística Francesa: gramática, historia y epistemología* (Sevilla 1995). Dpto. de Filología Francesa de la Universidad de Sevilla (en prensa).

Lambert, J. (1994): "Ethnolinguistic democraty, translation policy and contemporary word order (dis)order". Jornadas sobre Trasvases Culturales: Literatura, Cine, Traducción (20-22 mayo 1993). Actas publicadas por F. Eguiluz (1994). Vitoria, Public. de la Univ. del País Vasco, p. 23-33.

Larsen, M. (1989): "Las teorías de la traducción en la Inglaterra anglosajona". I Jornadas Nacionales de Historia de la Traducción, León 1987. Actas publicadas por J.C. Santoyo, R. Rabadán, T. Guzmán, J.L. Chamosa (1987) *Fidus interpres*, vol. 1 y (1989) *Fidus Interpres*, vol. 2. Public. de la Universidad de León, vol. II, p. 5-14.

Le Bel, E. (1993): "Traduction et presse: quelques réflexions à propos du concept de fidélité". Grupo Andaluz de Pragmática (1993): *Estudios Pragmáticos, Lenguaje y Medios de Comunicación*. Dpto. de Filología Francesa de la Universidad de Sevilla, p. 81-100.

Le Bel, E. (1995): "Traduction et pragmatique: aspects didactiques. Application à des textes de presse". E. Le Bel (ed.) (1995): *Le masque et la plume.*

Traducir: reflexiones, experiencias y prácticas, Servicio de Publicaciones de la Universidad de Sevilla, p. 93-122.

Le Bel, E; Porras Medrano, A. (1992): "Semiótica y traducción: presupuestos teóricos e implicaciones didácticas". Actas del IV Simposio Internacional de la Asociación Andaluza de Semiótica, Córdoba 1986, publicadas por P. Moraleda García y A. Sánchez Fernández (1992). Universidad de Córdoba,

Leopoldo García, G. (1982): "Psicoanálisis y traducción". *Cuadernos de Traducción e Interpretación*, 1, 1982, p. 85-92.

López Carrillo, R; Martínez Dengra, E; San Ginés Aguilar, P. (1995): "Étienne Dolet o los cinco principios de la traducción". III Coloquio de la APFFUE, Barcelona 1995. Actas publicadas por F. Lafarga, A. Ribas, M. Tricas (1995): *La Traducción. Metodología, Historia, Literatura, Ambito hispanofrancés*. Barcelona, PPU, p. 123-130.

López Folgado, V. (1988): "Traducción y lectura plural". Jornadas de Traducción, Ciudad Real 1986. Actas publicadas en 1986 con el título de *Actas de las Jornadas de Traducción*. Public. de la Fac. de Letras de la Universidad de Castilla-La Mancha, p. 299-308.

López García, D. (1996): Teorías de la traducción: Antología de textos. Cuenca, Public. Univ. Castilla-La Mancha.

López Jiménez, L. (1991): "Ideas de Clarín sobre la traducción y su versión de *Travail* de Zola". R. Dengler Gassin (ed.): *Estudios humanísticos en homenaje a Luis Cortés Vázquez*, Universidad de Salamanca, vol. II, p. 531-538.

Lorda, C.U. (1995): "Sistema discursivo, ritmo y traducción". III Coloquio de la APFFUE, Barcelona 1995. Actas publicadas por F. Lafarga, A. Ribas, M. Tricas (1995): *La Traducción. Metodología, Historia, Literatura, Ambito hispanofrancés*. Barcelona, PPU, p. 17-22.

Lozano González, W.C. (1994): "Consideraciones sobre la empatía y su figuración en la teoría de la traducción literaria". *Sendebar*, vol. 5, 1994, p. 255-265.

Lvóvskaya, Z. (1994): "Estructura del sentido del texto y niveles de equivalencia en la traducción". IV Encuentros Complutenses sobre la Traducción, Madrid 1992. Actas publicadas con el mismo nombre en 1994. Public. de la Universidad Complutense de Madrid, p. 127-134.

MacCandless, I.R. (1990): "Teoría de la traducción: el estado de la cuestión". *Sendebar*, vol. 1, 1990, p. 13-22.

MacCandless, I.R. (1991): "Traducibilidad e intraducibilidad". *Sendebar*, vol. 2, 1991, p. 29-36.

Maison, E.D. (1987): "Traducción de textos no modernos: posibilidades operativas". I Jornadas Nacionales de Historia de la Traducción, León 1987. Actas publicadas por J.C. Santoyo, R. Rabadán, T. Guzmán, J.L. Chamosa (1987) *Fidus interpres*, vol. 1 y (1989) *Fidus Interpres*, vol. 2. Public. de la Universidad de León, vol. I, p. 45-53.

Mallo Martínez, J. (1995): "La traducción según Quine y Derrida: Aplicación a un texto literario". VI Encuentros Complutenses sobre la Traducción, Madrid 1995. Actas en prensa.

Margot, J.C. (1987): *Traducir sin traicionar: Teoría de la traducción aplicada a los textos bíblicos*. Madrid, Ediciones Cristiandad. Traductor: Rufino Godoy.

Marqués Marqués, I; Torregrosa Poyo, C. (1992): "Aproximación al estudio teórico de la subtitulación". Actas publicadas por Parcerisas, F. (ed.) (1995): *Actes del I Congrès Internacional sobre Traducció* (abril 1992). Publicacions de l'Universitat Autónoma de Barcelona, p. 367-380.

Marrocco-Maffei, G.L. (1995): "De la traducción como sistema de reescritura". V Encuentros Complutenses sobre la Traducción, Madrid 1994. Actas publicadas con el mismo nombre en 1995. Public. de la Univ. Complutense de Madrid, p. 141-146.

Martín de León, C. (1994): "La teoría del escopo y la invisibilidad de la traslación". I Jornadas Internacionales de Traducción e Interpretación: Tendencias actuales, Las Palmas de Gran Canaria 1994. Actas en prensa.

Martínez, V. (1994): "Traducció, actes de parla i formes de vida". I Jornades sobre la Traducció, Castelló 1993. Actas publicadas por A. Hurtado Albir (1994) *Estudis sobre la Traducció*. Public. de la Universitat Jaume I de Castelló, p. 43-60.

Martínez-Bartolomé, M.M. (1994): "El nivel fonológico del lenguaje en el proceso de traducción". I Congreso Internacional de traducción e Interpretación de Soria, 1993. Actas publicadas por A. Bueno, M. Ramiro, J.M. Zarandona (1994): *La traducción de lo inefable*. Publicaciones del Colegio Universitario de Soria, p. 75-90.

Mason, I. (1994): "Techniques of translation revisited: a text-linguistic review of 'borrowing' and 'modulation'". I Jornades sobre la Traducció, Castelló 1993. Actas publicadas por A. Hurtado Albir (1994) *Estudis sobre la Traducció*. Public. de la Universitat Jaume I de Castelló, p. 61-72.

Merino, W. (1984): "Problemas y dificultades de la traducción". Nueva Revista de Enseñanzas Medias nº 6: *La Traducción, Arte y Técnica*, 1984, M.E.C., p. 61-71.

Meschonnic, H. (1995): "Penser le continu, traduire le continu". V Encuentros Complutenses sobre la Traducción, Madrid 1994. Actas publicadas con el mismo nombre en 1995. Public. de la Univ. Complutense de Madrid, p. 21-32.

Molina Redondo, J.A. de. (1990): "Acerca de la traducción". *Sendebar*, vol. 1, 1990, p. 9-12.

Montes Pérez, C. (1994): "Crítica literaria y teoría del lenguaje en la traducción: Comentario al escrito de Walter Benjamin: *La tarea del traductor*". *Livius*, 5 (1994), p. 153-160.

Moreira Da Silva, I. (1994): "A picture says more than thousand words. The holistic reception of words and pictures in translation". I Jornadas Internacionales de Traducción e Interpretación: Tendencias actuales, Las Palmas de Gran Canaria 1994. Actas en prensa.

Muñoz Martín, R. (1994): "El significado en las teorías lingüísticas de la traducción: Hacia una aproximación cognitiva". *Sendebar*, vol. 5, 1994, p. 67-83.

Muñoz Martín, R. (1995): "El modelo de comunicación en la Teoría de la Traducción y en los programas de estudios". V Encuentros Complutenses sobre la Traducción, Madrid 1994. Actas publicadas con el mismo nombre en 1995. Public. de la Univ. Complutense de Madrid, p. 161-168.

Natale, I. (1992): "Bellas e infieles". *La fidelidad*. Publ. por Wasbrojt, C. (ed.), Madrid, Cátedra. Traducción de R. Herrera.

Neubert, A. (1992): "Lingüística del texto y traducción". *Sendebar*, vol. 3, 1992, p. 13-24.

Newmark, P. (1987=1992): *Manual de Traducción*. Madrid: Cátedra. Trad. por Virgilio Moya.

Newmark, P. (1995): "A correlative Approach to Translation". V Encuentros Complutenses sobre la Traducción, Madrid 1994. Actas publicadas con el mismo nombre en 1995. Public. de la Univ. Complutense de Madrid, p. 33-42.

Newmark, P. (1995): "Métodos de ensino da traducción". I Simposio Galego de Traducción. Vigo 1995. Actas publicadas como Anexo de la Revista de Traducción *Viceversa*. Facultad de Traducción de la Universidad de Vigo, 1995, p. 43-50.

Newmark, P. (1995): "Values and Norms in Translation". VI Encuentros Complutenses sobre la Traducción, Madrid 1995. Actas en prensa.

Nida, E. (1993): "The Sociolinguistic of Translation". *Sendebar*, vol. 4, 1993, p. 19-28.

Nida, E. (1995): "Sociolingüística y comunicación". *Hieronymus Complutensis* nº 2, 1995, p. 29-36.

Nida, E. (1995): "Sociolinguistics as a crucial factor in translating and interpreting". V Encuentros Complutenses sobre la Traducción, Madrid 1994. Actas publicadas con el mismo nombre en 1995. Public. de la Univ. Complutense de Madrid, p. 43-50.

Nida, E; Taber, C.R. (1974=1986): *La traducción: Teoría y Práctica*. Madrid: Cristiandad. Trad. por A. de la Fuente.

Nord, C. (1990): "Funcionalismo y lealtad. Algunas consideraciones en torno a la traducción de títulos". II Encuentros Complutenses sobre la Traducción, Madrid 1988. Actas publicadas con el mismo nombre en 1990. Public. de la Univ. Complutense de Madrid, p. 153-162.

Nord, C. (1994): "Las funciones comunicativas y su realización textual en la traducción". *Sendebar*, vol. 5, 1994, p. 85-104.

Nord, C. (1994): "Traduciendo funciones". I Jornades sobre la Traducció, Castelló 1993. Actas publicadas por A. Hurtado Albir (1994) *Estudis sobre la Traducció*. Public. de la Universitat Jaume I de Castelló, p. 97-112.

Nouss, A. (1994): "Towards a nonlinguistic theory of translation". I Jornadas Internacionales de Traducción e Interpretación: Tendencias actuales, Las Palmas de Gran Canaria 1994. Actas en prensa.

Obolenskaya, J. (1994): "La teoría de la traducción en Rusia: orígenes, evolución y perspectivas". IV Encuentros Complutenses sobre la Traducción, Madrid 1992. Actas publicadas con el mismo nombre en 1994. Public. de la Universidad Complutense de Madrid, p. 35-48.

Olivares Pardo, M.A; Lépinette, B. (1992): "La Lingüística y la traductología de Antonio de Capmany (1742-1813): *El arte de traducir el idioma francés al castellano* (1776)". II Jornadas Nacionales de Historia de la Traducción, León 1990. Actas publicadas en la revista *Livius* nº 1 y 2, 1992. Public. de la Universidad de León, vol. II, p. 171-188.

Olivares Pardo, M.A; Sopeña Balordi, A.E. (1992): "Les obsédés textuels de Jean Delisle: Croisade d'un traductopathe". Actas del I Congreso de Littératures Francophones. Universitat de Valencia 1992,

Ortega Arjonilla, E. (1996): *Apuntes para una teoría hermenéutica de la traducción*. Universidad de Málaga, Colección Estudios y Ensayos.

Otal Campo, J.L. (1994): "Teoría de la relevancia y traducción". I Jornades sobre la Traducció, Castelló 1993. Actas publicadas por A. Hurtado Albir (1994) *Estudis sobre la Traducció*. Public. de la Universitat Jaume I de Castelló, p. 113-128.

Otal Campo, J.L; Buesa Gómez, C; Rodríguez-Maimón, M.J. (1989): "Aspectos discursivos de la traducción". Actas del VII Congreso Nacional de Lingüística Aplicada (AESLA), Sevilla abril 1989, publicadas por F. Garrudo Carabias, J. Rincón (1990). Dpto. de Filología Inglesa de la Universidad de Sevilla, p. 615-624.

Pegenaute Rodríguez, L. (1993): *Tristram Shandy: Problemas de traducción al español (De la teoría a la práctica)*. Tesis inédita, Universidad de León.

Peña Martín, S. (1993): "Ideas sobre la traducción en la lingüística árabe medieval". *Livius*, 4 (1993), p. 169-176.

Pérez González, L. (1992): "Comunicación versus traducción. Los ready-made". Actas publicadas por Parcerisas, F. (ed.) (1995): *Actes del I Congrès Internacional sobre Traducció* (abril 1992). Publicacions de l'Universitat Autónoma de Barcelona, p. 281-292.

Pérez González, L. (1994): "La traducción y sus dicotomías". I Jornadas Internacionales de Traducción e Interpretación: Tendencias actuales, Las Palmas de Gran Canaria 1994. Actas en prensa.

Pérez González, L. (1994): "La traducción, una obra definitivamente inacabada". I Congreso Internacional de traducción e Interpretación de Soria, 1993. Actas publicadas por A. Bueno, M. Ramiro, J.M. Zarandona (1994): *La traducción de lo inefable*. Publicaciones del Colegio Universitario de Soria, p. 55-64.

Pérez Tornero, J.M. (1982): "Esbozo de un modelo de análisis del discurso". *Cuadernos de Traducción e Interpretación*, 1, 1982, p. 57-74.

Piñero Piñero, G; García Domínguez, M.J. (1992): "Un modelo para la enseñanza de la lengua materna a los futuros traductores. Aproximación teórica y práctica". Actas publicadas por Parcerisas, F. (ed.) (1995): *Actes del I Congrès Internacional sobre Traducció* (abril 1992). Publicacions de l'Universitat Autónoma de Barcelona, p. 457-470.

Porozinskaya, G. (1994): "The communicative and informational value of translation". I Jornadas Internacionales de Traducción e Interpretación: Tendencias actuales, Las Palmas de Gran Canaria 1994. Actas en prensa.

Prince, D.E. (1994): "Negotiating meanings: The use of diatopic synonyms in medieval aragonese literary translations". *Livius*, 6 (1994), p. 79-90.

Pym, A. (1990): "Qüestionement de la traducció del mite". Pym, A. (1992): *Mites australians*, Calaceite, Caminade, p. 37-48.

Pym, A. (1992): "Limits and Frustrations of Discourse Analysis in Translation Theory". *Rev. de Filología*. Univ. de La Laguna 11, p. 227-239.

Pym, A. (1993): *Epistemological Problems in Translation and its Teaching: A Seminar for Thinking Students*. Calaceite (Teruel), Ediciones Caminade.

Rabadán Alvarez, R. (1988): "El lector: una 'asignatura pendiente' en las teorías de la traducción inglés-español". Jornadas de Traducción, Ciudad Real 1986. Actas publicadas en 1986 con el título de *Actas de las Jornadas de Traducción*. Public. de la Fac. de Letras de la Universidad de Castilla-La Mancha, p. 249-256.

Rabadán Alvarez, R. (1991): *Equivalencia y traducción: Problemática de la equivalencia translémica inglés-español*. Public. de la Universidad de León. Tesis.

Rabadán Alvarez, R. (1992): "Tendencias teóricas en los estudios contemporáneos de traducción". I Curso Superior de Traducción Inglés-Español, Valladolid 1992. Textos publicados por P. Fernández Nistral (ed.) (1992): *Estudios de Traducción*. Public. del ICE de la Universidad de Valladolid, p. 45-60.

Rabadán Alvarez, R. (1994): "Traducción, función, adaptación". II Curso Superior de Traducción Inglés-Español, Valladolid 1993. Textos publicados por P. Fernández Nistral (ed.) (1994): *Aspectos de la traducción Inglés-Español*. Public. del ICE de la Univ. de la Universidad de Valladolid, p. 31-42.

Rabadán Alvarez, R. (1994): "Traducción, intertextualidad, manipulación". I Jornades sobre la Traducció, Castelló 1993. Actas publicadas por A. Hurtado Albir (1994) *Estudis sobre la Traducció*. Public. de la Universitat Jaume I de Castelló, p. 129-140.

Rabadán Alvarez, R; Guzmán, T. (1989): "Las inequivalencias lingüísticas en la traducción inglés-español". XI Congreso de AEDEAN, León 1987. Actas publicadas por J.C. Santoyo (1989): *Translation Across Cultures*: La traducción en el mundo hispánico y anglosajón, relaciones lingüísticas, culturales y literarias. Publicaciones de la Univ. de León, p. 141-146.

Rabadán Alvarez, R; Santoyo, J.C. (1990): "Traductología / Traslémica: Una disciplina lingüística". *Nuevas corrientes lingüísticas: Aplicación a la descripción del inglés*. Revista Española de Lingüística Aplicada, Anejo I, 1990, p. 143-157.

Rabassa, G. (1994): "No hay dos copas de nieve iguales. La traducción como metáfora". *Vasos comunicantes* 3, p. 53-63.

Reiss, K. (1992): "¿La teoría de la traducción puede servir a la enseñanza de la traducción?". Actas publicadas por Parcerisas, F. (ed.) (1995): *Actes del I Congrès Internacional sobre Traducció* (abril 1992). Publicacions de l'Universitat Autónoma de Barcelona, p. 39-54.

Reiss, K. (1992): "Teorías de la traducción y su relevancia para la práctica". *Sendebar*, vol. 3, 1992, p. 25-38.

Ribas Pujol, A. (1992): "El traductor frente a las teorías sobre la traducción: dogmatismo, escepticismo y eclecticismo". Actas publicadas por Parcerisas, F. (ed.) (1995): *Actes del I Congrès Internacional sobre Traducció* (abril 1992). Publicacions de l'Universitat Autónoma de Barcelona, p. 241-252.

Ribas Pujol, A. (1994): "El problema de la tipología de los procedimientos de traducción". I Jornadas Internacionales de Traducción e Interpretación: Tendencias actuales, Las Palmas de Gran Canaria 1994. Actas en prensa.

Ribes Traver, P. (1986): "Presupuestos teóricos: retórica y traducción". *Julio César: La retórica*, Valencia, Instituto Shakespeare.

Roberts, R.P. (1995): "Towards a Typology of Translations". *Hieronymus Complutensis*, nº 1, ene.-jun. 1995, p. 69-78.

Rocha Barco, T. (1994): "Una posible salida a la tensión entre literalidad y libertad: La traducción como tarea hermenéutica". Jornadas sobre Trasvases Culturales: Literatura, Cine, Traducción (20-22 mayo 1993). Actas publicadas por F. Eguiluz (1994). Vitoria, Public. de la Univ. del País Vasco, p. 401-408.

Rodríguez Sánchez de León, M.J. (1993): "Las traducciones del teatro francés durante la Ominosa Década: El sentido de la traducción y su consideración crítica". *Livius*, 4 (1993), p. 191-204.

Rodríguez-Maimón, M.J. (1990): "Aspectos discursivos de la traducción". Actas del VII Congreso Nacional de Lingüística Aplicada (AESLA), Sevilla abril 1989, publicadas por F. Garrudo Carabias, J. Rincón (1990). Dpto. de Filología Inglesa de la Universidad de Sevilla, p. 615-624.

Rossell Ibern, A.M. (1996): "Manual de traducción alemán-castellano" Barcelona, Gedisa.

Ruiz Barrionuevo, B. (1990): "Friedrich Schleiermacher y su grupo: breves comentarios en torno a la teoría de la **Novelle** y de la traducción". II Encuentros Complutenses sobre la Traducción, Madrid 1988. Actas publicadas con el mismo nombre en 1990. Public. de la Univ. Complutense de Madrid, p. 21-26.

Sáez Hermosilla, T. (1987): *Percepto mental y estructura rítmica: Prolegómenos para una traductología del sentido*. Public. de la Universidad de Cáceres.

Sáez Hermosilla, T. (1991): "Palabra y representación mental: Situación de una teoría traductológica". R. Dengler Gassin (ed.): *Estudios humanísticos en homenaje a Luis Cortés Vázquez*, Universidad de Salamanca, vol. II, p. 801-807.

San Ginés Aguilar, P. (1989): "La traducción: Concepción Nucléica en la aprehensión de un segundo idioma". *Anales de Filología Francesa*, 3, 1989, p. 143-148.

San Ginés Aguilar, P. (1990): "El concepto triádico en la teoría de la traducción". II Encuentros Complutenses sobre la Traducción, Madrid 1988. Actas publicadas con el mismo nombre en 1990. Public. de la Univ. Complutense de Madrid, p. 73-76.

San Ginés Aguilar, P. (1990): "Traducción teórica y práctica". *Sendebar*, vol. 1, 1990, p. 65-70.

San Ginés Aguilar, P. (1991): "La semántica y la teoría tricotómica de la traducción". I Coloquio Internacional de Traductología, Valencia 1989. Actas publicadas por B. Lépinette, A. Olivares, E. Sopeña, E. (1991) *Actas del Primer Coloquio Internacional de traductología*. Public. por la Universitat de Valencia, *Quaderns de Filologia*, p. 187-188.

Sánchez de Zavala, V. (1993): "Sobre la teoría de la traducción". *Vasos Comunicantes* 1, p. 53-66.

Santana Delgado, M. (1990): "El conocimiento referencial del texto: reflexiones sobre la posición del traductor". *Rev. Canaria de Estudios Ingleses* 21, 1990, p. 147-159.

Santoyo, J.C. (1983): *La cultura traducida*. Lección inaugural del curso académico 1983-1984. Public. de la Universidad de León.

Santoyo, J.C. (1985): "Consideraciones acerca de la competencia y actuación translémicas". Actas del II Congreso Nacional de Lingüística Aplicada (AESLA),publicadas en 1985. Madrid, SGEL, p. 417-428.

Santoyo, J.C. (1985=1989): *El delito de traducir*. Public. de la Universidad de León.

Santoyo, J.C. (1988): "Los límites de la traducción". Jornadas europeas de traducción e interpretación, Granada 1987. *Actas de las Jornadas Europeas de Traducción e Interpretación* (1988). Public. de la Universidad de Granada, p. 179-204.

Santoyo, J.C. (1990): "Prometeo de nuevo encadenado: la traducción/recreación literaria". II Encuentros Complutenses sobre la Traducción, Madrid 1988. Actas publicadas con el mismo nombre en 1990. Public. de la Univ. Complutense de Madrid, p. 35-46.

Santoyo, J.C. (1994): "Reflexiones sobre teoría de la traducción. Traducción y presencia (trans)cultural: La perenne paradoja". *Traducción y Contraste Lingüístico-Cultural*. Valencia 1994, UIMP, vol. II, p. 82-98.

Santoyo, J.C. (1994): *En torno a Ortega y Gasset: Miseria y Esplendor de la reflexión Traductora*. Lliço inaugural del curs acadèmic 1994-95 de la Facultat de Traducció de la Universidad Pompeu Fabra de Barcelona, Public. de la Universidad.

Segers, W. (1994): "Traduire l'intraduisible. Les termes intraduisibles(s), intraductible, intraduisibilité et intraductibilitá dans les textes de Jacques

Derrida". I Congreso Internacional de traducción e Interpretación de Soria, 1993. Actas publicadas por A. Bueno, M. Ramiro, J.M. Zarandona (1994): *La traducción de lo inefable*. Publicaciones del Colegio Universitario de Soria, p. 45-54.

Seibel, C. (1994): "Die problematik des übersetzens von realienbezeichnungen". *Sendebar*, vol. 5, 1994, p. 275-281.

Seleskovitch, D. (1984): "Traducir: de la experiencia a los conceptos". *Cuadernos de Traducción e Interpretación*, 4, 1984, p. 51-84.

Sheppard, M.M. (1994): "Structural changes in translation". I Jornadas Internacionales de Traducción e Interpretación: Tendencias actuales, Las Palmas de Gran Canaria 1994. Actas en prensa.

Sirvent Ramos, A. (1995): "Valery Larbaud y la teoría de la traducción". III Coloquio de la APFFUE, Barcelona 1995. Actas publicadas por F. Lafarga, A. Ribas, M. Tricas (1995): *La Traducción. Metodología, Historia, Literatura, Ambito hispanofrancés*. Barcelona, PPU, p. 165-173.

St-Pierre, P. (1993): "Translation: Constructing Identity of Alterity". *Livius*, 4 (1993), p. 243-252.

St-Pierre, P. (1994): "Semiotics, translation and history". I Jornadas Internacionales de Traducción e Interpretación: Tendencias actuales, Las Palmas de Gran Canaria 1994. Actas en prensa.

Talavera Esteso, F.J. (1987): "Superación del concepto de traducción entre los humanistas: Un ejemplo en Juan de Mallara y Fernando de Herrera". I Jornadas Nacionales de Historia de la Traducción, León 1987. Actas publicadas por J.C. Santoyo, R. Rabadán, T. Guzmán, J.L. Chamosa (1987) *Fidus interpres*, vol. 1 y (1989) *Fidus Interpres*, vol. 2. Public. de la Universidad de León, vol. I, p. 201-207.

Talens, J. (1993): *El sentido de Babel*. Vol. 21 de la Rev. Eutopias, 2ª época.

Tordesillas, M. (1991): "Enunciación, argumentación y traducción". Coloquio Traducción y Adaptación Cultural España-Francia, Oviedo 1990. Actas publicadas en 1991 por M.L. Donaire, F. Lafarga: *Traducción y Adaptación cultural España-Francia*. Public. de la Universidad de Oviedo, p. 503-512.

Toury, G. (1995): "What Lies Beyond Descriptive Translation Studies?". VI Encuentros Complutenses sobre la Traducción, Madrid 1995. Actas en prensa.

Tricás Preckler, M. (1982): "Texto y contexto en el proceso de traducción". *Cuadernos de Traducción e Interpretación*, 1, 1982, p. 39-46.

Tricás Preckler, M. (1983): "'Al principio era el texto...' (De la unidad textual y de la práctica de la traducción)". *Cuadernos de Traducción e Interpretación*, 3, 1983, p. 153-160.

Tricás Preckler, M. (1988): "Lingüística textual y traducción". Mesa redonda en torno a la Traducción. Madrid 1987, Fundación Alfonso X el Sabio. Textos publicados el mismo año por la Fundación con el título *Problemas de la traducción*, p. 131-154.

Tricás Preckler, M. (1989): "*Il fait beau, mais j'ai mal aux pieds*. Univers sémantique et accès à l'argumentation". Actas de las XII Jornadas pedagógicas sobre la enseñanza del francés en España. / Ecriture, Analyse textuelle, Littérature,, publicadas por C. Mestreit & M. Tost (1989). Barcelona, Publicacions de l'ICE de l'Universitat Autónoma p. 47-54.

Tricás Preckler, M. (1989): "Il fait beau, mais j'ai mal aux pieds. Univers sémantique et accès à l'argumentation". Actas de las XII Jornadas pedagógicas sobre la enseñanza del francés en España. / Ecriture, Analyse textuelle, Littérature,, publicadas por C. Mestreit & M. Tost (1989). Barcelona, Publicacions de l'ICE de l'Universitat Autónoma p. 47-54.

Tricás Preckler, M. (1990): "Eh bien! Reflexis un peu, voyons! (La théorie de la polyphonie et certains connecteurs argumentatifs)". Actas de las XIII Jornadas Pedagógicas sobre la enseñanza del Francés en España. *Apprentissages, Adquisition: Langue, Littérature, Civilisation*, publicadas por R. Gauchola, C. Mestreit, M. Tost (1990). Barcelona, Publicacions de l'ICE de l'Universitat Autónoma, p. 54-60.

Tricás Preckler, M. (1990): "L'énoncé ná qu'un seul sujet? Eh bien! Réfléchis un peu, voyons! (La théorie de la polyphonie et certains connecteurs argumentatifs)". Actas de las XIII Jornadas Pedagógicas sobre la enseñanza del Francés en España. *Apprentissages, Adquisition: Langue, Littérature, Civilisation*, publicadas por R. Gauchola, C. Mestreit, M. Tost (1990). Barcelona, Publicacions de l'ICE de l'Universitat Autónoma, p. 54-60.

Tricás Preckler, M. (1991): "*Enfin, j'ai compris!* (Les valeurs pragmatiques du connecteur et sa traduction)". Actas de las XIV Jornadas pedagógicas sobre la enseñanza del francés en España: *Méthodologie, formation, pragmatique et analyse textuelle*, publicadas por R. Gauchola, C. Mestreit, M. Tost (1991). Barcelona, Publicacions de l'ICE de la Universidad Autónoma, p. 107-115.

Tricás Preckler, M. (1991): "Los implícitos argumentativos y la traducción". I Coloquio Internacional de Traductología, Valencia 1989. Actas publicadas por B. Lépinette, A. Olivares, E. Sopeña, E. (1991) *Actas del Primer Coloquio Internacional de traductología*. Public. por la Universitat de Valencia, *Quaderns de Filologia*, p. 203-206.

Tricás Preckler, M. (1991): "Polifonía discursiva y traducción: propuestas de tratamiento de los enunciadores que recuperan otro universo sociolingüístico". Coloquio Traducción y Adaptación Cultural España-Francia, Oviedo 1990. Actas publicadas en 1991 por M.L. Donaire, F. Lafarga: *Traducción y Adaptación cultural España-Francia*. Public. de la Universidad de Oviedo, p. 513-528.

Tricás Preckler, M. (1992): "Pragmática, argumentación y traducción". Actas publicadas por Parcerisas, F. (ed.) (1995): *Actes del I Congrès Internacional sobre Traducció* (abril 1992). Publicacions de l'Universitat Autónoma de Barcelona, p. 229-240.

Tricás Preckler, M. (1994): "Argumentación y sentido". I Jornades sobre la Traducció, Castelló 1993. Actas publicadas por A. Hurtado Albir (1994) *Estudis sobre la Traducció*. Public. de la Universitat Jaume I de Castelló, p. 153-165.

Tricás Preckler, M. (1994): "Argumentación y traducción". *Traducción y Contraste Lingüístico-Cultural*. Valencia 1994, UIMP, vol. I, p. 17-31.

Tricás Preckler, M. (1994): "La función de la orientación argumentativa en la descodificación del sentido". II Coloquio Internacional de Traductología, Valencia 1991. Actas publicadas por B. Lépinette, A. Olivares, E. Sopeña (1994) *Actas del Primer Coloquio Internacional de traductología*. Public. por la Universitat de Valencia, *Quaderns de Filologia*, p. 179-187.

Tricás Preckler, M. (1994): "Los factores enunciativos en la interpretación del sentido". I Jornadas Internacionales de Traducción e Interpretación: Tendencias actuales, Las Palmas de Gran Canaria 1994. Actas en prensa.

Tricás Preckler, M. (1995): "Tres niveles de descodificación: del marco cognoscitivo al microtexto". Actas del II Coloquio Internacional de Lingüística Francesa: *La Lingüística Francesa: gramática, historia y epistemología* (Sevilla 1995). Dpto. de Filología Francesa de la Universidad de Sevilla (en prensa).

Tricás Preckler, M. (1995): *Manual de Traducción Francés / Castellano*. Barcelona, Gedisa.

Truffaut, L. (1992): "Qu'est-ce donc que traduire? Lliço inaugural del curs acadèmic 1992-93 de la Fac. de Trad. i Inter. de la Univ. Pompeu Fabra". Barcelona,

Vannikov, Y.V. (1994): "Tipos de adecuación como base de la tipología de traducciones científicas". I Jornadas Internacionales de Traducción e Interpretación: Tendencias actuales, Las Palmas de Gran Canaria 1994. Actas en prensa.

Vega Aranda, M.A. (1988): "Lutero, Schopenhauer y Broch: tres teóricos alemanes de la traducción". Jornadas de Traducción, Ciudad Real 1986. Actas publicadas en 1986 con el título de *Actas de las Jornadas de Traducción*. Public. de la Fac. de Letras de la Universidad de Castilla-La Mancha, p. 153-168.

Vega Cernuda, M.A. (1989): "Wilhelm von Humboldt, traductor y teórico de la traducción". I Jornadas Nacionales de Historia de la Traducción, León 1987. Actas publicadas por J.C. Santoyo, R. Rabadán, T. Guzmán, J.L. Chamosa (1987) *Fidus interpres*, vol. 1 y (1989) *Fidus Interpres*, vol. 2. Public. de la Universidad de León, vol. II, p. 199-204.

Vega Cernuda, M.A. (1990): "Walter Benjamin o las aporías de la traducción". II Encuentros Complutenses sobre la Traducción, Madrid 1988. Actas publicadas con el mismo nombre en 1990. Public. de la Univ. Complutense de Madrid, p. 27-34.

Vega Cernuda, M.A. (1993): "Consideraciones acerca de la funcionalidad pragmática de la traductología y de su didáctica". III Encuentros Complutenses sobre la Traducción, Madrid 1990. Actas publicadas con el mismo nombre en 1993. Public. de la Univ. Complutense de Madrid, p. 59-72.

Vega Cernuda, M.A. (1994): "Bajo el magisterio de San Jerónimo: comentario crítico a la teoría española de la traducción". IV Encuentros Complutenses sobre la Traducción, Madrid 1992. Actas publicadas con el mismo nombre en 1994. Public. de la Universidad Complutense de Madrid, p. 61-74.

Vega Cernuda, M.A. (1994): "Dolet, Du Bellay, Peletier y Sebillet o la traductología francesa del Renacimiento". I Encuentro Interdisciplinar de Teoría y Práctica de la Traducción, Cádiz 1993. *Reflexiones sobre la Traducción*. Actas publicadas por L. Charlo Brea (1994). Public. de la Universidad de Cádiz, p. 721-732.

Vega Cernuda, M.A. (1994): "El inefable genio de la lengua (en la Teoría alemana de la Traducción, de Schottelius a Fulda)". I Congreso Internacional de traducción e Interpretación de Soria, 1993. Actas publicadas por A. Bueno, M. Ramiro, J.M. Zarandona (1994): *La traducción de lo inefable*. Publicaciones del Colegio Universitario de Soria, p. 35-44.

Veisbergs, A. (1994): "Translation of idiom transformations: functional approach". I Jornadas Internacionales de Traducción e Interpretación: Tendencias actuales, Las Palmas de Gran Canaria 1994. Actas en prensa.

Viaggio, S. (1994): "Towards a more systematic distinction between context and situation". I Jornadas Internacionales de Traducción e Interpretación: Tendencias actuales, Las Palmas de Gran Canaria 1994. Actas en prensa.

Vila Ascariz, S. (1995): "El pensamiento traductológico de M. Arnold". V Encuentros Complutenses sobre la Traducción, Madrid 1994. Actas publicadas con el mismo nombre en 1995. Public. de la Univ. Complutense de Madrid, p. 459-464.

White, J.C. (1993): "The Untranslateables: some solutions, or the spirit of Translation". R. López Ortega, J.L. Oncins Martínez: *Essays on Translation* I, Public. de la Univ. de Extremadura, p. 25-30.

Witte, H. (1994): "La creación de imágenes culturales a través de la traslación". I Jornadas Internacionales de Traducción e Interpretación: Tendencias actuales, Las Palmas de Gran Canaria 1994. Actas en prensa.

Wotjak, G. (1995): "Equivalencia semántica y equivalencia comunicativa". V Encuentros Complutenses sobre la Traducción, Madrid 1994. Actas publicadas con el mismo nombre en 1995. Public. de la Univ. Complutense de Madrid, p. 71-84.

Wotjak, G. (1995): "Equivalencia semántica, equivalencia comunicativa y equivalencia translémica". *Hieronymus Complutensis*, nº 1, ene.-jun. 1995, p. 93-112.

Yelena, B. (1992): "The Notion of Norm in the History of Translation: Pragmatic Aspects". *Livius*, 1 (1992), p. 221-226.

Záfer Chaaban, N. (1990): "La traducción: desarrollo y comunicación humana". Actas de las Jornadas de Hispanismo Arabe (Madrid mayo 1988), publicadas por F. de Agreda (1990). Madrid, Agencia Española de Cooperación Internacional, p. 425-428.

TERMINOLOGÍA Y LEXICOGRAFÍA

Ahrens, H. (1994): "Modern translation theory in terminology scenes-and-frames semantics". I Jornadas Internacionales de Traducción e Interpretación: Tendencias actuales, Las Palmas de Gran Canaria 1994. Actas en prensa.

Alcaraz Varó, E; Hughes, B. (1993): *Diccionario de términos jurídicos: inglés-español y español-inglés*. Barcelona, Ariel.

Alcaraz Varó, E; Hughes, B. (1995) *Diccionario de términos económicos y comerciales: inglés-español y spanish-english*. Barcelona. Ariel.

Alcina Caudet, M.A; Pruñonosa, M. (1992): "Uso del ordenador para el estudio teminológico previo a la traducción de un texto". Actas publicadas por Parcerisas, F. (ed.) (1995): *Actes del I Congrès Internacional sobre Traducció* (abril 1992). Publicacions de l'Universitat Autónoma de Barcelona, p. 103-112.

Alcoba Rueda, S. (1983): "La adaptación de tecnicismos lingüísticos". *Cuadernos de Traducción e Interpretación*, 3, 1983, p. 143-152.

Alvar Ezquerra, M. (1991): "Antiguos diccionarios plurilingües del español". I Coloquio Internacional de Traductología, Valencia 1989. Actas publicadas por B. Lépinette, A. Olivares, E. Sopeña, E. (1991) *Actas del Primer Coloquio Internacional de traductología*. Public. por la Universitat de Valencia, *Quaderns de Filologia*, p. 7-14.

Alvarez Maurin, M.J; Rabadán Alvarez, R. (1991): "La traducción del sociolecto criminal en *Red Harvest* de Dashiell Hammett". *Atlantis*, XIII, 1-2, 1991, p. 209-220.

Argüeso González, A. (1995): "Traducción y terminología: un complemento indispensable en la versión del lenguaje jurídico". V Encuentros Complutenses sobre la Traducción, Madrid 1994. Actas publicadas con el mismo nombre en 1995. Public. de la Univ. Complutense de Madrid, p. 473-482.

Arizmendi, C. (1995): "La enseñanza de la terminología para traductores". VI Encuentros Complutenses sobre la Traducción, Madrid 1995. Actas en prensa.

Arntz, R. (1992): "La enseñanza de la terminología y su integración en la formación del traductor". Coloquio Iberoamericano sobre la enseñanza de la Terminología. *La Enseñanza de la Terminología*. Actas publicadas por N. Gallardo, D. Sánchez (1992). Publicaciones de la Universidad de Granada, p. 75-92.

Arntz, R; Picht, H. (1995): *Introducción a la terminología*. Madrid, Pirámide.

Barreras Gómez, A. (1994): "A study on the translation of the lexical content of Nabokov's *Lolita*". I Congreso Internacional de traducción e Interpretación de Soria, 1993. Actas publicadas por A. Bueno, M. Ramiro, J.M. Zarandona (1994): *La traducción de lo inefable*. Publicaciones del Colegio Universitario de Soria, p. 417-434.

Barros Ochoa, M. (1995): "Los términos taurinos en la obra de Hemingway: un caso de retraducción". VI Encuentros Complutenses sobre la Traducción, Madrid 1995. Actas en prensa.

Bartolomé Sánchez, J.L. (1984): "La traducción escolar con diccionario". Nueva Revista de Enseñanzas Medias nº 6: *La Traducción, Arte y Técnica*, 1984, M.E.C., p. 131-138.

Beeby Lonsdale, A. (1987): "Diccionarios y la traducción: Una introducción". Actas del IV Congreso Nacional de Lingüística Aplicada (AESLA), Córdoba abril 1986: *Lenguaje y Educación*, 2 vols., publicadas por A. León Sandra (1989). Universidad de Córdoba, Universidad de Córdoba, vol. I, p. 64-78.

Bensenoussi, G. (1990): "Catálogo de traducciones argelinas en árabe". Actas de las Jornadas de Hispanismo Arabe (Madrid mayo 1988), publicadas por F. de Agreda (1990). Madrid, Agencia Española de Cooperación Internacional, p. 407-414.

Bermúdez Fernández, J.M. (1995): "El traductor-terminólogo y los repertorios léxicos personalizados". VI Encuentros Complutenses sobre la Traducción, Madrid 1995. Actas en prensa.

Blanco, A.-L; Santacecilia, M.S. (1995): "Neologismos en el Lenguaje Deportivo". VI Encuentros Complutenses sobre la Traducción, Madrid 1995. Actas en prensa.

Blanco, X. (1994): "El artículo del diccionario bilingüe a la luz de la lexicología diferencial". Actas del I Coloquio Internacional de Lingüística Francesa: *La lingüística francesa, situación y perspectivas a finales del siglo XX* (Zaragoza 1993), publicadas por J.F. Corcuera, M. Djian, A. Gaspar (1994). Dpto. de Filología Francesa de la Universidad de Zaragoza, p. 93-100.

Bocanegra Padilla, A. (1994): "Algunas consideraciones sobre la terminología legislativa inglesa con especial referencia al derecho marítimo inglés". I Encuentro Interdisciplinar de Teoría y Práctica de la Traducción, Cádiz 1993. *Reflexiones sobre la Traducción.* Actas publicadas por L. Charlo Brea (1994). Public. de la Universidad de Cádiz, p. 191-204.

Breva Claramonte, M. (1993): "La traducción y el uso del diccionario bilingüe". *Livius*, 3 (1993), p. 41-50.

Cabré Castellví, M.T. (1992): "Servicios lingüísticos y normalización". *Sendebar*, vol. 3, 1992, p. 87-106.

Cabré Castellví, M.T. (1996): "Sobre la formación del traductor en terminología". III Jornades sobre la Traducció: Didáctica de la Traducció. Universitat Jaume I, Mayo 1995. Actas publicadas por A. Hurtado Albir (ed.) (1996) *La enseñanza en la traducción.* Universitat Jaume I de Castelló, p. 161-170.

Cabré i Monné, T. (1983): "De commemoratione (del Diccionari General de la Llengua Catalana)". *Cuadernos de Traducción e Interpretación*, 2, 1983, p. 141-146.

Calvo Pérez, J. (1985): "Requisitos imprescindibles para un diccionario bilingüe". Actas del III Congreso Nacional de Lingüística Aplicada (AESLA), Valencia abril 1985: *Pasado, presente y futuro de la lingüística aplicada en España*, publicadas por F. Fernández (1986), p. 737-742.

Calvo, J.M. (1992): "Una propuesta del Ou.Li.Po. como caso de traducción imposible". *Revista de Filología Moderna* 2-3, Ciudad Real, p. 247-252.

Cantera Ortiz de Urbina, J. (1993): "El enriquecimiento del léxico francés durante la Revolución y su traducción al español". III Encuentros

Complutenses sobre la Traducción, Madrid 1990. Actas publicadas con el mismo nombre en 1993. Public. de la Univ. Complutense de Madrid, p. 193-206.

Cardona Tudó, M.A; Mondéjar Guinot, L; Rodríguez Soriano, L. (1988): "Estudio del polimorfismo en español en algunos conceptos científicos". Jornadas europeas de traducción e interpretación, Granada 1987. *Actas de las Jornadas Europeas de Traducción e Interpretación* (1988). Public. de la Universidad de Granada, p. 51-70.

Casado, J; Copete, A. (1989): "Equivalencias y diferencias entre la terminología teatral inglesa y la española". XI Congreso de AEDEAN, León 1987. Actas publicadas por J.C. Santoyo (1989): *Translation Across Cultures*: La traducción en el mundo hispánico y anglosajón, relaciones lingüísticas, culturales y literarias. Publicaciones de la Univ. de León, p. 53-58.

Casanova, E. (1991): "La lexicografia valenciana del segle XIX com a instrument d'ensenyament i de traducció del castellà. El cas del diccionari Lamarca". I Coloquio Internacional de Traductología, Valencia 1989. Actas publicadas por B. Lépinette, A. Olivares, E. Sopeña, E. (1991) *Actas del Primer Coloquio Internacional de traductología.* Public. por la Universitat de Valencia, *Quaderns de Filologia*, p. 73-78.

Cierva García, P; Cuellar Serrano, M.C. (1994): "Terminologie spécifique/langue générale. Étude linguistique et contrastive". Actas del Congreso Luso-Hispano de Lenguas Aplicadas a las Ciencias y la Tecnología: *Lenguas para fines específicos: temas fundamentales*, publicadas por R. Alejo, M. McGinity, S. Gómez (1994). Dpto. de Filología Inglesa de la Universidad de Extremadura, p. 126-129.

Cuéllar, M.C. (1995): "La traducción de los anglicismos en los textos del **français des affaires**". V Encuentros Complutenses sobre la Traducción, Madrid 1994. Actas publicadas con el mismo nombre en 1995. Public. de la Univ. Complutense de Madrid, p. 555-564.

Díaz Prieto, P. (1995): "La importancia de la normalización terminológica en la calidad de la traducción científico-técnica". *Estudios Humanísticos: Filología* 17, 1995, p. 355-367.

Doggui, M. (1990): "Polisemia y traducción". Actas de las Jornadas de Hispanismo Arabe (Madrid mayo 1988), publicadas por F. de Agreda (1990). Madrid, Agencia Española de Cooperación Internacional, p. 109-114.

Douglas, E; Noya Gallardo, C. (1994): "Dificultades relacionadas con la traducción de términos coloquiales ingleses aplicados al tiempo". I Encuentro Interdisciplinar de Teoría y Práctica de la Traducción, Cádiz 1993. *Reflexiones sobre la Traducción.* Actas publicadas por L. Charlo Brea (1994). Public. de la Universidad de Cádiz, p. 257-268.

Durand Guiziou, M.-C; Gabet, D; González Santana, R.D. (1994): "Los falsos amigos en su contexto". Actas del II Coloquio de Filología Francesa en la Universidad Española, Almagro 1993, publicadas por J. Bravo (1994). Universidad de Castilla-La Mancha, p. 103-110.

Fedor de Diego, A. (1995): "El aporte de la terminología al desarrollo de las habilidades del pensamiento". *Sendebar*, vol. 6, 1995, p. 175-184.

Ferrándiz Martín, S. & al. (1992): "La terminología y la documentación: Dos disciplinas claves en la formación de traductores". Coloquio Iberoamericano sobre la enseñanza de la Terminología. *La Enseñanza de la Terminología.* Actas publicadas por N. Gallardo, D. Sánchez (1992). Publicaciones de la Universidad de Granada, p. 255-261.

Franquesa, E; Puiggene, A. (1992): "Tipos de profesionales con necesidades terminológicas y modalidades de formación en terminología". Coloquio Iberoamericano sobre la enseñanza de la Terminología. *La Enseñanza de la Terminología.* Actas publicadas por N. Gallardo, D. Sánchez (1992). Publicaciones de la Universidad de Granada, p. 135-146.

Gallardo San Salvador, N. (1987): "La importancia de la documentación y de la terminología en la formación del traductor". Actas del IV Congreso Nacional de Lingüística Aplicada (AESLA), Córdoba abril 1986: *Lenguaje y Educación*, 2 vols., publicadas por A. León Sandra (1989). Universidad de Córdoba, p. 449-463.

García Alvarez, A.M. (1992): "El uso de diccionarios y material didáctico en la enseñanza de lenguas extranjeras orientado a la traducción (Alemán)". Actas del II Congreso Internacional de la Sociedad de Didáctica de la Lengua y la Literatura, Las Palmas de Gran Canaria 1992, publicadas por A. Delgado y F. Menéndez (1992), nº 3 de la revista *El Guiniguada*, p. 339-346.

García Yebra, V. (1990): "Sobre la traducción de términos filosóficos". II Encuentros Complutenses sobre la Traducción, Madrid 1988. Actas publicadas con el mismo nombre en 1990. Public. de la Univ. Complutense de Madrid, p. 117-130.

Gómez Moreno, J.D. (1995): "Las siglas o **acronyms**, ¿un escollo insalvable en la traducción del **business english**". V Encuentros Complutenses sobre la Traducción, Madrid 1994. Actas publicadas con el mismo nombre en 1995. Public. de la Univ. Complutense de Madrid, p. 575-580.

González Herrero, B. (1990): "Los bancos de datos: contribución decisiva al trabajo del traductor". II Encuentros Complutenses sobre la Traducción, Madrid 1988. Actas publicadas con el mismo nombre en 1990. Public. de la Univ. Complutense de Madrid, p. 405-410.

González, L. (1995): "El terminólogo como mediador lingüístico". VI Encuentros Complutenses sobre la Traducción, Madrid 1995. Actas en prensa.

Guardia Massó, P. (1992): "La traducción de términos sexuales en *Los Cuentos de Canterbury*". I Curso Superior de Traducción Inglés-Español, Valladolid 1992. Textos publicados por P. Fernández Nistral (ed.) (1992): *Estudios de Traducción*. Public. del ICE de la Universidad de Valladolid, p. 61-70.

Hernando Cuadrado, L.A. (1994): "Léxico nomenclátor y traducción". IV Encuentros Complutenses sobre la Traducción, Madrid 1992. Actas publicadas con el mismo nombre en 1994. Public. de la Universidad Complutense de Madrid, p. 267-274.

Hernando Cuadrado, L.A. (1995): "Los diccionarios plurilingüe y los problemas de la traducción". VI Encuentros Complutenses sobre la Traducción, Madrid 1995. Actas en prensa.

Hoyo, A. (1988): *Diccionario de palabras y frases extranjeras en el español moderno*. Madrid, Aguilar.

Irazazábal, A. de. (1990): "El CSIC y la experiencia de **Termesp**: la terminología es un tema de actualidad". II Encuentros Complutenses sobre la Traducción, Madrid 1988. Actas publicadas con el mismo nombre en 1990. Public. de la Univ. Complutense de Madrid, p. 411-417.

Irazazábal, A. de; Alvarez Borge, S. (1988): "El Eurodicautom, banco de datos de la CEE, una herramienta al servicio de los traductores". Jornadas europeas de traducción e interpretación, Granada 1987. *Actas de las Jornadas Europeas de Traducción e Interpretación* (1988). Public. de la Universidad de Granada, p. 103-114.

Irazazábal, A. de; Román, E; Rodríguez Ortega, N; Schnell, B. (1995): "Aplicación de Internet en la difusión de la información sobre Terminología". VI Encuentros Complutenses sobre la Traducción, Madrid 1995. Actas en prensa.

Irazazábal, A. de; Schwarz, E. (1993): "Las bases de datos terminológicas como ayuda al traductor". III Encuentros Complutenses sobre la Traducción, Madrid 1990. Actas publicadas con el mismo nombre en 1993. Public. de la Univ. Complutense de Madrid, p. 301-317.

Kreutzer, M. (1992): "Los bancos de datos terminográficos residentes y su aplicación en la enseñanza de la traducción". Actas publicadas por Parcerisas, F. (ed.) (1995): *Actes del I Congrès Internacional sobre Traducció* (abril 1992). Publicacions de l'Universitat Autónoma de Barcelona, p. 87-90.

Lépinette, B. (1994): "La lexicografía bilingüe no convencional. Propuesta para la constitución de una base de datos contrastivos destinada a la traducción automática". I Encuentro Interdisciplinar de Teoría y Práctica de la Traducción, Cádiz 1993. *Reflexiones sobre la Traducción*. Actas publicadas por L. Charlo Brea (1994). Public. de la Universidad de Cádiz, p. 345-354.

Lorenzo Criado, E. (1986): "Tecnicismos y traducción". *Telos* 5, p. 90-95.

Lorenzo Criado, E. (1992): "Anglicismos y traducciones". *Studia Patriciae Shaw Oblata*. Publ. por S. González Fernández-Corugedo & al. (eds.). Universidad de Oviedo, vol. I, p. 67-79.

Llamas Muñoz, M.E. (1993): "Una aproximación a la traducción de las variaciones dialectales en James Joyce". Actas del XV Congreso Nacional de la AEDEAN, Logroño, publicadas por F.J. Ruíz de Mendoza & C. Cunchillos (1991). Universidad de La Rioja, p. 137-142.

Marcos Marín, F. (1988): "La terminología en la traducción por ordenador". *Telos* 16, 1988, p. 125-136.

Mateo Martínez-Bartolomé, M. (1990): "La traducción del Black English y el argot negro norteamericano". *Revista Alicantina de Estudios Ingleses* 7, p. 97-106.

Mayoral Asensio, R. (1988): "Necesidades de normalización terminológica en España desde la perspectiva de la traducción". Jornadas europeas de traducción e interpretación, Granada 1987. *Actas de las Jornadas Europeas de Traducción e Interpretación* (1988). Public. de la Universidad de Granada, p. 131-144.

Mayoral Asensio, R. (1994): "Glosario de términos educativos (EE.UU./España) para traductores jurados en documentación académica". *Sendebar*, vol. 5, 1994, p. 121-173.

Medina Guerra, A.M. (1993): *Los diccionarios bilingües con el latín y el español*. Tesis inédita, Universidad de Málaga.

Melby, A; Budin, G; Wright, S.E. (1993): "Terminology Interchange Format (TIF)". *Sendebar*, vol. 4, 1993, p. 69-110.

Merck Navarro, B. (1995): "Traducción de terminología taurina al alemán". VI Encuentros Complutenses sobre la Traducción, Madrid 1995. Actas en prensa.

Morales Lara, E. (1994): "Neologismos en los diccionarios: una gran ayuda para el traductor". I Encuentro Interdisciplinar de Teoría y Práctica de la Traducción, Cádiz 1993. *Reflexiones sobre la Traducción*. Actas publicadas por L. Charlo Brea (1994). Public. de la Universidad de Cádiz, p. 405-414.

Muñoz, R. (1990): "Problemas relacionados con la informatización de un diccionario español-árabe". Actas de las Jornadas de Hispanismo Arabe (Madrid mayo 1988), publicadas por F. de Agreda (1990). Madrid, Agencia Española de Cooperación Internacional, p. 87-102.

Nakos, D. (1993): "Aspects de l'évolution de la terminologie traductionnelle au Canada". *Livius*, 3 (1993), p. 209-216.

Neunzig, W. (1992): "Apuntes sobre la terminografía aplicada a la traducción". Actas publicadas por Parcerisas, F. (ed.) (1995): *Actes del I Congrès Internacional sobre Traducció* (abril 1992). Publicacions de l'Universitat Autónoma de Barcelona, p. 81-86.

Noya Gallardo, C. (1994): "Interferencias lingüísticas en la terminología vinícola jerezana en inglés". IV Encuentros Complutenses sobre la Traducción, Madrid 1992. Actas publicadas con el mismo nombre en 1994. Public. de la Universidad Complutense de Madrid, p. 309-314.

Noya Gallardo, C. (1995): "Los **falsos amigos** y los calcols en las traducciones de terminologías específicas". V Encuentros Complutenses sobre la Traducción, Madrid 1994. Actas publicadas con el mismo nombre en 1995. Public. de la Univ. Complutense de Madrid, p. 589-594.

Ortiz Miralla, J.M. (1991): "Glosario bilingüe de física inglés-español". *Sendebar*, vol. 2, 1991, p. 117-154.

Pico, B. (1995): "De la circularidad texto-diccionario y otras dificultades para conocer el significado de las palabras en francés medieval". III Coloquio de la APFFUE, Barcelona 1995. Actas publicadas por F. Lafarga, A. Ribas, M. Tricas (1995): *La Traducción. Metodología, Historia, Literatura, Ambito hispanofrancés*. Barcelona, PPU, p. 69-74.

Pol de la Escalera, M. (1992): "La terminología y la documentación: Dos disciplinas claves en la formación de traductores". Coloquio Iberoamericano sobre la enseñanza de la Terminología. *La Enseñanza de la Terminología*. Actas publicadas por N. Gallardo, D. Sánchez (1992). Publicaciones de la Universidad de Granada, p. 255-261.

Prados, D. (1994): "Panorama de los trabajos de terminología en Iberoamérica desde 1987 hasta nuestros días". *Sendebar*, vol. 5, 1994, p. 113-120.

Puiggene, A; Franquesa, E. (1992): "Tipos de profesionales con necesidades terminológicas y modalidades de formación en terminología". Coloquio Iberoamericano sobre la enseñanza de la Terminología. *La Enseñanza de la Terminología*. Actas publicadas por N. Gallardo, D. Sánchez (1992). Publicaciones de la Universidad de Granada, p. 135-146.

Raya Bazoco, S. (1992): "La terminología y la documentación: Dos disciplinas claves en la formación de traductores". Coloquio Iberoamericano sobre la enseñanza de la Terminología. *La Enseñanza de la Terminología*. Actas publicadas por N. Gallardo, D. Sánchez (1992). Publicaciones de la Universidad de Granada, p. 255-261.

Roffé Gómez, A. (1995): "Traduction et enseignement du lexique argotique et populaire français". III Coloquio de la APFFUE, Barcelona 1995. Actas publicadas por F. Lafarga, A. Ribas, M. Tricas (1995): *La Traducción. Metodología, Historia, Literatura, Ambito hispanofrancés*. Barcelona, PPU, p. 455-459.

Roig Morras, C. (1995): "El *Nuevo diccionario francés-español* de Antonio de Capmany". III Coloquio de la APFFUE, Barcelona 1995. Actas publicadas por F. Lafarga, A. Ribas, M. Tricas (1995): *La Traducción. Metodología, Historia, Literatura, Ambito hispanofrancés*. Barcelona, PPU, p. 75-80.

Sager, J.C. (1993): *Curso práctico sobre el procesamiento de la terminología*. Madrid, Pirámide.

Samsó, J. (1982): "Algunas notas sobre el léxico astronómico del tratado alfonsí sobre la esfera". *Cuadernos de Traducción e Interpretación*, 1, 1982, p. 93-98.

Sánchez Puig, M. (1994): "Léxico de drogadictos en el ruso actual: sistematización y traducción". IV Encuentros Complutenses sobre la Traducción, Madrid 1992. Actas publicadas con el mismo nombre en 1994. Public. de la Universidad Complutense de Madrid, p. 259-266.

Sánchez-Lafuente, J.L. (1991): "Bibliografía disponible en la EUTI de Granada sobre traducción, interpretación, terminología y materias afines (II)". *Sendebar*, vol. 2, 1991, p. 177-182.

Schutz, R. (1990): "La traducción de palabras". II Encuentros Complutenses sobre la Traducción, Madrid 1988. Actas publicadas con el mismo nombre en 1990. Public. de la Univ. Complutense de Madrid, p. 137-144.

Schwarz, E. (1990): "Traducción de textos sectoriales: importancia de la terminología". II Encuentros Complutenses sobre la Traducción, Madrid 1988. Actas publicadas con el mismo nombre en 1990. Public. de la Univ. Complutense de Madrid, p. 203-211.

Sierra Delage, M. (1994): "Terminología comparada: principio de la metalurgia/**principe de la métalurgie**". IV Encuentros Complutenses sobre la Traducción, Madrid 1992. Actas publicadas con el mismo nombre en 1994. Public. de la Universidad Complutense de Madrid, p. 315-322.

Sierra Soriano, A. (1992): "El vocabulario de especialidad en la macroestructura de los diccionarios bilingües francés-español". C. Inchaurralde & al.: *Semántica y lenguajes especializados*. Zaragoza, Dpto. de F. Inglesa y Alemana de la Universidad, p. 203-210.

Sierra Soriano, A. (1993): "La traduction des noms propres et de leurs derivés dans la lexicographie bilingue français-espagnol". *Contrastes* mai 1993, p. 131-143.

Sierra Soriano, A. (1994): "La traduction des technolectes dans la pratique dictionnaire bilingue générale (français-espagnol): relations d'équivalence". Actas del Congreso Luso-Hispano de Lenguas Aplicadas a las Ciencias y la Tecnología: *Lenguas para fines específicos: temas fundamentales*, publicadas por R. Alejo, M. McGinity, S. Gómez (1994). Dpto. de Filología Inglesa de la Universidad de Extremadura, p. 241-247.

Sierra Soriano, A. (1995): "El sistema de traducción de los diccionarios bilingües". C. Hernández & al.: *Aspectes de la reflexió i de la praxi interlingüística*. Quaderns de Filologia I, Fac. de Filologia, Univ. de Valencia,

Supiot, A. (1991): "Un diccionario bilingüe (español-francés, francés-español) del siglo XVIII. *El Diccionario Nuevo* de Francisco Sobrino". Coloquio Traducción y Adaptación Cultural España-Francia, Oviedo 1990. Actas publicadas en 1991 por M.L. Donaire, F. Lafarga: *Traducción y Adaptación cultural España-Francia*. Public. de la Universidad de Oviedo, p. 493-502.

Tejedor Martínez, C. (1995): "El diccionario bilingüe y la traducción: Ejemplos prácticos". I Encuentros Alcalainos de Traducción. Cultura sin fronteras. *Encuentros en torno a la traducción*. Actas publicadas por C. Valero Garcés (1995). Publicaciones de la Universidad de Alcalá de Henares, p. 223-230.

Valencia, M.D. (1991): "Sobre lexicografía hispanoitaliana del s. XVII: el vocabulario de Lorenzo Franciosini". *Sendebar*, vol. 2, 1991, p. 23-38.

Vega Cernuda, M.A. (1995): "La primera de Doblin en España o a propósito de la traducción de topónimos: Berlín, Plaza de Alejandro". *Hieronymus Complutensis* nº 2, 1995, p. 121-126.

Vilar Sánchez, K; Jiménez Hurtado, C. (1993): "La información pragmática en los diccionarios. Los verbos del campo de la alimentación en español y alemán". Actas del XI Congreso Nacional de Lingüística Aplicada (AESLA), Valladolid 1993, publicadas por J.M. Ruiz Ruiz, P. Sheerin Nolan, E. González - Cascos (1995). Universidad de Valladolid, p. 919-932.

Wotjak, G. (1994): "Lexicología contrastiva". *Traducción y Contraste Lingüístico-Cultural*. Valencia 1994, UIMP,

Wotjak, G. (1995): "Reflexiones acerca de un diccionario para traductores". VI Encuentros Complutenses sobre la Traducción, Madrid 1995. Actas en prensa.

TRADUCCIÓN Y CULTURA

Abdel-Karim, G. (1990): "Aproximación al tema español en la obra de Sal~ah 'Abd al-Sab~ur. Dos poemas: análisis y estudio". Actas de las Jornadas de Hispanismo Arabe (Madrid mayo 1988), publicadas por F. de Agreda (1990). Madrid, Agencia Española de Cooperación Internacional, p. 359-370.

Adanjo Correia, M.R. (1993): "El 'exotismo' del portugués del Brasil y de Angola: Reflexión fragmentaria sobre un problema de traducción". *Livius*, 4 (1993), p. 1-14.

Alsina, A; Bel, A. (1986): "Els pronoms personals en català i en castellà: Anàlisi i contrast". *Cuadernos de Traducción e Interpretación*, 7, 1986, p. 141-160.

Alvarez Calleja, M.A. (1994): "Lingüística aplicada a la traducción: Interpretación textual en el marco sistémico-funcional y sus desplazamientos hacia una orientación cultural". *Estudios Ingleses de la Universidad Complutense (Homenaje a D. Emilio Lorenzo)* 2, 1994, p. 205-220.

Allah Djbilou, A. (1990): "El tema español en la poesía marroquí actual". Actas de las Jornadas de Hispanismo Arabe (Madrid mayo 1988), publicadas por F. de Agreda (1990). Madrid, Agencia Española de Cooperación Internacional, p. 247-254.

Anamur, H. (1994): "Un problème majeur de la traduction littéraire: les valeurs culturelles". I Jornadas Internacionales de Traducción e Interpretación: Tendencias actuales, Las Palmas de Gran Canaria 1994. Actas en prensa.

Argente, J.A. (1983): "Significació literal, significació social i traducció (a propòsit d'un fragment de la *Ilíada*)". *Cuadernos de Traducción e Interpretación*, 3, 1983, p. 135-142.

Atfeh, R. (1990): "Presencia de *Cien años de soledad* en la novela *Flor desándalo* de Walid Ihlasi". Actas de las Jornadas de Hispanismo Arabe (Madrid mayo 1988), publicadas por F. de Agreda (1990). Madrid, Agencia Española de Cooperación Internacional, p. 263-268.

Aymes, J.R. (1991): "Doce viajeros románticos franceses ante la irreductible hispanidad idiomática". Coloquio Traducción y Adaptación Cultural España-Francia, Oviedo 1990. Actas publicadas en 1991 por M.L. Donaire, F. Lafarga: *Traducción y Adaptación cultural España-Francia*. Public. de la Universidad de Oviedo, p. 61-78.

Barrado Belmar, M.C. (1994): "*Tavola, civi, vini*: Traducción o adaptación sociocultural de estructuras paremiológicas italianas y españolas". *Paremia* 3, 1994, p. 83-88.

Barrera Vidal, A. (1995): "Traducción e interculturalidad: la versión española del mundo de Tintín". V Encuentros Complutenses sobre la Traducción, Madrid 1994. Actas publicadas con el mismo nombre en 1995. Public. de la Univ. Complutense de Madrid, p. 483-498.

Becher, G. (1992): "Criterios, métodos y material didáctico para la enseñanza dela Civilización / Cultura de un país en el programa de lenguas extranjeras orientado a la traducción (alemán)". Actas del II Congreso Internacional de la Sociedad de Didáctica de la Lengua y la Literatura, Las Palmas de Gran Canaria 1992, publicadas por A. Delgado y F. Menéndez (1992), nº 3 de la revista *El Guiniguada*, p. 331-338.

Behiels, L. (1994): "La recepción de Jorge Guillén en Bélgica: meditaciones acerca de una casi ausencia". I Congreso Internacional de traducción e Interpretación de Soria, 1993. Actas publicadas por A. Bueno, M. Ramiro, J.M. Zarandona (1994): *La traducción de lo inefable*. Publicaciones del Colegio Universitario de Soria, p. 205-218.

Buesa Gómez, C. (1995): "Enfoques transculturales de la traducción literaria". I Encuentros Alcalainos de Traducción. Cultura sin fronteras. *Encuentros en torno a la traducción*. Actas publicadas por C. Valero Garcés (1995). Publicaciones de la Universidad de Alcalá de Henares, p. 35-44.

Cabrera Ponce, I. (1993): "El aporte de la traducción al proceso de desarrollo de la cultura chilena en el siglo XIX". *Livius*, 3 (1993), p. 51-64.

Cáceres Würsig, I. (1995): "Un ejemplo perfecto de traducción cultural: la historieta gráfica". V Encuentros Complutenses sobre la Traducción, Madrid 1994. Actas publicadas con el mismo nombre en 1995. Public. de la Univ. Complutense de Madrid, p. 527-538.

Calvet Lora, R.M. (1989): "La imagen de Francia a través del teatro de A. Dumas (hijo)". *Imágenes de Francia en las letras hispánicas*. Ed. Francisco Lafarga. Barcelona, PPU, 1989, p. 317-326.

Caminade, M; Gabet, D. (1992): "La traduction ou le rapport des forces culturelles". Actas publicadas por Parcerisas, F. (ed.) (1995): *Actes del I Congrès Internacional sobre Traducció* (abril 1992). Publicacions de l'Universitat Autónoma de Barcelona, p. 403-408.

Canellas de Castro Duarte, D. (1993): "Abordaje de la traducción a partir del paralelismo y la discrepancia de la proximidad lingüística". III Encuentros Complutenses sobre la Traducción, Madrid 1990. Actas publicadas con el mismo nombre en 1993. Public. de la Univ. Complutense de Madrid, p. 33-40.

Cantera Ortiz de Urbina, J. (1995): "El conocimiento de la Historia y la civilización en la traducción del *Libro de Rut* al español". VI Encuentros Complutenses sobre la Traducción, Madrid 1995. Actas en prensa.

Casado Ramos, J.M. (1990): "El grupo de traducción del Instituto Hispaño-Arabe de Cultura de Bagdad". Actas de las Jornadas de Hispanismo Arabe (Madrid mayo 1988), publicadas por F. de Agreda (1990). Madrid, Agencia Española de Cooperación Internacional, p. 421-424.

Comicre, I; García, A. (1995): "Importancia del referente cultural en la traducción de anuncios publicitarios impresos". VI Encuentros Complutenses sobre la Traducción, Madrid 1995. Actas en prensa.

Chiclana, A. (1990): "La frase malsonante, el insulto y la blasfemia, según el ámbito lingüístico-cultural". II Encuentros Complutenses sobre la Traducción, Madrid 1988. Actas publicadas con el mismo nombre en 1990. Public. de la Univ. Complutense de Madrid, p. 81-94.

Delgado Yoldi, M. (1990): "La traducción de la expresión malsonante (inglés-español)". II Encuentros Complutenses sobre la Traducción, Madrid 1988. Actas publicadas con el mismo nombre en 1990. Public. de la Univ. Complutense de Madrid, p. 101-106.

Dengler Gassin, R. (1989): "El drama romántico francés en Madrid (1830-1850)". *Imágenes de Francia en las letras hispánicas*. Ed. Francisco Lafarga. Barcelona, PPU, 1989, p. 307-317.

Dengler Gassin, R. (1991): "Alcance de las traducciones de obras francesas en los repertorios teatrales madrileños entre 1830 y 1850". R. Dengler Gassin (ed.): *Estudios humanísticos en homenaje a Luis Cortés Vázquez*, Universidad de Salamanca, vol. I, p. 161-169.

Donaire Fernández, M.L. (1991): "Opacidad lingüística, idiosincrasia cultural". Coloquio Traducción y Adaptación Cultural España-Francia, Oviedo 1990. Actas publicadas en 1991 por M.L. Donaire, F. Lafarga: *Traducción y Adaptación cultural España-Francia*. Public. de la Universidad de Oviedo, p. 79-92.

Eguiluz, F. (1994): "Al acecho de la traducción literaria como paradigma de trasvase cultural". Jornadas sobre Trasvases Culturales: Literatura, Cine, Traducción (20-22 mayo 1993). Actas publicadas por F. Eguiluz (1994). Vitoria, Public. de la Univ. del País Vasco, p. 183-190.

Elvira Rodríguez, A. (1989): "Traducción literaria: Aspectos de las interferencias culturales". *Actas del VI Simposio de la Sociedad Española de Literatura General y Comparada* (13-15 marzo 1986). Actas publicadas por J. Paredes Nuñez, A. Soria Olmedo (1989), Granada, Publicaciones de la Universidad, p. 293-299.

Faris al-Taan, H. (1990): "Traductores de español al árabe en Iraq. Realidad de la lengua española en Iraq". Actas de las Jornadas de Hispanismo Arabe (Madrid mayo 1988), publicadas por F. de Agreda (1990). Madrid, Agencia Española de Cooperación Internacional, p. 429-432.

Fehér, K. (1994): "El aislamiento lingüístico del idioma húngaro". I Jornadas Internacionales de Traducción e Interpretación: Tendencias actuales, Las Palmas de Gran Canaria 1994. Actas en prensa.

Fernández Borchardt, R. (1989): "Waldo Frank: un puente cultural entre la América hispana y anglosajona". XI Congreso de AEDEAN, León 1987. Actas publicadas por J.C. Santoyo (1989): *Translation Across Cultures*: La traducción en el mundo hispánico y anglosajón, relaciones lingüísticas, culturales y literarias. Publicaciones de la Univ. de León, p. 245-250.

Field, P. (1987): "The Cultural Background of a Translator". I Jornadas Nacionales de Historia de la Traducción, León 1987. Actas publicadas por J.C. Santoyo, R. Rabadán, T. Guzmán, J.L. Chamosa (1987) *Fidus interpres*, vol. 1 y (1989) *Fidus Interpres*, vol. 2. Public. de la Universidad de León, vol. II, p. 148-153.

Figueroa, A. (1991): "La lectura en el otro espacio". Coloquio Traducción y Adaptación Cultural España-Francia, Oviedo 1990. Actas publicadas en 1991 por M.L. Donaire, F. Lafarga: *Traducción y Adaptación cultural España-Francia*. Public. de la Universidad de Oviedo, p. 21-30.

Flotow, L. (1994): "Quebec's écriture au féminin and translation politicized". Jornadas sobre Trasvases Culturales: Literatura, Cine, Traducción (20-22 mayo 1993). Actas publicadas por F. Eguiluz (1994). Vitoria, Public. de la Univ. dcl País Vasco, p. 219-229.

Fradera Barceló, M; Morvay, K. (1992): "Europa nova - necessitats noves". Actas publicadas por Parcerisas, F. (ed.) (1995): *Actes del I Congrès Internacional sobre Traducció* (abril 1992). Publicacions de l'Universitat Autónoma de Barcelona, p. 679-696.

García Bascuñana, J.F. (1991): "Traducción literaria y civilización medieval: Versión castellana de las poesías completas de Charles d'Orleans". I Coloquio Internacional de Traductología, Valencia 1989. Actas publicadas por B. Lépinette, A. Olivares, E. Sopeña, E. (1991) *Actas del Primer Coloquio Internacional de traductología*. Public. por la Universitat de Valencia, *Quaderns de Filologia*, p. 109-112.

García de la Banda, F. (1995): "**Fishing in a very** dull **canal**: Estudio de las traducciones de la palabra **dull** en dos contextos de *The Waste Land* de T.S. Eliot". V Encuentros Complutenses sobre la Traducción, Madrid 1994. Actas publicadas con el mismo nombre en 1995. Public. de la Univ. Complutense de Madrid, p. 285-298.

Giersiepen, C. (1994): "La traducción al alemán del refranero español. La re-creación de un elemento comunicativo específicamente cultural". I Jornadas Internacionales de Traducción e Interpretación: Tendencias actuales, Las Palmas de Gran Canaria 1994. Actas en prensa.

González Doreste, D.M. (1995): "La traducción de textos científicos medievales y su relación con la civilización". III Coloquio de la APFFUE, Barcelona 1995. Actas publicadas por F. Lafarga, A. Ribas, M. Tricas (1995): *La Traducción. Metodología, Historia, Literatura, Ambito hispanofrancés*. Barcelona, PPU, p. 441-446.

González Fisac, J. (1995): "La traducción como modo de ser el hombre en el lenguaje (apuntes para la lectura de *Die Aufgabe des Übersetzers*)". V Encuentros Complutenses sobre la Traducción, Madrid 1994. Actas publicadas con el mismo nombre en 1995. Public. de la Univ. Complutense de Madrid, p. 333-340.

Hassoun, J. (1991): "Le mal, lieu commun de l'inter-culturel". Coloquio Traducción y Adaptación Cultural España-Francia, Oviedo 1990. Actas publicadas en 1991 por M.L. Donaire, F. Lafarga: *Traducción y Adaptación cultural España-Francia*. Public. de la Universidad de Oviedo, p. 45-50.

Kelliny, W. (1994): "Translation: bridging the cultural gap between the source and the target language". I Jornadas Internacionales de Traducción e Interpretación: Tendencias actuales, Las Palmas de Gran Canaria 1994. Actas en prensa.

Khaleeva, I. (1994): "Concepción de formación profesional bilingüe y bicultural de traductores e intérpretes". I Jornadas Internacionales de Traducción e Interpretación: Tendencias actuales, Las Palmas de Gran Canaria 1994. Actas en prensa.

Lozano González, W.C. (1995): "La traducción al español de *Les bestiaires* de H. de Montherlant por Pedro Salinas: un caso de restitución cultural". III Coloquio de la APFFUE, Barcelona 1995. Actas publicadas por F. Lafarga, A. Ribas, M. Tricas (1995): *La Traducción. Metodología, Historia, Literatura, Ambito hispanofrancés*. Barcelona, PPU, p. 307-314.

Márquez Villegas, L. (1995): "Dos cuestiones lingüísticas a propósito del absolutismo". *Sendebar*, vol. 5, 1994, p. 283-287.

Martín, A; Padilla Benítez, P. (1991): "Las referencias culturales de carácter institucional en la interpretación de conferencias". *Sendebar*, vol. 2, 1991, p. 37-44.

Messner, D. (1993): "Las relaciones luso-germanas a través de la traducción". III Encuentros Complutenses sobre la Traducción, Madrid 1990. Actas publicadas con el mismo nombre en 1993. Public. de la Univ. Complutense de Madrid, p. 183-192.

Monnickendam, A. (1989): "Scotland and the Imperial Vision of the Anglo-Saxon World". XI Congreso de AEDEAN, León 1987. Actas publicadas por

J.C. Santoyo (1989): *Translation Across Cultures*: La traducción en el mundo hispánico y anglosajón, relaciones lingüísticas, culturales y literarias. Publicaciones de la Univ. de León, p. 265-270.

Monroy Casas, R; Hernández Campoy, J.M. (1995): "A Sociolinguistic Approach to the Study of Idioms: Some Anthropologic Sketches". *Cuadernos de Filología Inglesa* 4, 1995, p. 43-62.

Montes Granado, C. (1993): "La sociolingüística aplicada a la traducción: Dos casos prácticos". Actas del XV Congreso Nacional de la AEDEAN, Logroño, publicadas por F.J. Ruíz de Mendoza & C. Cunchillos (1991). Universidad de La Rioja, p. 695-701.

Mouillaud-Fraisse, G. (1991): "En espagnol dans le texte". Coloquio Traducción y Adaptación Cultural España-Francia, Oviedo 1990. Actas publicadas en 1991 por M.L. Donaire, F. Lafarga: *Traducción y Adaptación cultural España-Francia*. Public. de la Universidad de Oviedo, p. 51-58.

Murillo, A.M. (1994): "Cultural transfer in different literary contexts. The Case of *La Celestina*". Jornadas sobre Trasvases Culturales: Literatura, Cine, Traducción (20-22 mayo 1993). Actas publicadas por F. Eguiluz (1994). Vitoria, Public. de la Univ. del País Vasco, p. 351-357.

Navarro Salazar, M.T. (1995): "Adecuación de registros y equivalencias culturales en la traducción literaria". VI Encuentros Complutenses sobre la Traducción, Madrid 1995. Actas en prensa.

Nencioni, A. (1992): "Italia - Spagna negli anni'80: appunti sulla conoscenza reciproca attraverso la traduzione". *Livius*, 2 (1992), p. 269-280.

Olivares Pardo, M.A; Sopeña Balordi, A.E. (1991): "Aproximación a los fenómenos culturales y lingüísticos en undoblaje: *La encajera* de Claude Goretta". Coloquio Traducción y Adaptación Cultural España-Francia, Oviedo 1990. Actas publicadas en 1991 por M.L. Donaire, F. Lafarga: *Traducción y Adaptación cultural España-Francia*. Public. de la Universidad de Oviedo, p. 391-400.

Olivares Vaquero, M.D. (1989): "El tema de Inés de Castro en Francia y en España: la Inés de La Motte y la Inés de Bretón". *Imágenes de Francia en las letras hispánicas*. Ed. Francisco Lafarga. Barcelona, PPU, 1989, p. 281-286.

Pegenaute Rodríguez, L. (1994): "Traducción y poder: repercusión de la función ideológica en la literatura traducida". I Jornadas Internacionales de Traducción e Interpretación: Tendencias actuales, Las Palmas de Gran Canaria 1994. Actas en prensa.

Pérez Gallego, C. (1985): "Shakespeare: familia y sociedad". *Cuadernos de Traducción e Interpretación*, 5/6, 1985, p. 91-112.

Prieto González, M.L. (1990): "El tema español en un relato de 'Abd al-Rahm~an Ma^y~id al-Rubay'~i': Zil~al al-Ta^yriba al-haz~ina (*Sombra de la experiencia triste*)". Actas de las Jornadas de Hispanismo Arabe (Madrid mayo 1988), publicadas por F. de Agreda (1990). Madrid, Agencia Española de Cooperación Internacional, p. 285-290.

Rainey, B. (1994): "Translation in a bilingual, multicultural environment: the Saskatchewan experience". I Jornadas Internacionales de Traducción e Interpretación: Tendencias actuales, Las Palmas de Gran Canaria 1994. Actas en prensa.

Ramírez García, T. de J. (1994): "Factores extralingüísticos y su importancia en la traducción poética". I Jornadas Internacionales de Traducción e Interpretación: Tendencias actuales, Las Palmas de Gran Canaria 1994. Actas en prensa.

Ramírez Jáimez, A.S. (1994): "El papel del elemento cultural en la literatura de emigración: autores hispanos en lengua inglesa". I Congreso Internacional de traducción e Interpretación de Soria, 1993. Actas publicadas por A. Bueno, M. Ramiro, J.M. Zarandona (1994): *La traducción de lo inefable*. Publicaciones del Colegio Universitario de Soria, p. 435-442.

Ramos, A. (1990): "Visión de España en la literatura árabe contemporánea: dos ejemplos sirios". Actas de las Jornadas de Hispanismo Arabe (Madrid mayo 1988), publicadas por F. de Agreda (1990). Madrid, Agencia Española de Cooperación Internacional, p. 255-262.

Rayess, C. (1990): "La temática española en la poesía de Abdel Wahhab Al Bayati". Actas de las Jornadas de Hispanismo Arabe (Madrid mayo 1988), publicadas por F. de Agreda (1990). Madrid, Agencia Española de Cooperación Internacional, p. 371-376.

Riabtseva, N. (1994): "National mentality and translation". I Jornadas Internacionales de Traducción e Interpretación: Tendencias actuales, Las Palmas de Gran Canaria 1994. Actas en prensa.

Ribeiro Pires Vieira, E. (1994): "Mapping out the historicity of translation". I Jornadas Internacionales de Traducción e Interpretación: Tendencias actuales, Las Palmas de Gran Canaria 1994. Actas en prensa.

Rodríguez Monroy, A. (1995): "¿Teología de la traducción o teoría de la cultura?". Dossier: El difícil lugar del traductor. *Quimera* 140-141, p. 51-54.

Rodríguez Ortega, N; Schnell, B. (1994): "Una visión de América Latina a través de las versiones alemana y francesa de un best-seller de la literatura latinoamericana: *La casa de los espíritus*". I Jornadas Internacionales de Traducción e Interpretación: Tendencias actuales, Las Palmas de Gran Canaria 1994. Actas en prensa.

Ruiz Alvarez, R. (1991): "La transferencia de géneros, modelo de interpretación de otra cultura: A. Hardy". Coloquio Traducción y Adaptación Cultural España-Francia, Oviedo 1990. Actas publicadas en 1991 por M.L. Donaire, F. Lafarga: *Traducción y Adaptación cultural España-Francia*. Public. de la Universidad de Oviedo, p. 243-252.

Sabir, A. (1990): "Limitaciones sociolingüísticas de la traducción: algunas soluciones". Actas de las Jornadas de Hispanismo Arabe (Madrid mayo 1988), publicadas por F. de Agreda (1990). Madrid, Agencia Española de Cooperación Internacional, p. 63-74.

Saleh, W.G. (1990): "*Al-Andalus* y el teatro árabe contemporáneo". Actas de las Jornadas de Hispanismo Arabe (Madrid mayo 1988), publicadas por F. de Agreda (1990). Madrid, Agencia Española de Cooperación Internacional, p. 269-284.

Samaniego Fernández, E. (1995): "Las referencias culturales como áreas de inequivalencia interlingüística". I Encuentros Alcalainos de Traducción. Cultura sin fronteras. *Encuentros en torno a la traducción*. Actas publicadas por C. Valero Garcés (1995). Publicaciones de la Universidad de Alcalá de Henares, p. 55-74.

San Ginés Aguilar, P. (1988): "La traducción y la diversidad de lenguas". Jornadas europeas de traducción e interpretación, Granada 1987. *Actas de las Jornadas Europeas de Traducción e Interpretación* (1988). Public. de la Universidad de Granada, p. 171-178.

San Ginés Aguilar, P. (1989): "Etienne Dolet - Luxun: Dos épocas, dos culturas (el s. XVI en Francia, el s. XX en China)". I Jornadas Nacionales de Historia de la Traducción, León 1987. Actas publicadas por J.C. Santoyo, R. Rabadán, T. Guzmán, J.L. Chamosa (1987) *Fidus interpres*, vol. 1 y (1989) *Fidus Interpres*, vol. 2. Public. de la Universidad de León, vol. II, p. 227-235.

Sánchez Lizarralde, R. (1994): "La traducción como vínculo entre mundos". *Vasos comunicantes* 3, p. 43-51.

Santoyo, J.C. (1983): *La cultura traducida*. Lección inaugural del curso académico 1983-1984. Public. de la Universidad de León.

Santoyo, J.C. (1994): "Traducción de cultura, traducción de civilización". I Jornades sobre la Traducció, Castelló 1993. Actas publicadas por A. Hurtado Albir (1994) *Estudis sobre la Traducció*. Public. de la Universitat Jaume I de Castelló, p. 141-152.

Sanz Hernández, T. (1991): "España mítica en dos momentos de la creación literaria y musical francesa". Coloquio Traducción y Adaptación Cultural España-Francia, Oviedo 1990. Actas publicadas en 1991 por M.L. Donaire, F. Lafarga: *Traducción y Adaptación cultural España-Francia*. Public. de la Universidad de Oviedo, p. 189-196.

Scheu, D; Aguado Giménez, P. (1993): "Condicionamientos culturales en la traducción literaria: El **Shakespeare** dc A.W. Schlegel Vs. F. Gundolf". *Livius*, 4 (1993), p. 217-230.

Snell-Hornby, M. (1995): "Lingua franca as target culture: translation in a postcolonial world". VI Encuentros Complutenses sobre la Traducción, Madrid 1995. Actas en prensa.

Soenen, J. (1994): "Imagology in the framework of translation studies". I Jornadas Internacionales de Traducción e Interpretación: Tendencias actuales, Las Palmas de Gran Canaria 1994. Actas en prensa.

Stalmach, J. (1992): "La enseñanza de la cultura rusa en el primer curso de la formación de Traductores e Intérpretes. Propuesta de programa". Actas del II Congreso Internacional de la Sociedad de Didáctica de la Lengua y la Literatura, Las Palmas de Gran Canaria 1992, publicadas por A. Delgado y F. Menéndez (1992), nº 3 de la revista *El Guiniguada*, p. 401-406.

Stalmach, J. (1994): "Gestos rusos - importancia de su enseñanza en la formación de traductores e intérpretes del ruso al español". I Jornadas Internacionales de Traducción e Interpretación: Tendencias actuales, Las Palmas de Gran Canaria 1994. Actas en prensa.

Urbaneja Clerch, L. (1994): "Las relaciones internacionales en los estudios de Traduccióne Interpretación". I Jornadas Internacionales de Traducción e Interpretación: Tendencias actuales, Las Palmas de Gran Canaria 1994. Actas en prensa.

Usandizaga, A. (1985): "Usos del humor en Enrique IV". *Cuadernos de Traducción e Interpretación*, 5/6, 1985, p. 113-122.

Valero Garcés, C. (1995): "Traducción y humor: Chistes, contrastes, desastres, adaptaciones, versiones y traducciones". I Encuentros Alcalainos de Traducción. Cultura sin fronteras. *Encuentros en torno a la traducción*. Actas publicadas por C. Valero Garcés (1995). Publicaciones de la Universidad de Alcalá de Henares, p. 197-206.

Valverde Zambrana, J.M. (1995): "Condicionantes socioculturales y traducción". VI Encuentros Complutenses sobre la Traducción, Madrid 1995. Actas en prensa.

Veglison, J. (1990): "Evocación de España por los poetas tunecinos contemporáneos". Actas de las Jornadas de Hispanismo Arabe (Madrid mayo 1988), publicadas por F. de Agreda (1990). Madrid, Agencia Española de Cooperación Internacional, p. 291-298.

Viaggio, S. (1994): "Towards a more systematic distinction between context and situation". I Jornadas Internacionales de Traducción e Interpretación: Tendencias actuales, Las Palmas de Gran Canaria 1994. Actas en prensa.

Voisin, M. (1994): "Enseigner la modernité". I Jornadas Internacionales de Traducción e Interpretación: Tendencias actuales, Las Palmas de Gran Canaria 1994. Actas en prensa.

Witte, H. (1992): "El traductor como mediador cultural. Fundamentos teóricos para la enseñanza de la Lengua y Cultura en los estudios de Traducción". Actas del II Congreso Internacional de la Sociedad de Didáctica de la Lengua y la Literatura, Las Palmas de Gran Canaria 1992, publicadas por A. Delgado y F. Menéndez (1992), nº 3 de la revista *El Guiniguada*, p. 407-414.

Zauberga, I. (1994): "Convention shifts contemporary Latvian translation". I Jornadas Internacionales de Traducción e Interpretación: Tendencias actuales, Las Palmas de Gran Canaria 1994. Actas en prensa.

CINEMATOGRÁFICA Y DE LOS MEDIOS AUDIOVISUALES

Agost, R; Chaume Varela, F. (1996): "L'ensenyament de la traducció audiovisual". III Jornades sobre la Traducció: Didáctica de la Traducció. Universitat Jaume I, Mayo 1995. Actas publicadas por A. Hurtado Albir (ed.) (1996) *La enseñanza en la traducción*. Universitat Jaume I de Castelló, p. 207-212.

Arbona Ponce, P. (1994): "El serial clásico de la BBC: La adaptación literaria como servicio público". Jornadas sobre Trasvases Culturales: Literatura, Cine, Traducción (20-22 mayo 1993). Actas publicadas por F. Eguiluz (1994). Vitoria, Public. de la Univ. del País Vasco, p. 87-93.

Bussi Parmiggiani, E. (1994): "A Passage to India: From novel to Film. Some Problems of translation". Jornadas sobre Trasvases Culturales: Literatura, Cine, Traducción (20-22 mayo 1993). Actas publicadas por F. Eguiluz (1994). Vitoria, Public. de la Univ. del País Vasco, p. 105-119.

Calvo García, J.J. (1991): "Lenny subtitulado: El deslinde de un hito". *Miscel.lània Homenatge Enrique Garcia Díez*. Publ. por A. López García, E. Rodríguez Cuadros (eds.), Universidad de Valencia, p. 483-491.

Carbo, J.M. (1992): "Alguns cals freqüens en la traducció al català de diàlegs cinematogràfics en anglès". *Cuadernos de Traducción e Interpretación*, 11/12, 1992, p. 95-98.

Cariño Damis, G. (1992): "La traducción para doblaje cinematográfico". Actas publicadas por Parcerisas, F. (ed.) (1995): *Actes del I Congrès Internacional sobre Traducció* (abril 1992). Publicacions de l'Universitat Autónoma de Barcelona, p. 319-324.

Cattrysse, P. (1994): "New functional proposals". Jornadas sobre Trasvases Culturales: Literatura, Cine, Traducción (20-22 mayo 1993). Actas publicadas por F. Eguiluz (1994). Vitoria, Public. de la Univ. del País Vasco, p. 37-55.

Chaume Varela, F. (1992): "El mode del discurs als llenguatges àudio-visuals. Problemes en llengües en procés de normalització. El cas del valencià". Actas publicadas por Parcerisas, F. (ed.) (1995): *Actes del I Congrès Internacional sobre Traducció* (abril 1992). Publicacions de l'Universitat Autónoma de Barcelona, p. 381-394.

Chaume Varela, F. (1994): "El canal de comunicación en la traducción audiovisual". Jornadas sobre Trasvases Culturales: Literatura, Cine, Traducción (20-22 mayo 1993). Actas publicadas por F. Eguiluz (1994). Vitoria, Public. de la Univ. del País Vasco, p. 139-147.

Chaume Varela, F. (1995): "La traducción audiovisual: estado de la cuestión". VI Encuentros Complutenses sobre la Traducción, Madrid 1995. Actas en prensa.

Chaves, M.J. (1993): "Los géneros de escritura presentes en el film y su traducción: el genérico". Grupo Andaluz de Pragmática (1993): *Estudios Pragmáticos, Lenguaje y Medios de Comunicación*. Dpto. de Filología Francesa de la Universidad de Sevilla, p. 101-112.

Chaves, M.J. (1995): "Traducción y cine. Subtitulación y traducción para doblaje cinematográfico: Historia, teoría y práctica". E. Le Bel (ed.) (1995): *Le masque et la plume. Traducir: reflexiones, experiencias y prácticas*, Servicio de Publicaciones de la Universidad de Sevilla, p. 177.

Davis, R.G. (1994): "Salieri Speaks: Peter Shaffer's Two versions of Amadeus". Jornadas sobre Trasvases Culturales: Literatura, Cine, Traducción (20-22 mayo 1993). Actas publicadas por F. Eguiluz (1994). Vitoria, Public. de la Univ. del País Vasco, p. 149-159.

Del Castillo Ballesteros, V.M. (1994): "De la Viena 'Fin de siècle' al París 'Rive Gauche': Reigen/La Ronde". Jornadas sobre Trasvases Culturales: Literatura, Cine, Traducción (20-22 mayo 1993). Actas publicadas por F. Eguiluz (1994). Vitoria, Public. de la Univ. del País Vasco, p. 121-129.

Deleyto, C. (1994): "Monstrous Women: The Frankenstein Myth and The Role of The Mother in Víctor Erice's *El espíritu de la colmena* (1973)". Jornadas sobre Trasvases Culturales: Literatura, Cine, Traducción (20-22 mayo 1993). Actas publicadas por F. Eguiluz (1994). Vitoria, Public. de la Univ. del País Vasco, p. 161-173.

Díaz Cintas, J. (1995): "El subtitulado de Hamlet al castellano". *Sendebar*, vol. 6, 1995, p. 147-158.

Eguiluz, F. (ed.). (1994): *Trasvases Culturales: Literatura, Cine, Traducción.* (Actas de las Jornadas). Vitoria 20-22 de mayo 1993. Publ. del Dpto. de Filología Inglesa y Alemana, Univ. del País Vasco.

Etxebarria, I. (1994): "Doblaje y subtitulación en Euskal Telebista". Jornadas sobre Trasvases Culturales: Literatura, Cine, Traducción (20-22 mayo 1993). Actas publicadas por F. Eguiluz (1994). Vitoria, Public. de la Univ. del País Vasco, p. 191-197.

Floren, C. (1994): "The Handmaid's Tale, Margaret Atwood's Novel and Volker Schlondorff'Film". Jornadas sobre Trasvases Culturales: Literatura, Cine, Traducción (20-22 mayo 1993). Actas publicadas por F. Eguiluz (1994). Vitoria, Public. de la Univ. del País Vasco, p. 211-218.

Fontcuberta i Gel, J. (1992): "La traducció de guions cinematogràfics". Actas publicadas por Parcerisas, F. (ed.) (1995): *Actes del I Congrès Internacional sobre Traducció* (abril 1992). Publicacions de l'Universitat Autónoma de Barcelona, p. 315-318.

Fra López, P. (1994): "Literary Heroes and Cinematographic Heroes: Hemingway's To Have and Have not, Curtiz's The Breaking Point and Hawks's To Have and Have not". Jornadas sobre Trasvases Culturales: Literatura, Cine, Traducción (20-22 mayo 1993). Actas publicadas por F. Eguiluz (1994). Vitoria, Public. de la Univ. del País Vasco, p. 231-241.

Francis, R.A. (1994): "Lang's M, Investigation, and Fascism: Bataille, Benjamin, and the limits of popular genre". Jornadas sobre Trasvases Culturales: Literatura, Cine, Traducción (20-22 mayo 1993). Actas publicadas por F. Eguiluz (1994). Vitoria, Public. de la Univ. del País Vasco, p. 57-86.

Gamber, I; Suomela-Salmi, E. (1994): "Subtitling: A type of Transfer". Jornadas sobre Trasvases Culturales: Literatura, Cine, Traducción (20-22 mayo 1993). Actas publicadas por F. Eguiluz (1994). Vitoria, Public. de la Univ. del País Vasco, p. 243-252.

Guatelli-Tedeschi, J; Rodríguez Rochette, V. (1992): "El doblaje de *Cyrano de Bergerac* o de las desviaciones de la traducción". Actas publicadas por Parcerisas, F. (ed.) (1995): *Actes del I Congrès Internacional sobre Traducció* (abril 1992). Publicacions de l'Universitat Autónoma de Barcelona, p. 325-332.

Gurpegui, J.A. (1994): "Versiones cinematográficas de las novelas de John Steinbeck". Jornadas sobre Trasvases Culturales: Literatura, Cine, Traducción (20-22 mayo 1993). Actas publicadas por F. Eguiluz (1994). Vitoria, Public. de la Univ. del País Vasco, p. 253-259.

Hart, M. (1992): "Subtitles vs. Dubbing". Actas publicadas por Parcerisas, F. (ed.) (1995): *Actes del I Congrès Internacional sobre Traducció* (abril 1992). Publicacions de l'Universitat Autónoma de Barcelona, p. 343-350.

Hart, M. (1994): "Subtítulos o doblaje: ¿Cuál cumple mejor con el transvase cultural?". Jornadas sobre Trasvases Culturales: Literatura, Cine, Traducción (20-22 mayo 1993). Actas publicadas por F. Eguiluz (1994). Vitoria, Public. de la Univ. del País Vasco, p. 261-268.

Howard, L. (1995): "Film Subtitling: A Challenge for the Translator". V Encuentros Complutenses sobre la Traducción, Madrid 1994. Actas publicadas con el mismo nombre en 1995. Public. de la Univ. Complutense de Madrid, p. 581-588.

Izard, N. (1992): *La traducció cinematogràfica*. Barcelona, Centre d'Investigació de la Comunicació.

Kovacic, I. (1994): "Principles of conversation organization and subtitling". I Jornadas Internacionales de Traducción e Interpretación: Tendencias actuales, Las Palmas de Gran Canaria 1994. Actas en prensa.

Lecuona, L. (1994): "Entre el doblaje y la subtitulación: La interpretación simultánea en el cine". Jornadas sobre Trasvases Culturales: Literatura, Cine, Traducción (20-22 mayo 1993). Actas publicadas por F. Eguiluz (1994). Vitoria, Public. de la Univ. del País Vasco, p. 279-286.

Marqués Marqués, I; Torregrosa Poyo, C. (1992): "Aproximación al estudio teórico de la subtitulación". Actas publicadas por Parcerisas, F. (ed.) (1995): *Actes del I Congrès Internacional sobre Traducció* (abril 1992). Publicacions de l'Universitat Autónoma de Barcelona, p. 367-380.

Martín González, G; Cámara Delgado, M. (1995): "La videoconferencia: Traducción y transcripción". I Encuentros Alcalainos de Traducción. Cultura sin fronteras. *Encuentros en torno a la traducción*. Actas publicadas por C. Valero Garcés (1995). Publicaciones de la Universidad de Alcalá de Henares, p. 207-214.

Martín Villa, L. (1994): "Estudio de las diferentes fases del proceso de doblaje". Jornadas sobre Trasvases Culturales: Literatura, Cine, Traducción (20-22 mayo 1993). Actas publicadas por F. Eguiluz (1994). Vitoria, Public. de la Univ. del País Vasco, p. 323-330.

Mayoral Asensio, R. (1993): "La traducción cinematográfica: el subtitulado". *Sendebar*, vol. 4, 1993, p. 45-68.

Mayoral Asensio, R; Kelly, D; Gallardo San Salvador, N. (1985): "Concepto de 'traducción subordinada' (cómic, cine, canción, publicidad). Perspectivas no lingüísticas de la traducción (I)". Actas del III Congreso Nacional de Lingüística Aplicada (AESLA), Valencia abril 1985: *Pasado, presente y futuro de la lingüística aplicada en España*, publicadas por F. Fernández (1986), p. 95-106.

Menziers, Y. (1991): "La traducción para T.V. y cine". *Sendebar*, vol. 2, 1991, p. 59-62.

Montes Granado, C. (1994): "Of Mice and Men and de Ratones y Hombres: Cultual transfer of substandard characters from Literary Discourse to film discourse". Jornadas sobre Trasvases Culturales: Literatura, Cine, Traducción (20-22 mayo 1993). Actas publicadas por F. Eguiluz (1994). Vitoria, Public. de la Univ. del País Vasco, p. 341-350.

Nencioni, A. (1992): "Il doppiaggio cinematografico come sussidio didattico". Actas del II Congreso Internacional de la Sociedad de Didáctica de la Lengua y la Literatura, Las Palmas de Gran Canaria 1992, publicadas por A. Delgado y F. Menéndez (1992), nº 3 de la revista *El Guiniguada*, p. 379-386.

O'Connell, E. (1994): "Media Translation and lesser-used languages: Implications of subtitles for Irish language broadcasting". Jornadas sobre Trasvases Culturales: Literatura, Cine, Traducción (20-22 mayo 1993). Actas publicadas por F. Eguiluz (1994). Vitoria, Public. de la Univ. del País Vasco, p. 367-373.

Olivares Pardo, M.A; Sopeña Balordi, A.E. (1991): "Aproximación a los fenómenos culturales y lingüísticos en undoblaje: *La encajera* de Claude Goretta". Coloquio Traducción y Adaptación Cultural España-Francia, Oviedo 1990. Actas publicadas en 1991 por M.L. Donaire, F. Lafarga: *Traducción y Adaptación cultural España-Francia*. Public. de la Universidad de Oviedo, p. 391-400.

Olsen, V. (1994): "Playing Games with Words Cultural transfer in David Lynch's Blue Velvet". Jornadas sobre Trasvases Culturales: Literatura, Cine, Traducción (20-22 mayo 1993). Actas publicadas por F. Eguiluz (1994). Vitoria, Public. de la Univ. del País Vasco, p. 375-384.

Pascua Febles, I. (1994): "Estudio sobre la traducción de los títulos de películas". IV Encuentros Complutenses sobre la Traducción, Madrid 1992. Actas publicadas con el mismo nombre en 1994. Public. de la Universidad Complutense de Madrid, p. 349-354.

Peñate Soares, A.L; Hart, M. (1994): "Los subtítulos como puente metodológico entre la traducción y la interpretación". I Jornadas Internacionales de Traducción e Interpretación: Tendencias actuales, Las Palmas de Gran Canaria 1994. Actas en prensa.

Piastra, L. (1989): "La traducción cinematográfica". I Jornadas Nacionales de Historia de la Traducción, León 1987. Actas publicadas por J.C. Santoyo, R. Rabadán, T. Guzmán, J.L. Chamosa (1987) *Fidus interpres*, vol. 1 y (1989) *Fidus Interpres*, vol. 2. Public. de la Universidad de León, vol. II, p. 344-352.

Pineda Castillo, F. (1994): "El doblaje de programas televisivos: traducción comunicativa *versus* traducción semántica". IV Encuentros

Complutenses sobre la Traducción, Madrid 1992. Actas publicadas con el mismo nombre en 1994. Public. de la Universidad Complutense de Madrid, p. 355-360.

Pineda Castillo, F. (1994): "Retórica y comunicatividad en el doblaje y subtitulación de películas". Jornadas sobre Trasvases Culturales: Literatura, Cine, Traducción (20-22 mayo 1993). Actas publicadas por F. Eguiluz (1994). Vitoria, Public. de la Univ. del País Vasco, p. 395-400.

Pineda Castillo, F. (1994): "*The Third Man*. Cohesión y coherencia en las versiones inglesa y española de la obra de Graham Greene". I Jornadas Internacionales de Traducción e Interpretación: Tendencias actuales, Las Palmas de Gran Canaria 1994. Actas en prensa.

Pineda Castillo, F. (1995): "Narrativa de ficción y narrativa cinematográfica: análisis de *The Collector*". VI Encuentros Complutenses sobre la Traducción, Madrid 1995. Actas en prensa.

Rubio, I. (1994): "The link between avant-garde and postmodernism in Women, by Philippe Sollers". Jornadas sobre Trasvases Culturales: Literatura, Cine, Traducción (20-22 mayo 1993). Actas publicadas por F. Eguiluz (1994). Vitoria, Public. de la Univ. del País Vasco, p. 409-416.

Saalbach, M. (1994): "La Literatura en versión cinematográfica: posibilidades y límites de la transposición". Jornadas sobre Trasvases Culturales: Literatura, Cine, Traducción (20-22 mayo 1993). Actas publicadas por F. Eguiluz (1994). Vitoria, Public. de la Univ. del País Vasco, p. 417-424.

Sopeña Balordi, A.E. (1988): "Analyse des renforcements affectifs et des changements de niveau de langue dans la traduction en espagnol de *Zazie dans le métro*, l'adaptation cinématographique et son doublage en espagnol". *Contrastes* 17, décembre 1988, p. 39-59.

Sopeña Balordi, A.E. (1991): "La traduction cinematographique et les études de philologie". I Coloquio Internacional de Traductología, Valencia 1989. Actas publicadas por B. Lépinette, A. Olivares, E. Sopeña, E. (1991) *Actas del Primer Coloquio Internacional de traductología*. Public. por la Universitat de Valencia, *Quaderns de Filologia*, p. 191-194.

Sopeña Balordi, A.E. (1991): "Les sous-titres de *La Marseillaise* de Renoir: un exemple représentatif". *Contrastes* 10, octobre 1991, p. 71-78.

Spooner, D. (1992): "Intra-textual Translation - Novel/Film/Dubbing: A Pragmatic Approach". Actas publicadas por Parcerisas, F. (ed.) (1995): *Actes del I Congrès Internacional sobre Traducció* (abril 1992). Publicacions de l'Universitat Autónoma de Barcelona, p. 333-342.

Templer, S. (1995): "Traducción para doblaje. Transposición del lenguaje hablado (casi una catarsis)". *III Curso Superior de Traducción: Perspectivas de la traducción inglés / español*. Textos publicados por P. Fernández Nistral, J.Mª. Bravo Gozalo (eds.) 1995. ICE de la Universidad de Valladolid, p. 153-166.

Wuilmart, C. (1995): "La cuestión de la elección del idioma en cine y televisión". V Encuentros Complutenses sobre la Traducción, Madrid 1994. Actas publicadas con el mismo nombre en 1995. Public. de la Univ. Complutense de Madrid, p. 499-506.

Zabalbeascoa, P. (1992): "In Search of a Model that will work for the Dubbing of Television Comedy". Actas publicadas por Parcerisas, F. (ed.) (1995): *Actes del I Congrès Internacional sobre Traducció* (abril 1992). Publicacions de l'Universitat Autónoma de Barcelona, p. 351-366.

TRADUCCIÓN DEL CÓMIC

Arias Torres, J.P. (1995): "Adiós a los jabalíes y la cerveza: la versión árabe de *Astérix y Cleopatra*". VI Encuentros Complutenses sobre la Traducción, Madrid 1995. Actas en prensa.

Artuñedo Guillém, B. (1991): "Problemas específicos de la traducción del cómic". I Coloquio Internacional de Traductología, Valencia 1989. Actas publicadas por B. Lépinette, A. Olivares, E. Sopeña, E. (1991) *Actas del Primer Coloquio Internacional de traductología*. Public. por la Universitat de Valencia, *Quaderns de Filologia*, p. 57-58.

Barbera, N; Freixes, M. (1991): "D'*Astérix en Corse* à *Astérix a Córsega*". I Coloquio Internacional de Traductología, Valencia 1989. Actas publicadas por B. Lépinette, A. Olivares, E. Sopeña, E. (1991) *Actas del Primer Coloquio Internacional de traductología*. Public. por la Universitat de Valencia, *Quaderns de Filologia*, p. 61-62.

Barrera Vidal, A. (1995): "Traducción e interculturalidad: la versión española del mundo de Tintín". V Encuentros Complutenses sobre la Traducción, Madrid 1994. Actas publicadas con el mismo nombre en 1995. Public. de la Univ. Complutense de Madrid, p. 483-498.

Brito de la Nuez, I. (1994): "Análisis y traducción de las variantes paronímicas de Haddock en *Les bijoux de la castafiore* (Tintín)". Actas del II Coloquio de Filología Francesa en la Universidad Española, Almagro 1993, publicadas por J. Bravo (1994). Universidad de Castilla-La Mancha, p. 95-102.

Cáceres Würsig, I. (1995): "Un ejemplo perfecto de traducción cultural: la historieta gráfica". V Encuentros Complutenses sobre la Traducción, Madrid 1994. Actas publicadas con el mismo nombre en 1995. Public. de la Univ. Complutense de Madrid, p. 527-538.

Félix, L; Ortega Arjonilla, E. (1995): "Algunas consideraciones sobre la traducción de comics francés-español". Actas del II Coloquio Internacional de Lingüística Francesa: *La Lingüística Francesa: gramática, historia y epistemología* (Sevilla 1995). Dpto. de Filología Francesa de la Universidad de Sevilla (en prensa).

Fernández López, M. (1989): "La traducción de la literatura infantil y juvenil anglosajona en España desde los años 40". I Jornadas Nacionales de Historia de la Traducción, León 1987. Actas publicadas por J.C. Santoyo, R. Rabadán, T. Guzmán, J.L. Chamosa (1987) *Fidus interpres*, vol. 1 y (1989) *Fidus Interpres*, vol. 2. Public. de la Universidad de León, vol. II, p. 140-147.

Fernández López, M. (1994): "La literatura popular juvenil en España: traducciones del inglés". I Jornadas Internacionales de Traducción e Interpretación: Tendencias actuales, Las Palmas de Gran Canaria 1994. Actas en prensa.

Fernández, M. (1989): "La traducción de los nombres propios en el ámbito del cómic: Estudio de la serie de *Asterix*". I Jornadas Nacionales de Historia de la Traducción, León 1987. Actas publicadas por J.C. Santoyo, R. Rabadán, T. Guzmán, J.L. Chamosa (1987) *Fidus interpres*, vol. 1 y (1989) *Fidus Interpres*, vol. 2. Public. de la Universidad de León, vol. II, p. 189-193.

Fernández, M; Gaspin, F. (1991): "**Astérix** en español y/o la opacidad de la traducción de un código cultural". Coloquio Traducción y Adaptación Cultural España-Francia, Oviedo 1990. Actas publicadas en 1991 por M.L. Donaire, F. Lafarga: *Traducción y Adaptación cultural España-Francia.* Public. de la Universidad de Oviedo, p. 93-108.

Garace Ayascoy, B. (1995): "El final del capítulo VI del libro III de los viajes de Gulliver: una piedra de toque". VI Encuentros Complutenses sobre la Traducción, Madrid 1995. Actas en prensa.

Le Bel, E. (1995): "Astérix au pays de l'ESIT". Actas del II Coloquio Internacional de Lingüística Francesa: *La Lingüística Francesa: gramática, historia y epistemología* (Sevilla 1995). Dpto. de Filología Francesa de la Universidad de Sevilla (en prensa).

Maca, C; Morillas, E. (1995): "La rima en la traducción de literatura infantil". VI Encuentros Complutenses sobre la Traducción, Madrid 1995. Actas en prensa.

Mayoral Asensio, R; Kelly, D; Gallardo San Salvador, N. (1985): "Concepto de 'traducción subordinada' (cómic, cine, canción, publicidad). Perspectivas no lingüísticas de la traducción (I)". Actas del III Congreso Nacional de Lingüística Aplicada (AESLA), Valencia abril 1985:

Pasado, presente y futuro de la lingüística aplicada en España, publicadas por F. Fernández (1986), p. 95-106.

Pascua Febles, I. (1995): "Factores extralingüísticos de la traducción de la literatura infantil". VI Encuentros Complutenses sobre la Traducción, Madrid 1995. Actas en prensa.

Pascua Febles, I; Delfour, C. (1992): "La traducción subordinada. Estudio de las onomatopeyas en *Asterix*". Actas del II Congreso Internacional de la Sociedad de Didáctica de la Lengua y la Literatura, Las Palmas de Gran Canaria 1992, publicadas por A. Delgado y F. Menéndez (1992), nº 3 de la revista *El Guiniguada*, p. 387-392.

Ruiz Barrionuevo, B. (1995): "Visión de la literatura infantil y juvenil en la antigua RDA desde la perspectiva del lector profesional y su recepción en España". V Encuentros Complutenses sobre la Traducción, Madrid 1994. Actas publicadas con el mismo nombre en 1995. Public. de la Univ. Complutense de Madrid, p. 749-754.

Santa, A. (1991): "*Notre-Dame de Paris* de Victor Hugo: una adaptación para jóvenes. Texto e imagen". Coloquio Traducción y Adaptación Cultural España-Francia, Oviedo 1990. Actas publicadas en 1991 por M.L. Donaire, F. Lafarga: *Traducción y Adaptación cultural España-Francia*. Public. de la Universidad de Oviedo, p. 423-432.

Sopeña Balordi, A.E. (1985): "Brétecher *a la española* ou le rejet d'un homéograffe". *Contrastes* Hors série T2, diciembre 1985, p. 237-253.

Verrier, J; Burrial, X. (1991): "Une lecture contrastive d'Asterix en français et en castillan". I Coloquio Internacional de Traductología, Valencia 1989. Actas publicadas por B. Lépinette, A. Olivares, E. Sopeña, E. (1991) *Actas del Primer Coloquio Internacional de traductología*. Public. por la Universitat de Valencia, *Quaderns de Filologia*, p. 213-214.

TRADUCCIÓN DE TEXTOS CLÁSICOS

Aguiar Aguilar, M. (1994): "Acerca del doblete apogeo/auge en español. Origen, uso y transmisión". I Encuentro Interdisciplinar de Teoría y Práctica de la Traducción, Cádiz 1993. *Reflexiones sobre la Traducción*. Actas publicadas por L. Charlo Brea (1994). Public. de la Universidad de Cádiz, p. 125-130.

Alvarez Regueras, H. (1984): "Un poema latino español". Nueva Revista de Enseñanzas Medias nº 6: *La Traducción, Arte y Técnica*, 1984, M.E.C., p. 159-164.

Alvarez, A. (1985): "Los helenismos en las traducciones aragonesas de Juan Fernández de Heredia". *Cuadernos de Filología: Revista del Colegio Universitario* 5, 1985, Ciudad Real, p. 99-109.

Alvarez, M.J; Delgado, S. (1995): "La **fides** ovidiana y su resurgimiento medieval: una propuesta de traducción". V Encuentros Complutenses sobre la Traducción, Madrid 1994. Actas publicadas con el mismo nombre en 1995. Public. de la Univ. Complutense de Madrid, p. 225-232.

Anaut, M. (1993): "La teología como traducción". *Hermes* 1, 1993, p. 49-67.

Avenoza Vera, G. (1994): "Traducciones de Valerio Máximo en la Edad Media hispánica". I Encuentro Interdisciplinar de Teoría y Práctica de la Traducción, Cádiz 1993. *Reflexiones sobre la Traducción*. Actas publicadas por L. Charlo Brea (1994). Public. de la Universidad de Cádiz, p. 167-180.

Benavente, M. (1984): "Un pasaje de Sófocles mal traducido". Nueva Revista de Enseñanzas Medias nº 6: *La Traducción, Arte y Técnica*, 1984, M.E.C., p. 75-78.

Blanco Gómez, E. (1993): "La omisión deliberada en las traducciones humanistas". *Livius*, 3 (1993), p. 31-40.

Bonmatí Sánchez, V. (1987): "Helenismo, calco semántico y traducción en la terminología retórica latina". I Jornadas Nacionales de Historia de la Traducción, León 1987. Actas publicadas por J.C. Santoyo, R. Rabadán, T. Guzmán, J.L. Chamosa (1987) *Fidus interpres*, vol. 1 y (1989) *Fidus Interpres*, vol. 2. Public. de la Universidad de León, vol. I, p. 299-305.

Bosch Juan, M.C. (1992): "La traducció de l'*Eneida* de Mn. Riber". Actas publicadas por Parcerisas, F. (ed.) (1995): *Actes del I Congrès Internacional sobre Traducció* (abril 1992). Publicacions de l'Universitat Autónoma de Barcelona, p. 885-898.

Bullejos, F; Rojo, M.T. (1987): "El valor de la traducción para el conocimiento del Mundo Antiguo". I Jornadas Nacionales de Historia de la Traducción, León 1987. Actas publicadas por J.C. Santoyo, R. Rabadán, T. Guzmán, J.L. Chamosa (1987) *Fidus interpres*, vol. 1 y (1989) *Fidus Interpres*, vol. 2. Public. de la Universidad de León, vol. I, p. 243-248.

Cantera Ortiz de Urbina, J. (1990): "Problemática de la traducción a través de diferentes versiones españolas del Antiguo Testamento". II Encuentros Complutenses sobre la Traducción, Madrid 1988. Actas publicadas con el mismo nombre en 1990. Public. de la Univ. Complutense de Madrid, p. 171-186.

Cantera Ortiz de Urbina, J. (1995): "Antiguas versiones bíblicas y traducción". *Hieronymus Complutensis* nº 2, 1995, p. 53-60.

Cantera Ortiz de Urbina, J. (1995): "El conocimiento de la Historia y la civilización en la traducción del *Libro de Rut* al español". VI Encuentros Complutenses sobre la Traducción, Madrid 1995. Actas en prensa.

Cantera Ortiz de Urbina, J. (1995): "La traducción del **Quijote** al latín macarrónico por Ignacio Calvo, cura de misa y olla". V Encuentros Complutenses sobre la Traducción, Madrid 1994. Actas publicadas con el mismo nombre en 1995. Public. de la Univ. Complutense de Madrid, p. 189-200.

Capel y Tuñon, J; Hipola Ruíz, P. (1988): "Problemas teóricos y prácticos en la traducción de textos clásicos". Jornadas de Traducción, Ciudad Real 1986. Actas publicadas en 1986 con el título de *Actas de las Jornadas de Traducción*. Public. de la Fac. de Letras de la Universidad de Castilla-La Mancha, p. 257-266.

Cascón Dorado, A. (1987): "Algunas traducciones de las fábulas impúdicas de Fedro". I Jornadas Nacionales de Historia de la Traducción, León 1987. Actas publicadas por J.C. Santoyo, R. Rabadán, T. Guzmán, J.L. Chamosa (1987) *Fidus interpres*, vol. 1 y (1989) *Fidus Interpres*, vol. 2. Public. de la Universidad de León, vol. I, p. 189-194.

Castrillo Benito, N. (1992): "Las **Artes aliquot**, primer libro crítico sobre la Inquisición española: ¿Bestseller en Europa en el siglo XVI?". II Jornadas Nacionales de Historia de la Traducción, León 1990. Actas publicadas en la revista *Livius* nº 1 y 2, 1992. Public. de la Universidad de León, vol. II, p. 61-86.

Closa Farrés, J. (1987): "La traducción del *Metamorfoseos* de Ovidio por Felipe Mey(1586)". I Jornadas Nacionales de Historia de la Traducción, León 1987. Actas publicadas por J.C. Santoyo, R. Rabadán, T. Guzmán, J.L. Chamosa (1987) *Fidus interpres*, vol. 1 y (1989) *Fidus Interpres*, vol. 2. Public. de la Universidad de León, vol. I, p. 270-276.

Conesa, J. (1990): "Reflexiones sobre la preparación de la edición de un texto clásico: *Levana* de Jean Paul". II Encuentros Complutenses sobre la Traducción, Madrid 1988. Actas publicadas con el mismo nombre en 1990. Public. de la Univ. Complutense de Madrid, p. 329-336.

Cristóbal, V. (1987): "Juan de Arjona y Gregorio Morillo, traductores de Estacio". I Jornadas Nacionales de Historia de la Traducción, León 1987. Actas publicadas por J.C. Santoyo, R. Rabadán, T. Guzmán, J.L. Chamosa (1987) *Fidus interpres*, vol. 1 y (1989) *Fidus Interpres*, vol. 2. Public. de la Universidad de León, vol. I, p. 31-37.

Cruz Casado, A. (1989): "Diego de Agreda y Vargas, traductor de Aquiles Tacio". *Actas del VI Simposio de la Sociedad Española de Literatura General y Comparada* (13-15 marzo 1986). Actas publicadas por J. Paredes Nuñez, A. Soria Olmedo (1989), Granada, Publicaciones de la Universidad, p. 285-292.

Chamosa González, J.L. (1987): "Estudios críticos de traducciones clásicas de clásicos españoles: Una parcela reciente de los estudios comparados anglosajones". *Estudios Humanísticos Filología* 9, 1987, p. 19-30.

Charlo Brea, L. (1994): "La Biblia (desde la versión de los LXX hasta la Nueva Biblia Española). Historia, teoría y práctica". I Encuentro Interdisciplinar de Teoría y Práctica de la Traducción, Cádiz 1993. *Reflexiones sobre la Traducción*. Actas publicadas por L. Charlo Brea (1994). Public. de la Universidad de Cádiz, p. 23-52.

Chinchilla, R.H. (1994): "The Complutensian Polyglot Bible (1520) and the political ramifications of biblical translation". *Livius*, 6 (1994), p. 169-190.

Estrada Herrero, D. (1987): "Las traducciones griegas del texto hebreo del Antiguo Testamento y su influencia sobre la estética cristiana". I Jornadas Nacionales de Historia de la Traducción, León 1987. Actas publicadas por J.C. Santoyo, R. Rabadán, T. Guzmán, J.L. Chamosa (1987) *Fidus interpres*, vol. 1 y (1989) *Fidus Interpres*, vol. 2. Public. de la Universidad de León, vol. I, p. 260-269.

Fernández-Galiano, M. (1984): "El núcleo de la colección teognidea". Nueva Revista de Enseñanzas Medias nº 6: *La Traducción, Arte y Técnica*, 1984, M.E.C., p. 141-150.

Gallé Cejudo, R. (1994): "Las epístolas de Aristéneto. Técnicas de composición y problemas de traducción". I Encuentro Interdisciplinar de Teoría y Práctica de la Traducción, Cádiz 1993. *Reflexiones sobre la Traducción*. Actas publicadas por L. Charlo Brea (1994). Public. de la Universidad de Cádiz, p. 269-276.

García Calero, A.M. (1988): "Traducción e interpretación: añadidos al texto bíblico en el 'Noel en sa voysien ou patois nouuellement fait par M.N. Martir'". Jornadas de Traducción, Ciudad Real 1986. Actas publicadas en 1986 con el título de *Actas de las Jornadas de Traducción*. Public. de la Fac. de Letras de la Universidad de Castilla-La Mancha, p. 219-232.

García del Sol, M.C. (1989): "A propósito de la traducción de unos textos de Diógenes Laercio". *Actas del VI Simposio de la Sociedad Española de Literatura General y Comparada* (13-15 marzo 1986). Actas publicadas por J. Paredes Nuñez, A. Soria Olmedo (1989), Granada, Publicaciones de la Universidad, p. 321-326.

García Jurado, F. (1992): "Las ideas sobre la traducción (latín-castellano) en el *Diálogo de la lengua* de Juan Valdés en relación con algunos aspectos dela moderna lexemática". II Jornadas Nacionales de Historia de la Traducción, León 1990. Actas publicadas en la revista *Livius* nº 1 y 2, 1992. Public. de la Universidad de León, vol. II, p. 37-48.

García Jurado, F. (1995): "La traducción de los recursos léxicos del enfrentamiento y el obstáculo en la comedia plautina: el preverbio **ob-** y sus juegos léxicos". V Encuentros Complutenses sobre la Traducción, Madrid 1994. Actas publicadas con el mismo nombre en 1995. Public. de la Univ. Complutense de Madrid, p. 299-308.

García Tejera, M.C. (1994): "Algunas notas sobre las traducciones españolas de la Poética de Horacio en el siglo XIX". I Encuentro Interdisciplinar de Teoría y Práctica de la Traducción, Cádiz 1993. *Reflexiones sobre la Traducción*. Actas publicadas por L. Charlo Brea (1994). Public. de la Universidad de Cádiz, p. 53-66.

García Yebra, V. (1986): "Las dos fases de la traducción de textos clásicos latinos y griegos". *Cuadernos de Traducción e Interpretación*, 7, 1986, p. 7-18.

García Yebra, V. (1994): "Un curioso error en la historia de la traducción". *Livius*, 5 (1994), p. 39-52.

Gil Santesteban, M. (1994): "La obra traductora de Shoghi Effendi: Repercusiones para la traducción de las Escrituras Bahá'is al español". *Livius*, 5 (1994), p. 53-62.

González González, O. (1995): "Maimónides y la *Epístola a Ibn Tibbon*: consideraciones traductológicas". V Encuentros Complutenses sobre la Traducción, Madrid 1994. Actas publicadas con el mismo nombre en 1995. Public. de la Univ. Complutcnsc dc Madrid, p. 327-332.

González Vázquez, C. (1994): "La pretendida fidelidad en la traducción: un ejemplo del latín y el español". I Encuentro Interdisciplinar de Teoría y Práctica de la Traducción, Cádiz 1993. *Reflexiones sobre la Traducción*. Actas publicadas por L. Charlo Brea (1994). Public. de la Universidad de Cádiz, p. 307-316.

González Vázquez, C. (1995): "Algunos problemas en la traducción de los textos latinos". V Encuentros Complutenses sobre la Traducción, Madrid 1994. Actas publicadas con el mismo nombre en 1995. Public. de la Univ. Complutense de Madrid, p. 341-348.

Gordillo Vázquez, M.C. (199?): *La traducción de 'La Eneida' de Don Enrique de Villena: texto crítico del Libro I y estudio de los cultismos*. Universidad de Córdoba, tesis inédita.

Harto Trujillo, M.L. (1993): "¿Error en la traducción latina de algunos términos gramaticales griegos?". *Livius*, 4 (1993), p. 61-68.

Iñigo, M. (1995): "Translation of Latin participles in the old English version of the Histoira Apollonii Regis Tyrii". C. Hernández & al.: *Aspectes de la reflexió i de la praxi interlingüística*. Quaderns de Filologia I, Fac. de Filologia, Univ. de Valencia, p. 86-94.

Jiménez Villarejo, M.L. (1987): "Justificación estilística de una traducción prejeronimiana: *Liber Sapientiae*". I Jornadas Nacionales de Historia de la Traducción, León 1987. Actas publicadas por J.C. Santoyo, R. Rabadán, T. Guzmán, J.L. Chamosa (1987) *Fidus interpres*, vol. 1 y (1989) *Fidus Interpres*, vol. 2. Public. de la Universidad de León, vol. I, p. 183-188.

Jordá Lliteras, G.M. (1991): "Historia de la traducción. Ediciones, compendios y traducciones del *Liber Creaturarum*. La traducción de Montaigne". I Coloquio Internacional de Traductología, Valencia 1989. Actas publicadas por B. Lépinette, A. Olivares, E. Sopeña, E. (1991) *Actas del Primer Coloquio Internacional de traductología*. Public. por la Universitat de Valencia, *Quaderns de Filologia*, p. 121-124.

Labrador Gutiérrez, T. (1995): "*Visión del mundo* y *experiencia de lengua*: del latín vulgar al español". VI Encuentros Complutenses sobre la Traducción, Madrid 1995. Actas en prensa.

Lens Tuero, J. (1989): "La traducción de los textos de física del estoicismo antiguo". *Actas del VI Simposio de la Sociedad Española de Literatura General y Comparada* (13-15 marzo 1986). Actas publicadas por J. Paredes Nuñez, A. Soria Olmedo (1989), Granada, Publicaciones de la Universidad, p. 373-378.

Lens Tuero, J. (1994): "La traducción de términos griegos provistos de connotaciones socio-políticas: hesychía y aspháleia". I Encuentro Interdisciplinar de Teoría y Práctica de la Traducción, Cádiz 1993. *Reflexiones sobre la Traducción*. Actas publicadas por L. Charlo Brea (1994). Public. de la Universidad de Cádiz, p. 337-344.

López Pérez, J.A. (1989): "En torno a la historia de las traducciones de Eurípides al español". I Jornadas Nacionales de Historia de la Traducción, León 1987. Actas publicadas por J.C. Santoyo, R. Rabadán, T. Guzmán, J.L. Chamosa (1987) *Fidus interpres*, vol. 1 y (1989) *Fidus Interpres*, vol. 2. Public. de la Universidad de León, vol. II, p. 321-328.

López Pérez, M. (1989): "Lucrecio, traductor de Epicuro". I Jornadas Nacionales de Historia de la Traducción, León 1987. Actas publicadas por J.C. Santoyo, R. Rabadán, T. Guzmán, J.L. Chamosa (1987) *Fidus interpres*, vol. 1 y (1989) *Fidus Interpres*, vol. 2. Public. de la Universidad de León, vol. II, p. 364-373.

Lorenzo Criado, E. (1987): "La primera traducción del inglés". I Jornadas Nacionales de Historia de la Traducción, León 1987. Actas publicadas por J.C. Santoyo, R. Rabadán, T. Guzmán, J.L. Chamosa (1987) *Fidus interpres*, vol. 1 y (1989) *Fidus Interpres*, vol. 2. Public. de la Universidad de León, vol. I, p. 354-366.

Margot, J.C. (1987): *Traducir sin traicionar: Teoría de la traducción aplicada a los textos bíblicos*. Madrid, Ediciones Cristiandad. Traductor: Rufino Godoy.

Mariner, S. (1988): "Las dificultades específicas de la traducción a la luz de la concepción esencial de las lenguas". Jornadas de Traducción, Ciudad Real 1986. Actas publicadas en 1986 con el título de *Actas de las Jornadas de Traducción*. Public. de la Fac. de Letras de la Universidad de Castilla-La Mancha, p. 19-30.

Martín Rodríguez, A.M. (1987): "La deformación deformada: a propósito de algunas traducciones de César (ciu. 1, 3)". I Jornadas Nacionales de Historia de la Traducción, León 1987. Actas publicadas por J.C. Santoyo, R. Rabadán, T. Guzmán, J.L. Chamosa (1987) *Fidus interpres*, vol. 1 y (1989) *Fidus Interpres*, vol. 2. Public. de la Universidad de León, vol. I, p. 222-228.

Martín Rodríguez, A.M; Domínguez, J.F. (1991): "La semántica estructural como auxiliar en la traducción de textos clásicos: Salustio Catil. 1,5". I Coloquio Internacional de Traductología, Valencia 1989. Actas publicadas por B. Lépinette, A. Olivares, E. Sopeña, E. (1991) *Actas del Primer Coloquio Internacional de traductología*. Public. por la Universitat de Valencia, *Quaderns de Filologia*, p. 153-154.

Martínez Dueñas Espejo, J.L; Pérez Gómez, L. (1989): "Descripción lingüística y procedimientos metafóricos en *Fedra* de Séneca y en una adaptación inglesa". *Actas del VI Simposio de la Sociedad Española de Literatura General y Comparada* (13-15 marzo 1986). Actas publicadas por J. Paredes Nuñez, A. Soria Olmedo (1989), Granada, Publicaciones de la Universidad, p. 397-406.

Martínez Manzano, T. (1995): "Las retrotraducciones al griego de Constantino Lescaris". *Hieronymus Complutensis* nº 2, 1995, p. 7-28.

Martínez-Dueñas, J.L. (1986): "La traducción bíblica y la Reforma en Inglaterra". *Estudios Literarios ingleses: Renacimiento y Barroco*. Publ. por S. Ortega (ed.). Madrid, Cátedra, p. 113-128.

Moreno Hernández, A. (1994): "Las traducciones latinas de '"""' en Cicerón y Séneca". IV Encuentros Complutenses sobre la Traducción, Madrid 1992. Actas publicadas con el mismo nombre en 1994. Public. de la Universidad Complutense de Madrid, p. 407-418.

Morocho Gayo, G. (1989): "Diego Gracián y sus versiones de clásicos griegos". I Jornadas Nacionales de Historia de la Traducción, León 1987. Actas publicadas por J.C. Santoyo, R. Rabadán, T. Guzmán, J.L. Chamosa (1987) *Fidus interpres*, vol. 1 y (1989) *Fidus Interpres*, vol. 2. Public. de la Universidad de León, vol. II, p. 353-363.

Morocho Gayo, G. (1989): "Traducciones de Dión de Prusa". I Jornadas Nacionales de Historia de la Traducción, León 1987. Actas publicadas por J.C. Santoyo, R. Rabadán, T. Guzmán, J.L. Chamosa (1987) *Fidus interpres*, vol. 1 y (1989) *Fidus Interpres*, vol. 2. Public. de la Universidad de León, vol. II, p. 154-163.

Morocho Gayo, G. (1992): "Pedro de Valencia en la historia de la traducción del **Pergamino** y **Láminas** de Granada". II Jornadas Nacionales de Historia de la Traducción, León 1990. Actas publicadas en la revista *Livius* nº 1 y 2, 1992. Public. de la Universidad de León, vol. II, p. 107-138.

Morrás Ruiz-Falcó, M. (1993): *Alonso de Cartagena: Edición y estudio de sus traducciones de Cicerón*. Tesis en microficha, Universidad Autónoma de Barcelona.

Moya del Baño, F. (1994): "González de Salas, traductor de Horacio". I Encuentro Interdisciplinar de Teoría y Práctica de la Traducción, Cádiz 1993. *Reflexiones sobre la Traducción*. Actas publicadas por L. Charlo Brea (1994). Public. de la Universidad de Cádiz, p. 427-444.

Muñoz Sánchez, V. (1984): "*Carmen II* de Catulo". Nueva Revista de Enseñanzas Medias nº 6: *La Traducción, Arte y Técnica*, 1984, M.E.C., p. 151-154.

Nieto Ballester, E. (1987): "La importancia de los primeros traductores en la helenización del latín". I Jornadas Nacionales de Historia de la Traducción, León 1987. Actas publicadas por J.C. Santoyo, R. Rabadán, T. Guzmán, J.L. Chamosa (1987) *Fidus interpres*, vol. 1 y (1989) *Fidus Interpres*, vol. 2. Public. de la Universidad de León, vol. I, p. 109-114.

Nuñez, S. (1994): "Sobre la traducción de la tradición. La formación de la terminología retórica latina". I Encuentro Interdisciplinar de Teoría y Práctica de la Traducción, Cádiz 1993. *Reflexiones sobre la Traducción*. Actas publicadas por L. Charlo Brea (1994). Public. de la Universidad de Cádiz, p. 461-478.

Pascual Barea, J. (1994): "Técnicas de traducción de la poesía latina renacentista según la lengua de la Literatura castellana de su tiempo". I Encuentro Interdisciplinar de Teoría y Práctica de la Traducción, Cádiz 1993. *Reflexiones sobre la Traducción*. Actas publicadas por L. Charlo Brea (1994). Public. de la Universidad de Cádiz, p. 507-520.

Pejenaute Rubio, F. (1992): "La traducción al español de un poema épico latino del s. XII: la **Alexandreis** de Gautier de Chatillon". II Jornadas Nacionales de Historia de la Traducción, León 1990. Actas publicadas en la revista *Livius* nº 1 y 2, 1992. Public. de la Universidad de León, vol. I, p. 257-277.

Pejenaute Rubio, F. (1993): "La traducción española del *Asinus aureus* de Apuleyo hecha por Diego López de Cortegana". *Livius*, 4 (1993), p. 157-168.

Pérez Custodio, V. (1994): "Los mecanismos de la traducción latina del verso en los *Nemoralium libri Quinque de Gaspar von Barth*". I Encuentro

Interdisciplinar de Teoría y Práctica de la Traducción, Cádiz 1993. *Reflexiones sobre la Traducción*. Actas publicadas por L. Charlo Brea (1994). Public. de la Universidad de Cádiz, p. 539-552.

Pérez Gómez, L. (1994): "Traducción e interpretación: el metro III, 9 del *De consolatione Philosophiae* de Boecio según tres traductores humanistas". I Encuentro Interdisciplinar de Teoría y Práctica de la Traducción, Cádiz 1993. *Reflexiones sobre la Traducción*. Actas publicadas por L. Charlo Brea (1994). Public. de la Universidad de Cádiz, p. 553-570.

Pérez González, M. (1987): "Los primeros documentos cancillerescos en castellano y su dependencia latina". I Jornadas Nacionales de Historia de la Traducción, León 1987. Actas publicadas por J.C. Santoyo, R. Rabadán, T. Guzmán, J.L. Chamosa (1987) *Fidus interpres*, vol. 1 y (1989) *Fidus Interpres*, vol. 2. Public. de la Universidad de León, vol. I, p. 83-90.

Pérez Jiménez, A. (1987): "La versión renacentista de la *Vida de Cimón y Loculo* de Plutarco, o la traducción como pretexto". I Jornadas Nacionales de Historia de la Traducción, León 1987. Actas publicadas por J.C. Santoyo, R. Rabadán, T. Guzmán, J.L. Chamosa (1987) *Fidus interpres*, vol. 1 y (1989) *Fidus Interpres*, vol. 2. Public. de la Universidad de León, vol. I, p. 140-147.

Ramos Jurado, E. (1994): "Filología y Filosofía: la traducción de textos filosóficos griegos". I Encuentro Interdisciplinar de Teoría y Práctica de la Traducción, Cádiz 1993. *Reflexiones sobre la Traducción*. Actas publicadas por L. Charlo Brea (1994). Public. de la Universidad de Cádiz, p. 67-84.

Requena Marco, M. (1979): *Las traducciones castellano-medievales de **La Biblia** y la edición del **Libro de la Sabiduría** según el ms. Escorial I.j.4*. Tesis inédita, Universidad Autónoma de Barcelona.

Ridruejo, M; Portillo García, R. (1989): "La traducción del latín al inglés en los 'pageants' de Ludus Coventriae". XI Congreso de AEDEAN, León 1987. Actas publicadas por J.C. Santoyo (1989): *Translation Across Cultures*: La traducción en el mundo hispánico y anglosajón, relaciones lingüísticas, culturales y literarias. Publicaciones de la Univ. de León, p. 153-158.

Ritoré Ponce, J. (1994): "Ideas sobre la traducción y concepciones de la lengua en los autores antiguos". I Encuentro Interdisciplinar de Teoría y Práctica de la Traducción, Cádiz 1993. *Reflexiones sobre la Traducción*. Actas publicadas por L. Charlo Brea (1994). Public. de la Universidad de Cádiz, p. 603-612.

Rivero García, L. (1994): "En torno a la traducción de Prudencio". I Encuentro Interdisciplinar de Teoría y Práctica de la Traducción, Cádiz 1993.

Reflexiones sobre la Traducción. Actas publicadas por L. Charlo Brea (1994). Public. de la Universidad de Cádiz, p. 613-626.

Rodríguez Rivas, G. (1993): "El *Libro de miseria de omne*, versión libre del *De contemptu mundi*". *Livius*, 4 (1993), p. 177-190.

Roser Nebot, N. (1994): "Aproximación a una perspectiva pragmática en la comprensión y traducción del Corán". I Congreso Internacional de traducción e Interpretación de Soria, 1993. Actas publicadas por A. Bueno, M. Ramiro, J.M. Zarandona (1994): *La traducción de lo inefable*. Publicaciones del Colegio Universitario de Soria, p. 395-404.

Roser Nebot, N. (1994): "Tafsir, luga y bayan: tres aspectos del i'yaz coránico, tres instrumentos de traducción". I Encuentro Interdisciplinar de Teoría y Práctica de la Traducción, Cádiz 1993. *Reflexiones sobre la Traducción*. Actas publicadas por L. Charlo Brea (1994). Public. de la Universidad de Cádiz, p. 627-632.

Roser Nebot, N. (1995): "Valores de la raíz **hakama** en el contexto del Corán y en su traducción". V Encuentros Complutenses sobre la Traducción, Madrid 1994. Actas publicadas con el mismo nombre en 1995. Public. de la Univ. Complutense de Madrid, p. 439-444.

Ruiz Castellanos, A. (1994): "La traducción del Polisindeton y del Asindeton en el *De rerum natura* de Lucrecio y el *Ars poetica* de Horacio". I Encuentro Interdisciplinar de Teoría y Práctica de la Traducción, Cádiz 1993. *Reflexiones sobre la Traducción*. Actas publicadas por L. Charlo Brea (1994). Public. de la Universidad de Cádiz, p. 633-644.

Sánchez Manzano, M.A. (1987): "Traducir, palabra latina". I Jornadas Nacionales de Historia de la Traducción, León 1987. Actas publicadas por J.C. Santoyo, R. Rabadán, T. Guzmán, J.L. Chamosa (1987) *Fidus interpres*, vol. 1 y (1989) *Fidus Interpres*, vol. 2. Public. de la Universidad de León, vol. I, p. 156-163.

Sancho Royo, A. (1994): "Problemas de traducción de obras de teoría retórica y gramatical griegas". I Encuentro Interdisciplinar de Teoría y Práctica de la Traducción, Cádiz 1993. *Reflexiones sobre la Traducción*. Actas publicadas por L. Charlo Brea (1994). Public. de la Universidad de Cádiz, p. 85-102.

Santano Moreno, B. (1989): "La traducción de *Confessio Amantis* de John Gower". *Anuario de Estudios Filológicos* 12, 1989, p. 252-265.

Seco del Cacho, J.M. (1994): "Traducciones de la *Biblia* al inglés: Análisis histórico". *Livius*, 5 (1994), p. 181-188.

Segura Ramos, B. (1994): "La traducción del latín". I Encuentro Interdisciplinar de Teoría y Práctica de la Traducción, Cádiz 1993. *Reflexiones sobre la*

Traducción. Actas publicadas por L. Charlo Brea (1994). Public. de la Universidad de Cádiz, p. 103-106.

SEMINARIO DE LATIN DEL CEP DE CIUDAD REAL. (1988): "La traducción de autores latinos en las aulas de bachillerato y C.O.U.". Jornadas de Traducción, Ciudad Real 1986. Actas publicadas en 1986 con el título de *Actas de las Jornadas de Traducción*. Public. de la Fac. de Letras de la Universidad de Castilla-La Mancha, p. 267-284.

Seres Guillén, G.R. (1987): *La traducción parcial de la* ***Iliada*** *del siglo XV: Estudios y textos complementarios*. Tesis inédita, Universidad Autónoma de Barcelona.

Serrano Niza, D. (1994): "Acerca del capítulo de la seda en el *Kitab al-Mujassas* de Ibn Sida". I Encuentro Interdisciplinar de Teoría y Práctica de la Traducción, Cádiz 1993. *Reflexiones sobre la Traducción*. Actas publicadas por L. Charlo Brea (1994). Public. de la Universidad de Cádiz, p. 677-686.

Sierra de Cozar, A; Gallardo Mediavilla, C. (1989): "Traducciones españolas de Petronio: El efecto del idioma intermedio". I Jornadas Nacionales de Historia de la Traducción, León 1987. Actas publicadas por J.C. Santoyo, R. Rabadán, T. Guzmán, J.L. Chamosa (1987) *Fidus interpres*, vol. 1 y (1989) *Fidus Interpres*, vol. 2. Public. de la Universidad de León, vol. II, p. 278-284.

Sojo Rodríguez, F. (1991): *Léxico del libro del* ***Génesis*** *de la* ***Vulgata***. Tesis inédita, Universidad de Málaga.

Toda Iglesia, F. (1989): "El Nuevo Testamento en escocés, de William Laughton Lorimer". I Jornadas Nacionales de Historia de la Traducción, León 1987. Actas publicadas por J.C. Santoyo, R. Rabadán, T. Guzmán, J.L. Chamosa (1987) *Fidus interpres*, vol. 1 y (1989) *Fidus Interpres*, vol. 2. Public. de la Universidad de León, vol. II, p. 236-239.

TRADUCCIÓN ECONÓMICO-EMPRESARIAL

Alcaraz Varó, E.; hughes, B. (1995): Diccionario de términos filológicos, financieros y comerciales. Inglés-Español, Spanish-English. Barcelona, Ariel.

Alejo González, R. (1994): "El inglés y los economistas madrileños: estudio sociolingüístico". Actas del Congreso Luso-Hispano de Lenguas Aplicadas a las Ciencias y la Tecnología: *Lenguas para fines específicos: temas fundamentales*, publicadas por R. Alejo, M. McGinity, S. Gómez (1994). Dpto. de Filología Inglesa de la Universidad de Extremadura, p. 139-148.

Alvarez Calleja, M.A. (1994): "El lenguaje económico como fuente de imágenes metafóricas en *The Golden Bowl* de Henry James". IV Encuentros Complutenses sobre la Traducción, Madrid 1992. Actas publicadas con el mismo nombre en 1994. Public. de la Universidad Complutense de Madrid, p. 467-476.

Belmonte Gea, J. (1991): "Repères pour la compréhension / traduction en français des affaires". Actas de las XV Jornadas Pedagógicas sobre la enseñanza del Francés en España (febrero - marzo 1991): *Actes de la section de français du I Congrés International sur l'enseignement du français en Espagne: Les Langues étrangères dans l'Europe de l'Acte unique*, publicadas por R. Gauchola, C. Mestreit, M. Tost (1991). Barcelona, publicacions de l'ICE de l'Universitat Autònoma,

Betcke, P. (1994): "Quality management in translation business news topics for research and teaching". I Jornadas Internacionales de Traducción e Interpretación: Tendencias actuales, Las Palmas de Gran Canaria 1994. Actas en prensa.

Blanco García, P. (1995): "Algunos aspectos de la traducción de textos bancarios". V Encuentros Complutenses sobre la Traducción, Madrid 1994. Actas publicadas con el mismo nombre en 1995. Public. de la Univ. Complutense de Madrid, p. 521-526.

Camps, A. (1992): "Problemes recurrents en la traducció italià / català de textos especialitzats d'economia i comerç". Actas publicadas por Parcerisas, F. (ed.) (1995): *Actes del I Congrès Internacional sobre Traducció* (abril 1992). Publicacions de l'Universitat Autónoma de Barcelona, p. 169-182.

Corpas, G; Moreno, A.J. (1995): "Technical and Linguistic Analysis of a Commercial Machine Translation System (**Power Translator**)". VI Encuentros Complutenses sobre la Traducción, Madrid 1995. Actas en prensa.

Cuéllar, M.C. (1995): "La traducción de los anglicismos en los textos del **français des affaires**". V Encuentros Complutenses sobre la Traducción, Madrid 1994. Actas publicadas con el mismo nombre en 1995. Public. de la Univ. Complutense de Madrid, p. 555-564.

Cuéllar, M.C; Civera García, P. (1992): "Dificultades en la traducción de la terminología específica del 'français des affaires'". Actas publicadas por Parcerisas, F. (ed.) (1995): *Actes del I Congrès Internacional sobre Traducció* (abril 1992). Publicacions de l'Universitat Autónoma de Barcelona, p. 191-204.

García Alvarez, A.M. (1994): "Aspectos teóricos y prácticos de la traducción comercial". I Jornadas Internacionales de Traducción e Interpretación: Tendencias actuales, Las Palmas de Gran Canaria 1994. Actas en prensa.

Gaspar Galán, A. (1993): "Asterix en Hispania o la difícil empresa de traducir el humor". Actas del Encuentro Internacional, Las lenguas Francesa y Española aplicadas al mundo de la empresa (Zaragoza octubre 1991), publicadas por F. Corcuera y A. Domínguez (1993). Dpto. de Filología Francesa de la Universidad de Zaragoza, p. 171-188.

Gómez de Enterría, J. (1994): "Creación neológica en el vocabulario económico". IV Encuentros Complutenses sobre la Traducción, Madrid 1992. Actas publicadas con el mismo nombre en 1994. Public. de la Universidad Complutense de Madrid, p. 295-302.

Gómez Moreno, J.D. (1995): "Las siglas o **acronyms**, ¿un escollo insalvable en la traducción del **business english**". V Encuentros Complutenses sobre la Traducción, Madrid 1994. Actas publicadas con el mismo nombre en 1995. Public. de la Univ. Complutense de Madrid, p. 575-580.

Lécrivain, C. (1995): "La traduction administrative". E. Le Bel (ed.) (1995): *Le masque et la plume. Traducir: reflexiones, experiencias y prácticas*, Servicio de Publicaciones de la Universidad de Sevilla, p. 151-160.

Olivares Pardo, M.A; Lépinette, B. (1991): "La sufijación contrastiva (francés-español) en el léxico de economía". I Coloquio Internacional de Traductología, Valencia 1989. Actas publicadas por B. Lépinette, A. Olivares, E. Sopeña, E. (1991) *Actas del Primer Coloquio Internacional de traductología*. Public. por la Universitat de Valencia, *Quaderns de Filologia*, p. 159-162.

Requejo Castillo, A. (1995): "Actividades de traducción de textos de materia económica en Lengua Extranjera". *Revista de Lenguas para fines específicos* 2, LFE, p. 95-104.

Ribas Pujol, A. (1992): "Las innovaciones financieras y su traducción al español". Actas publicadas por Parcerisas, F. (ed.) (1995): *Actes del I Congrès Internacional sobre Traducció* (abril 1992). Publicacions de l'Universitat Autónoma de Barcelona, p. 183-190.

Vila de la Cruz, M.P. (1995): "Curiosities on Business english: A challenge for the translator". VI Encuentros Complutenses sobre la Traducción, Madrid 1995. Actas en prensa.

TRADUCCIÓN JURÍDICA

Abaitua Odriozola, J.K. (1994): "Segmentación y establecimiento de correspondencias en textos paralelos bilingües". I Jornadas Internacionales de Traducción e Interpretación: Tendencias actuales, Las Palmas de Gran Canaria 1994. Actas en prensa.

Alcaraz Varó, E. (1994): "El inglés jurídico y su traducción al español". II Curso Superior de Traducción Inglés-Español, Valladolid 1993. Textos publicados por P. Fernández Nistral (ed.) (1994): *Aspectos de la traducción Inglés-Español.* Public. del ICE de la Univ. de la Universidad de Valladolid, p. 101-134.

Alvarez Calleja, M.A. (1994): *Traducción jurídica (inglés-español).* Madrid, UNED.

Ardila Cordero, A. (1995): "Análisis semiótico-semántico del discurso en la traducción: estudio de un texto jurídico". III Coloquio de la APFFUE, Barcelona 1995. Actas publicadas por F. Lafarga, A. Ribas, M. Tricas (1995): *La Traducción. Metodología, Historia, Literatura, Ambito hispanofrancés.* Barcelona, PPU, p. 423-432.

Argüeso González, A. (1995): "Traducción y terminología: un complemento indispensable en la versión del lenguaje jurídico". V Encuentros Complutenses sobre la Traducción, Madrid 1994. Actas publicadas con el mismo nombre en 1995. Public. de la Univ. Complutense de Madrid, p. 473-482.

Blas, A. (1995): "Le règlement intérieur: analyse textuelle et traduction". III Coloquio de la APFFUE, Barcelona 1995. Actas publicadas por F. Lafarga, A. Ribas, M. Tricas (1995): *La Traducción. Metodología, Historia, Literatura, Ambito hispanofrancés.* Barcelona, PPU, p. 433-440.

Bocanegra Padilla, A. (1994): "Algunas consideraciones sobre la terminología legislativa inglesa con especial referencia al derecho marítimo inglés". I Encuentro Interdisciplinar de Teoría y Práctica de la Traducción, Cádiz 1993. *Reflexiones sobre la Traducción.* Actas publicadas por L. Charlo Brea (1994). Public. de la Universidad de Cádiz, p. 191-204.

Borja, A. (1996): "La enseñanza de la traducción jurídica". III Jornades sobre la Traducció: Didáctica de la Traducció. Universitat Jaume I, Mayo 1995. Actas publicadas por A. Hurtado Albir (ed.) (1996) *La enseñanza en la traducción.* Universitat Jaume I de Castelló, p. 201-206.

Calpe Viñas, R. (1985): "Problemática actual de los traductores jurados". *Boletín de la APETI* 3, 1985, p. 16-17.

Campos Pardillos, M.A. (1995): "Una primera aproximación a la traducción jurídica". I Encuentros Alcalainos de Traducción. Cultura sin fronteras. *Encuentros en torno a la traducción.* Actas publicadas por C. Valero Garcés (1995). Publicaciones de la Universidad de Alcalá de Henares, p. 177-186.

Cano Henares, J. (1992): "Entrevista a Luis Márquez, catedrático jubilado de Lingüística General en la EUTI y traductor jurado". *Campus* 62, 1992, p. 38-39.

Cano Mora, V; Hickey, L; Ríos García, C. (1994): "¿Qué hace, exactamente, el traductor jurídico?". *Livius*, 5 (1994), p. 25-38.

García Candela, X. (1995): "A traducción xurídico-administrativa en Galicia". I Simposio Galego de Traducción. Vigo 1995. Actas publicadas como Anexo de la Revista de Traducción *Viceversa*. Facultad de Traducción de la Universidad de Vigo, 1995, p. 99-107.

García Candela, X. (1995): "Traducción administrativo". *Viceversa* 1, 1995, p. 155-160.

Gutiérrez Lanza, M.C. (1995): "Leyes y criterios de censura en la España franquista: traducción y recepción de textos literarios". VI Encuentros Complutenses sobre la Traducción, Madrid 1995. Actas en prensa.

Herrero Muñoz-Cobo, B. (1995): "La interpretación en los juzgados". V Encuentros Complutenses sobre la Traducción, Madrid 1994. Actas publicadas con el mismo nombre en 1995. Public. de la Univ. Complutense de Madrid, p. 687-692.

Hickey, L. (1996): "Aproximación didáctica a la traducción jurídica". III Jornades sobre la Traducció: Didáctica de la Traducció. Universitat Jaume I, Mayo 1995. Actas publicadas por A. Hurtado Albir (ed.) (1996) *La enseñanza en la traducción*. Universitat Jaume I de Castelló, p. 127-140.

Jansen, P. (1994): "Regulations on translation in the Belgian and Dutch courtroom: languages and translators in the institution". I Jornadas Internacionales de Traducción e Interpretación: Tendencias actuales, Las Palmas de Gran Canaria 1994. Actas en prensa.

Lécrivain, C. (1995): "La traduction administrative". E. Le Bel (ed.) (1995): *Le masque et la plume. Traducir: reflexiones, experiencias y prácticas*, Servicio de Publicaciones de la Universidad de Sevilla, p. 151-160.

Marín Hita, M.T. (1993): "Problemas de la traducción de documentos legales ingleses". Actas de las Jornadas Internacionales de Lingüística Aplicada, publicadas por J. Fernández-Barrientos Martín (1993). Granada, ICE de la Universidad, p. 663-666.

Martín Martín, J. (1991): *Normas de uso del lenguaje jurídico*. Granada, Comares.

Mayoral Asensio, R. (1991): "La traducción jurada de documentos académicos norteamericanos". *Sendebar*, vol. 2, 1991, p. 45-58.

Ortega Arjonilla, E; San Ginés Aguilar, P. (1996): *Introducción a la traducción jurídica y jurada (francés-español). Orientaciones metodológicas para la realización de traducciones juradas y de documentos jurídicos*. Granada, Editorial Comares.

Rodríguez Aguilera, C. (1994): "Especialidades en la traducción e interpretación lingüística, en la administración de justicia española". J. Agustín (ed.) (1994): *Traducción, Interpretación, Lenguaje*. Madrid, Cuadernos del tiempo libre, Colección Expolingua, Publicaciones: Fundación Actilibre, p. 119-122.

Royo, A. (1988): "Jurispericia y traslación de la lengua francesa". *Gaceta de la Traducción*, nº 0, 1988, p. 11-20.

Sarmiento Pérez, M. (1994): "La estructura y la morfosintaxis: dos elementos importantes en la traducción de textos especializados". I Jornadas Internacionales de Traducción e Interpretación: Tendencias actuales, Las Palmas de Gran Canaria 1994. Actas en prensa.

Varela Salinas, M.-J. (1995): "Kulturpaarspezifische Übersetzungsprobleme in juristischen Texten". VI Encuentros Complutenses sobre la Traducción, Madrid 1995. Actas en prensa.

Véglia, A. (1995): "La traduction d'articles de presse traitant de la justice". V Encuentros Complutenses sobre la Traducción, Madrid 1994. Actas publicadas con el mismo nombre en 1995. Public. de la Univ. Complutense de Madrid, p. 603-610.

Véglia, A. (1995): "Problèmes posés par la traduction d'un testament". VI Encuentros Complutenses sobre la Traducción, Madrid 1995. Actas en prensa.

TRADUCCIÓN LITERARIA (Teoría)

Albaladejo, T. (1992): "Aspectos pragmáticos y semánticos de la traducción del texto literario". *Koiné* 2, 1-1, p. 179-200.

Alcaraz Varó, E. (1993): "Pragmática y traducción". R. López Ortega, J.L. Oncins Martínez: *Essays on Translation* I, Public. de la Univ. de Extremadura, p. 17-23.

Ali Makki, M. (1990): "Problemas y dificultades de la traducción literaria del español al árabe". Actas de las Jornadas de Hispanismo Arabe (Madrid mayo 1988), publicadas por F. de Agreda (1990). Madrid, Agencia Española de Cooperación Internacional, p. 379-384.

Alonso Gallo, L. (1995): "Consideraciones lingüístico estilísticas en torno a un relato: el relato posmodernista". V Encuentros Complutenses sobre la Traducción, Madrid 1994. Actas publicadas con el mismo nombre en 1995. Public. de la Univ. Complutense de Madrid, p. 711-720.

Alvarez Calleja, M.A. (1987): "Equivalencia de sentido y equivalencia formal: la traducción española de *The Golden Bowl*, de Henry James". I Jornadas

Nacionales de Historia de la Traducción, León 1987. Actas publicadas por J.C. Santoyo, R. Rabadán, T. Guzmán, J.L. Chamosa (1987) *Fidus interpres*, vol. 1 y (1989) *Fidus Interpres*, vol. 2. Public. de la Universidad de León, vol. I, p. 316-321.

Alvarez Calleja, M.A. (1995): "Traducción literaria: creación vs. recreación". V Encuentros Complutenses sobre la Traducción, Madrid 1994. Actas publicadas con el mismo nombre en 1995. Public. de la Univ. Complutense de Madrid, p. 703-710.

Allah Hammadi, A. (1990): "La traducción literaria a través de mi modesta experiencia (D)". Actas de las Jornadas de Hispanismo Arabe (Madrid mayo 1988), publicadas por F. de Agreda (1990). Madrid, Agencia Española de Cooperación Internacional, p. 465-471.

Antolín Rato, M; Vega Cernuda, M.A. (1994): "¿Se puede enseñar la traducción literaria?: Debate en las Jornadas de Tarazona de 1993". *Vasos Comunicantes* 2, p. 57-69.

Aragón Fernández, M.A. (1992): *Traducciones de obras francesas en la Gaceta de Madrid en la década revolucionaria (1790-1799)*. Oviedo, Servicio de Publicaciones de la Univ. 1992.

Arbona Ponce, P. (1994): "El serial clásico de la BBC: La adaptación literaria como servicio público". Jornadas sobre Trasvases Culturales: Literatura, Cine, Traducción (20-22 mayo 1993). Actas publicadas por F. Eguiluz (1994). Vitoria, Public. de la Univ. del País Vasco, p. 87-93.

Ballesteros Dorado, A.I. (1994): "La traducción en la revista literaria *De Babel*". IV Encuentros Complutenses sobre la Traducción, Madrid 1992. Actas publicadas con el mismo nombre en 1994. Public. de la Universidad Complutense de Madrid, p. 593-600.

Beltrán Gandullo, M. (1995): "Potentielle Normverstösse bei der Übersetzung von gestisch enkodierten Kommunikationsformen der deutsch-spanishen Gegenwartsliteratur". VI Encuentros Complutenses sobre la Traducción, Madrid 1995. Actas en prensa.

Benítez, E. (1994): "La traducción literaria". J. Agustín (ed.) (1994): *Traducción, Interpretación, Lenguaje*. Madrid, Cuadernos del tiempo libre, Colección Expolingua, Publicaciones: Fundación Actilibre, p. 27-34.

Bouzalmate, H. (1994): "Traducción y creación literaria". IV Encuentros Complutenses sobre la Traducción, Madrid 1992. Actas publicadas con el mismo nombre en 1994. Public. de la Universidad Complutense de Madrid, p. 119-126.

Bueno García, A. (1995): "El desciframiento del valor intrínseco de la escritura: un problema esencial de la traducción literaria". V Encuentros

Complutenses sobre la Traducción, Madrid 1994. Actas publicadas con el mismo nombre en 1995. Public. de la Univ. Complutense de Madrid, p. 721-726.

Buesa Gómez, C. (1995): "Enfoques transculturales de la traducción literaria". I Encuentros Alcalainos de Traducción. Cultura sin fronteras. *Encuentros en torno a la traducción*. Actas publicadas por C. Valero Garcés (1995). Publicaciones de la Universidad de Alcalá de Henares, p. 35-44.

Calonge, J. (1984): "Sobre la traducción de obras científicas y obras literarias". Nueva Revista de Enseñanzas Medias nº 6: *La Traducción, Arte y Técnica*, 1984, M.E.C., p. 37-60.

Calvo García, J.J. (1989): "El abuso de las variaciones en la traducción literaria: Un caso práctico". XI Congreso de AEDEAN, León 1987. Actas publicadas por J.C. Santoyo (1989): *Translation Across Cultures*: La traducción en el mundo hispánico y anglosajón, relaciones lingüísticas, culturales y literarias. Publicaciones de la Univ. de León, p. 47-52.

Campos Vilanova, X. (1994): "La traducció poètica: el pensament teòric de James S. Holmes". I Jornades sobre la Traducció, Castelló 1993. Actas publicadas por A. Hurtado Albir (1994) *Estudis sobre la Traducció*. Public. de la Universitat Jaume I de Castelló, p. 11-24.

Camps, A. (1995): "La traducción en la historia literaria: el caso de Dante en Cataluña". VI Encuentros Complutenses sobre la Traducción, Madrid 1995. Actas en prensa.

Casado Candelas, L. (1994): "Traducción y Literatura. Tratado de estilo de Louis Aragón". I Encuentro Interdisciplinar de Teoría y Práctica de la Traducción, Cádiz 1993. *Reflexiones sobre la Traducción*. Actas publicadas por L. Charlo Brea (1994). Public. de la Universidad de Cádiz, p. 215-226.

Corredor Plaja, A.-M. (1991): "Quelques réflexions autour de la traduction littéraire". Actas de las XV Jornadas Pedagógicas sobre la enseñanza del Francés en España (febrero - marzo 1991): *Actes de la section de français du I Congrés International sur l'enseignement du français en Espagne: Les Langues étrangères dans l'Europe de l'Acte unique*, publicadas por R. Gauchola, C. Mestreit, M. Tost (1991). Barcelona, publicacions de l'ICE de l'Universitat Autònoma, p. 261-270.

Corredor Plaja, A.-M. (1993): "Quelques réflexions autour de la traduction littéraire". Actas de las XV Jornadas Pedagógicas sobre la enseñanza del Francés en España (febrero - marzo 1991): *Actes de la section de français du I Congrés International sur l'enseignement du français en Espagne: Les Langues étrangères dans l'Europe de l'Acte unique*, publicadas por R. Gauchola, C. Mestreit, M. Tost (1991). Barcelona, publicacions de l'ICE de l'Universitat Autònoma, p. 261-270.

Corredor Plaja, A.-M. (1995): "El proceso de recreación del original en la traducción literaria". III Coloquio de la APFFUE, Barcelona 1995. Actas publicadas por F. Lafarga, A. Ribas, M. Tricas (1995): *La Traducción. Metodología, Historia, Literatura, Ambito hispanofrancés*. Barcelona, PPU, p. 181-186.

Corredor Plaja, A.-M. (1995): "La función de la forma en traducción literaria: el ejemplo de Voltaire". Actas del II Coloquio Internacional de Lingüística Francesa: *La Lingüística Francesa: gramática, historia y epistemología* (Sevilla 1995). Dpto. de Filología Francesa de la Universidad de Sevilla (en prensa).

Cots Vicente, M. (1988): "Regard historique sur la traduction littéraire". Actas de las XI Jornadas Pedagógicas sobre la enseñanza del Francés en España. *Approches diverses du FLE, Traduction et Littérature*, publicadas por C. Mestreit, M. Tost (1988). Barcelona, Publicacions de l'ICE de l'Universitat Autonoma, p. 55-69.

Cots Vicente, M. (1989): "Lesage, traductor de Avellaneda: una concepción de la traducción literaria en el siglo XVIII". *Actas del VI Simposio de la Sociedad Española de Literatura General y Comparada* (13-15 marzo 1986). Actas publicadas por J. Paredes Nuñez, A. Soria Olmedo (1989), Granada, Publicaciones de la Universidad, p. 251-258.

Del Castillo Barrero, M.J. (1991): "Creativité de la traduction poétique". I Coloquio Internacional de Traductología, Valencia 1989. Actas publicadas por B. Lépinette, A. Olivares, E. Sopeña, E. (1991) *Actas del Primer Coloquio Internacional de traductología*. Public. por la Universitat de Valencia, *Quaderns de Filologia*, p. 83-86.

Eguiluz, F. (1994): "Al acecho de la traducción literaria como paradigma de transvase cultural". Jornadas sobre Trasvases Culturales: Literatura, Cine, Traducción (20-22 mayo 1993). Actas publicadas por F. Eguiluz (1994). Vitoria, Public. de la Univ. del País Vasco, p. 183-190.

El Sayed, M. (1990): "Traducción y crítica literaria. Ultima generación de hispanistas egipcios, 1975/85". Actas de las Jornadas de Hispanismo Arabe (Madrid mayo 1988), publicadas por F. de Agreda (1990). Madrid, Agencia Española de Cooperación Internacional, p. 137-146.

Elvira Rodríguez, A. (1989): "Traducción literaria: Aspectos de las interferencias culturales". *Actas del VI Simposio de la Sociedad Española de Literatura General y Comparada* (13-15 marzo 1986). Actas publicadas por J. Paredes Nuñez, A. Soria Olmedo (1989), Granada, Publicaciones de la Universidad, p. 293-299.

Faber, P. (1989): "El enfoque polisistémico de la traducción aplicado a textos de Edgar Allan Poe traducidos por Charles Baudelaire". Actas del VII

Congreso Nacional de Lingüística Aplicada (AESLA), Sevilla abril 1989, publicadas por F. Garrudo Carabias, J. Rincón (1990). Dpto. de Filología Inglesa de la Universidad de Sevilla, p. 173-180.

Ferrari, A. (1995): "Literatura e traducción: Falsos e verdaderos problemas". I Simposio Galego de Traducción. Vigo 1995. Actas publicadas como Anexo de la Revista de Traducción *Viceversa*. Facultad de Traducción de la Universidad de Vigo, 1995, p. 27-41.

Figueroa, A. (1983): "Notas sobre la problemática de la traducción poética (a propósito des *parafrases* que Cabanillas fat de poemas de Baudelaire)". *Grial* 80, 1983, p. 229-234.

Fulquet, J.M. (1995): "Recreación, adaptación, asimilación, imitación: La influencia de Goethe en Joan Maragall: primeros esbozos para una teoría de la traducción". *Quimera* 140-141, Barcelona, Ed. Montesinos, p. 68-70.

Gallego Roca, M. (1994): "La ordenación del caos: Poesía traducida y antologada". *Sendebar*, vol. 5, 1994, p. 249-254.

Gallego Roca, M. (1994): "Para una Historia literaria de las traducciones literarias". I Jornadas Internacionales de Traducción e Interpretación: Tendencias actuales, Las Palmas de Gran Canaria 1994. Actas en prensa.

Gallego Roca, M. (1994): *Traducción y literatura. Los estudios literarios ante las obras traducidas*. Madrid, Júcar.

García Ael, C. (1989): "Traducciones del español en el romanticismo alemán, o la influencia del mundo hispano en la imagen del mundo y de la poesía romántica". I Jornadas Nacionales de Historia de la Traducción, León 1987. Actas publicadas por J.C. Santoyo, R. Rabadán, T. Guzmán, J.L. Chamosa (1987) *Fidus interpres*, vol. 1 y (1989) *Fidus Interpres*, vol. 2. Public. de la Universidad de León, vol. II, p. 299-304.

García Bascuñana, J.F. (1991): "Alegoría y traducción: versiones españolas del *Roman de la Rose*". Coloquio Traducción y Adaptación Cultural España-Francia, Oviedo 1990. Actas publicadas en 1991 por M.L. Donaire, F. Lafarga: *Traducción y Adaptación cultural España-Francia*. Public. de la Universidad de Oviedo, p. 347-358.

García de la Banda, F. (1993): "Traducción de poesía y traducción poética". III Encuentros Complutenses sobre la Traducción, Madrid 1990. Actas publicadas con el mismo nombre en 1993. Public. de la Univ. Complutense de Madrid, p. 115-136.

García Gabaldón, J. (1995): "Traducción poética, reconstrucción analógica y transcreación". VI Encuentros Complutenses sobre la Traducción, Madrid 1995. Actas en prensa.

García López, R. (1994): "Algunos aspectos pragmáticos del texto literario vistos a través de recursos prosódicos y fonéticos". I Jornadas Internacionales de Traducción e Interpretación: Tendencias actuales, Las Palmas de Gran Canaria 1994. Actas en prensa.

García López, R. (1994): "Lo implícito en la traducción literaria: algunas consideraciones sobre la traducción al español de *Moderato cantabile* de Marguerite Duras". IV Encuentros Complutenses sobre la Traducción, Madrid 1992. Actas publicadas con el mismo nombre en 1994. Public. de la Universidad Complutense de Madrid, p. 523-530.

García Yebra, V. (1994): "Problemas de la traducción literaria". Jornadas sobre Trasvases Culturales: Literatura, Cine, Traducción (20-22 mayo 1993). Actas publicadas por F. Eguiluz (1994). Vitoria, Public. de la Univ. del País Vasco, p. 9-21.

García Yebra, V. (1994): "Problemas de la traducción literaria". II Coloquio Internacional de Traductología, Valencia 1991. Actas publicadas por B. Lépinette, A. Olivares, E. Sopeña (1994) *Actas del Primer Coloquio Internacional de traductología.* Public. por la Universitat de Valencia, *Quaderns de Filologia*, p. 7-16.

García-Noblejas Sánchez-Cendal, G. (1992): "Poesía escrita / problemas / traducción". Actas publicadas por Parcerisas, F. (ed.) (1995): *Actes del I Congrès Internacional sobre Traducció* (abril 1992). Publicacions de l'Universitat Autónoma de Barcelona, p. 859-868.

Goncharenko, S. (1995): "El aspecto comunicativo de la traducción poética". *Hieronymus Complutensis*, nº 1, ene.-jun. 1995, p. 63-68.

Goncharenko, S. (1995): "Teoría de la comunicación y traducción poética". V Encuentros Complutenses sobre la Traducción, Madrid 1994. Actas publicadas con el mismo nombre en 1995. Public. de la Univ. Complutense de Madrid, p. 695-702.

Goujon, J.P. (1995): "Approches de la problématique du texte poétique". E. Le Bel (ed.) (1995): *Le masque et la plume. Traducir: reflexiones, experiencias y prácticas*, Servicio de Publicaciones de la Universidad de Sevilla, p. 45-54.

Guerra Bosch, T. (1994): "Utilidad de la traducción en la enseñanza de la literatura medieval inglesa". I Jornadas Internacionales de Traducción e Interpretación: Tendencias actuales, Las Palmas de Gran Canaria 1994. Actas en prensa.

Gutiérrez, J.I. (1992): "Traducción y renovación literaria en el modernismo hispanoamericano". II Jornadas Nacionales de Historia de la Traducción, León 1990. Actas publicadas en la revista *Livius* nº 1 y 2, 1992. Public. de la Universidad de León, vol. I, p. 69-84.

Hallebeek, J. (1994): "¿Traducir automáticamente la poesía?". I Congreso Internacional de traducción e Interpretación de Soria, 1993. Actas publicadas por A. Bueno, M. Ramiro, J.M. Zarandona (1994): *La traducción de lo inefable*. Publicaciones del Colegio Universitario de Soria, p. 369-382.

Hernández Guerrero, M.J. (1994): "El protagonismo del traductor literario". I Encuentro Interdisciplinar de Teoría y Práctica de la Traducción, Cádiz 1993. *Reflexiones sobre la Traducción*. Actas publicadas por L. Charlo Brea (1994). Public. de la Universidad de Cádiz, p. 317-324.

Herrero Rodes, L. (1995): "Traducir o morir: la manipulación como vínculo cultural". I Encuentros Alcalainos de Traducción. Cultura sin fronteras. *Encuentros en torno a la traducción*. Actas publicadas por C. Valero Garcés (1995). Publicaciones de la Universidad de Alcalá de Henares, p. 45-54.

Hickey, L; Lorés Sanz, R; Loyo Gómez, H; Gil de Carrasco, A. (1993): "Información 'conocida' y 'nueva' en la traducción literaria". *Sendebar*, vol. 4, 1993, p. 199-208.

Ivanovici, V. (1993): "Traducibilidad y texto poético. A propósito de un poema de Cadafis". *Gaceta de la Traducción*, nº 1, jun. 1993, p. 5-20.

Jolicoeur, L. (1995): "Traduction littéraire, traduction de l'ambigu: attirance et effect". V Encuentros Complutenses sobre la Traducción, Madrid 1994. Actas publicadas con el mismo nombre en 1995. Public. de la Univ. Complutense de Madrid, p. 741-748.

Kirste, W. (1994): "La traducción vista desde la perspectiva del concepto de Literatura Universal de Johann Wofgang von Goethe (1749-1832)". Jornadas sobre Trasvases Culturales: Literatura, Cine, Traducción (20-22 mayo 1993). Actas publicadas por F. Eguiluz (1994). Vitoria, Public. de la Univ. del País Vasco, p. 269-277.

Lambert, J. (1995): "Literary Translation. Research Updated". II Jornades sobre la Traducció, Castelló 1994. Actas publicadas por J. Marco Burillo (1995) *La traducció Literaria*. Public. de la Universitat Jaume I de Castelló, p. 19-42.

Lécrivain, C. (1989): "Traduire Césaire en espagnol: quelle écriture?". *Estudios de Lengua y Literatura Francesas* 3, 1989, p. 155-166.

Lécrivain, C. (1991): "Le surréalisme français en espagnol: une remise en question de la traduction et de la littérature?". *Lenguaje y Textos* 5, 1991, p. 9-16.

Lemarchand, M.J. (1995): "¿Que es un texto original? Apuntes en torno a la historia del concepto". I Encuentros Alcalainos de Traducción. Cultura sin fronteras. *Encuentros en torno a la traducción*. Actas publicadas por C. Valero Garcés (1995). Publicaciones de la Universidad de Alcalá de Henares, p. 25-34.

López García, D. (1991): *Sobre la imposibilidad de la traducción*. Publicaciones de la Universidad de Castilla-La Mancha.

Lozano González, W.C. (1993): "Traducción literaria y teoría de la traducción". *Sendebar*, vol. 4, 1993, P. 209-224.

Lozano González, W.C. (1994): "En torno al concepto de fidelidad en la traducción literaria". I Encuentro Interdisciplinar de Teoría y Práctica de la Traducción, Cádiz 1993. *Reflexiones sobre la Traducción*. Actas publicadas por L. Charlo Brea (1994). Public. de la Universidad de Cádiz, p. 367-378.

Lucia de Oliveira, V. (1992): "Algumas consideraç~oes sobre o bilingüismo em campo literário". Actas publicadas por Parcerisas, F. (ed.) (1995): *Actes del I Congrès Internacional sobre Traducció* (abril 1992). Publicacions de l'Universitat Autónoma de Barcelona, p. 831-838.

Marchetti, A. (1994): "The poetics of translation and alterity". Jornadas sobre Trasvases Culturales: Literatura, Cine, Traducción (20-22 mayo 1993). Actas publicadas por F. Eguiluz (1994). Vitoria, Public. de la Univ. del País Vasco, p. 303-311.

Mendiz Noguero, A. (1994): "Diferencias estéticas entre teatro y cine. Hacia una teoría de la adaptación dramática". Jornadas sobre Trasvases Culturales: Literatura, Cine, Traducción (20-22 mayo 1993). Actas publicadas por F. Eguiluz (1994). Vitoria, Public. de la Univ. del País Vasco, p. 331-340.

Merino Alvarez, R. (1994): *Traducción, tradición y manipulación: Teatro inglés en España (1950-1990)*. Public. de la Universidad de León. Tesis.

Merino, M. (1994): "Taller de portugués: Jornadas en torno a la traducción literaria de Tarazona". *Vasos comunicantes* 3, p. 72-74.

Mustieles, J.L. (1994): "Sobre algunos aspectos de la traducción literaria". Jornadas sobre Trasvases Culturales: Literatura, Cine, Traducción (20-22 mayo 1993). Actas publicadas por F. Eguiluz (1994). Vitoria, Public. de la Univ. del País Vasco, p. 359-366.

Navarro Domínguez, E. (1995): "Las traducciones de poesía y la introducción del verso libre en España". VI Encuentros Complutenses sobre la Traducción, Madrid 1995. Actas en prensa.

Navarro Salazar, M.T. (1995): "Adecuación de registros y equivalencias culturales en la traducción literaria". VI Encuentros Complutenses sobre la Traducción, Madrid 1995. Actas en prensa.

Nord, C. (1993): "La traducción literaria entre intuición e investigación". III Encuentros Complutenses sobre la Traducción, Madrid 1990. Actas publicadas con el mismo nombre en 1993. Public. de la Univ. Complutense de Madrid, p. 99-110.

Oliva, S. (1995): "Sobre els elements suposadament intraduïbles de la traducció literària". II Jornades sobre la Traducció, Castelló 1994. Actas publicadas por J. Marco Burillo (1995) *La traducció Literaria*. Public. de la Universitat Jaume I de Castelló, p. 81-92.

Olivares Vaquero, M.D. (1989): "El tema de Inés de Castro en Francia y en España: la Inés de La Motte y la Inés de Bretón". *Imágenes de Francia en las letras hispánicas*. Ed. Francisco Lafarga. Barcelona, PPU, 1989, p. 281-286.

Ortiz García, J. (1993): "La traducción como crítica literaria". *Livius*, 4 (1993), p. 117-126.

Papp, A. (1994): "The importance of literary translation in TEFL". I Jornadas Internacionales de Traducción e Interpretación: Tendencias actuales, Las Palmas de Gran Canaria 1994. Actas en prensa.

Pegenaute Rodríguez, L. (1992): "Traducción literaria de mensajes (des)cifrados: Limitaciones metalingüísticas". *Estudios Humanísticos: Filología* 14, 1992, p. 11-23.

Pérez Gil, V. (1995): "Robert Walser. Las recensiones como crítica y documento de la recepción literaria". *Hieronymus Complutensis*, nº 1, ene.-jun. 1995, p. 143-145.

Pliego Sánchez, I. (1995): "El proceso de la traducción literaria". E. Le Bel (ed.) (1995): *Le masque et la plume. Traducir: reflexiones, experiencias y prácticas*, Servicio de Publicaciones de la Universidad de Sevilla, p. 55-64.

Pontiero, G. (1993): "La tarea del traductor literario". *Sendebar*, vol. 4, 1993, p. 163-178.

Rabadán Alvarez, R. (1991): *Equivalencia y traducción: Problemática de la equivalencia translémica inglés-español*. Public. de la Universidad de León. Tesis.

Ramírez Jáimez, A.S. (1994): "La pragmática de un texto literario orientado a la traducción (inglés-español)". I Jornadas Internacionales de Traducción e Interpretación: Tendencias actuales, Las Palmas de Gran Canaria 1994. Actas en prensa.

Ramos Orea, T. (1992): "La traducción poética de poesía: una tentativa de asedio a su conceptualización (a propósito de una versión de *El paraíso perdido*)". *Cuadernos de Traducción e Interpretación*, 11/12, 1992, p. 47-54.

Rodríguez Monroy, A. (1992): "De la traducción como complicidad: optimismo de la voluntad y pesimismo de la inteligencia". Actas publicadas por Parcerisas, F. (ed.) (1995): *Actes del I Congrès Internacional sobre Traducció* (abril 1992). Publicacions de l'Universitat Autónoma de Barcelona, p. 779-792.

Rudvin, M. (1994): "Translation and performance: oral narrative and the role of translation". I Jornadas Internacionales de Traducción e Interpretación: Tendencias actuales, Las Palmas de Gran Canaria 1994. Actas en prensa.

Saalbach, M. (1994): "La Literatura en versión cinematográfica: posibilidades y límites de la transposición". Jornadas sobre Trasvases Culturales: Literatura, Cine, Traducción (20-22 mayo 1993). Actas publicadas por F. Eguiluz (1994). Vitoria, Public. de la Univ. del País Vasco, p. 417-424.

Sabacé Planes, D. (1995): "Fidelidad e impenetrabilidad en la traducción literaria". VI Encuentros Complutenses sobre la Traducción, Madrid 1995. Actas en prensa.

Sabio Pinilla, J.A. (1994): "Algunos problemas en la traducción de textos literarios portugueses". I Encuentro Interdisciplinar de Teoría y Práctica de la Traducción, Cádiz 1993. *Reflexiones sobre la Traducción*. Actas publicadas por L. Charlo Brea (1994). Public. de la Universidad de Cádiz, p. 645-658.

Sáez Hermosilla, T. (1987): "Reflexiones para una traductología del texto literario". *Cuadernos de Traducción e Interpretación*, 8/9, 1987, p. 191-202.

Sáez Hermosilla, T. (1987): *Percepto mental y estructura rítmica: Prolegómenos para una traductología del sentido*. Public. de la Universidad de Cáceres.

Sáez Hermosilla, T. (1991): *El sentido de la traducción: Reflexión y crítica*. Salamanca, Public. de la Universidad.

Samaniego Fernández, E. (1995): "Las referencias culturales como áreas de inequivalencia interlingüística". I Encuentros Alcalaínos de Traducción. Cultura sin fronteras. *Encuentros en torno a la traducción*. Actas publicadas por C. Valero Garcés (1995). Publicaciones de la Universidad de Alcalá de Henares, p. 55-74.

Sánchez Paños, I. (1993): "Sentido y traducción literaria". III Encuentros Complutenses sobre la Traducción, Madrid 1990. Actas publicadas con el mismo nombre en 1993. Public. de la Univ. Complutense de Madrid, p. 111-114.

Santoyo, J.C. (1995): "La traducción literaria: siete axiomas". I Encuentros Alcalaínos de Traducción. Cultura sin fronteras. *Encuentros en torno a la traducción*. Actas publicadas por C. Valero Garcés (1995). Publicaciones de la Universidad de Alcalá de Henares, p. 9-24.

Sanz Cabrerizo, A. (1994): "Una hipótesis teórica para el estudio de la traducción literaria: el vector de desplazamiento semántico". I Jornadas Internacionales de Traducción e Interpretación: Tendencias actuales, Las Palmas de Gran Canaria 1994. Actas en prensa.

Scheu, D; Aguado Giménez, P. (1993): "Condicionamientos culturales en la traducción literaria: El **Shakespeare** de A.W. Schlegel Vs. F. Gundolf". *Livius*, 4 (1993), p. 217-230.

Snell-Hornby, M. (1995): "On Models and Structures and Target Text Cultures: Methods of Assesing Literary Translations". II Jornades sobre la Traducció, Castelló 1994. Actas publicadas por J. Marco Burillo (1995) *La traducció Literaria*. Public. de la Universitat Jaume I de Castelló, p. 43-58.

Sopeña Balordi, A.E. (1984): "Analyse contrastive français-espagnol et étude taxinomique des procédés de traduction littéraire: pour une didactique de la traduction". *Contrastes* 8, mai (1984), p. 147-153.

Suárez Lafuente, M.S. (1992): "La obra crítico-literaria de Malcolm Bradbury. Su traducción al castellano". *Cuadernos de Traducción e Interpretación*, 11/12, 1992, p. 11-18.

Tena, P. (1994): "Obediencia / Desobediencia en la traducción de poesía: Algunos ejemplos en la poesía de John Donne". Jornadas sobre Trasvases Culturales: Literatura, Cine, Traducción (20-22 mayo 1993). Actas publicadas por F. Eguiluz (1994). Vitoria, Public. de la Univ. del País Vasco, p. 425-431.

Toda Iglesia, F. (1995): "Observaciones sobre la traducción de textos medievales". E. Le Bel (ed.) (1995): *Le masque et la plume. Traducir: reflexiones, experiencias y prácticas*, Servicio de Publicaciones de la Universidad de Sevilla, p. 21-32.

Torre Serrano, E. (1994): "Literatura y traducción". I Encuentro Interdisciplinar de Teoría y Práctica de la Traducción, Cádiz 1993. *Reflexiones sobre la Traducción*. Actas publicadas por L. Charlo Brea (1994). Public. de la Universidad de Cádiz, p. 107-122.

Torre Serrano, E. (1994): *Teoría de la traducción literaria*. Madrid, Síntesis.

Tricás Preckler, M. (1988): "Llegir, Interpretar, Traduïr. La traducció de *Les Fleurs du Mal* de Baudelaire per Xavier Benguerel". *Revista de Catalunya* 15, Gener (1988), p. 138-143.

Vidakovic Pecrov, K. (1995): "Traducción o creación literaria". VI Encuentros Complutenses sobre la Traducción, Madrid 1995. Actas en prensa.

Vidal Claramonte, M.C.A. (1995): *Traducción, manipulación y deconstrucción*. Madrid, Ed. Colegio de España.

Villegas, M. (1990): "Lenguaje figurado: punto de encuentro entre escritores árabes e hispánicos". Actas de las Jornadas de Hispanismo Arabe (Madrid mayo 1988), publicadas por F. de Agreda (1990). Madrid, Agencia Española de Cooperación Internacional, p. 147-154.

Wuilmart, C. (1994): "Especificidad y didáctica de la traducción literaria". IV Encuentros Complutenses sobre la Traducción, Madrid 1992. Actas publicadas con el mismo nombre en 1994. Public. de la Universidad Complutense de Madrid, p. 165-178.

TRADUCCIÓN LITERARIA (Dramática)

Alonso Seoane, M.J. (1991): "Adaptaciones narrativas en el siglo XVIII español. *El amor desinteresado* de Pablo de Olavide". Coloquio Traducción y Adaptación Cultural España-Francia, Oviedo 1990. Actas publicadas en 1991 por M.L. Donaire, F. Lafarga: *Traducción y Adaptación cultural España-Francia*. Public. de la Universidad de Oviedo, p. 199-210.

Alvar, C. (1991): "Alain Chartier y España: *El Quadrílogo inventivo*". Coloquio Traducción y Adaptación Cultural España-Francia, Oviedo 1990. Actas publicadas en 1991 por M.L. Donaire, F. Lafarga: *Traducción y Adaptación cultural España-Francia*. Public. de la Universidad de Oviedo, p. 305-318.

Alvarez Orcajada, M.I. (1995): *Aproximación a Genet: Traducción anotada y comentario de "Les nègres"*. Tesis inédita. Dirigida por Joaquin Hernández Serna, Univ. de Murcia.

Anoll Vendrell, L. (1991): "De la adaptación a la inspiración: *Paméla Giraud* de Honoré de Balzac". Coloquio Traducción y Adaptación Cultural España-Francia, Oviedo 1990. Actas publicadas en 1991 por M.L. Donaire, F. Lafarga: *Traducción y Adaptación cultural España-Francia*. Public. de la Universidad de Oviedo, p. 211-220.

Anoll Vendrell, L. (1995): "Sobre las traducciones españolas del teatro simbolista en lengua francesa". Coloquio Teatro y Traducción, Salamanca 1993. Actas publicadas por F. Lafarga, R. Dengler (1995) *Teatro y Traducción*. Barcelona, Public. de la Universitat Pompeu Fabra, p. 177-184.

Auladell, M.A; Ríos Carratalá, J.A. (1991): "La literatura francesa en Alicante (siglo XIX)". Coloquio Traducción y Adaptación Cultural España-Francia, Oviedo 1990. Actas publicadas en 1991 por M.L. Donaire, F. Lafarga: *Traducción y Adaptación cultural España-Francia*. Public. de la Universidad de Oviedo, p. 127-142.

Ballano Olano, I. (1991): "Lecture y éxito editorial de *De l'Amour* de Stendhal, en España". Coloquio Traducción y Adaptación Cultural España-Francia, Oviedo 1990. Actas publicadas en 1991 por M.L. Donaire, F. Lafarga: *Traducción y Adaptación cultural España-Francia*. Public. de la Universidad de Oviedo, p. 319-328.

Barbolani, C. (1995): "Las traducciones españolas de las tragedias de Alfieri: Estado de la cuestión". VI Encuentros Complutenses sobre la Traducción, Madrid 1995. Actas en prensa.

Benoit Morinière, C. (1995): "De *Marie Madeleine ou le salut* de Marguerite Yourcenar a *María Magdalena o la salvación*: los desafíos de una dramaturgia". Coloquio Teatro y Traducción, Salamanca 1993. Actas publicadas por F. Lafarga, R. Dengler (1995) *Teatro y Traducción*. Barcelona, Public. de la Universitat Pompeu Fabra, p. 371-380.

Bittoun-Debruyne, N. (1995): "Traduction, adaptation et distorsion: Ramón de la Cruz et Marivaux". III Coloquio de la APFFUE, Barcelona 1995. Actas publicadas por F. Lafarga, A. Ribas, M. Tricas (1995): *La Traducción. Metodología, Historia, Literatura, Ambito hispanofrancés*. Barcelona, PPU, p. 247-254.

Calderona, A. (1995): "Traducción y adaptación de piezas de temas americanos en el teatro español del siglo XVIII". Coloquio Teatro y Traducción, Salamanca 1993. Actas publicadas por F. Lafarga, R. Dengler (1995) *Teatro y Traducción*. Barcelona, Public. de la Universitat Pompeu Fabra, p. 83-94.

Calvet Lora, R.M. (1989): "La imagen de Francia a través del teatro de A. Dumas (hijo)". *Imágenes de Francia en las letras hispánicas*. Ed. Francisco Lafarga. Barcelona, PPU, 1989, p. 317-326.

Calvet Lora, R.M. (1990): "Versiones españolas de las obras teatrales de A. Dumas (hijo) (I): La Dama de las Camelias". *Epos* 6, 1990, p. 355-375.

Calvet Lora, R.M. (1991): "Las versiones españolas del teatro de Émile Augier". Coloquio Traducción y Adaptación Cultural España-Francia, Oviedo 1990. Actas publicadas en 1991 por M.L. Donaire, F. Lafarga: *Traducción y Adaptación cultural España-Francia*. Public. de la Universidad de Oviedo, p. 561-578.

Calvet Lora, R.M. (1991): "Versiones españolas de las obras teatrales de A. Dumas (hijo) (II)". *Epos* 7, 1991, p. 423-451.

Calvet Lora, R.M. (1995): "Las traducciones al castellano del teatro de Victorien Sardou". Coloquio Teatro y Traducción, Salamanca 1993. Actas publicadas por F. Lafarga, R. Dengler (1995) *Teatro y Traducción*. Barcelona, Public. de la Universitat Pompeu Fabra, p. 163-176.

Calleja Medel, G. (1987): "Luis Astrana Marín, traductor de Shakespeare". I Jornadas Nacionales de Historia de la Traducción, León 1987. Actas publicadas por J.C. Santoyo, R. Rabadán, T. Guzmán, J.L. Chamosa (1987) *Fidus interpres*, vol. 1 y (1989) *Fidus Interpres*, vol. 2. Public. de la Universidad de León, vol. I, p. 333-339.

Casado, J; Copete, A. (1989): "Equivalencias y diferencias entre la terminología teatral inglesa y la española". XI Congreso de AEDEAN, León 1987. Actas publicadas por J.C. Santoyo (1989): *Translation Across Cultures*: La traducción en el mundo hispánico y anglosajón, relaciones lingüísticas, culturales y literarias. Publicaciones de la Univ. de León, p. 53-58.

Celada, A.R. (1995): "Broadway en traducción al español". Coloquio Teatro y Traducción, Salamanca 1993. Actas publicadas por F. Lafarga, R. Dengler (1995) *Teatro y Traducción*. Barcelona, Public. de la Universitat Pompeu Fabra, p. 185-192.

Celaya, M.L; Guardia Massó, P. (1992): "The Spanish Bawd: traducción y mitologización". II Jornadas Nacionales de Historia de la Traducción, León 1990. Actas publicadas en la revista *Livius* nº 1 y 2, 1992. Public. de la Universidad de León, vol. II, p. 139-148.

Coletes Blanco, A. (1985): "Oscar Wilde en España". *Cuadernos de Filología Inglesa* 1, 1985, p. 17-32.

Conde Guerri, M.J. (1989): "La traducción en las colecciones dramáticas (1910-1936)". I Jornadas Nacionales de Historia de la Traducción, León 1987. Actas publicadas por J.C. Santoyo, R. Rabadán, T. Guzmán, J.L. Chamosa (1987) *Fidus interpres*, vol. 1 y (1989) *Fidus Interpres*, vol. 2. Public. de la Universidad de León, vol. II, p. 315-320.

Conejero Tomás, M.A; Montalt Resurrección, V; Tronch Pérez, J. (1992): "Traduir Shakespeare al català: un esforç retòric i teatral". Actas publicadas por Parcerisas, F. (ed.) (1995): *Actes del I Congrès Internacional sobre Traducció* (abril 1992). Publicacions de l'Universitat Autónoma de Barcelona, p. 899-906.

Contreras Alvarez, A. (1992): *Beaumarchais y su teatro en España*. Univ. de Barcelona, ed. en microficha.

Cots Vicente, M. (1989): "La versión española de *Cyrano de Bergerac* de Edmond Rostand". *Imágenes de Francia en las letras hispánicas*. Ed. Francisco Lafarga. Barcelona, PPU, 1989, p. 287-295.

Court, A. (1995): "Une Nana ... ou mille femmes?". Coloquio Teatro y Traducción, Salamanca 1993. Actas publicadas por F. Lafarga, R. Dengler (1995) *Teatro y Traducción*. Barcelona, Public. de la Universitat Pompeu Fabra, p. 349-360.

Chamosa González, J.L. (1992): "*El peregrino en su patria* de Lope de Vega viaja a Inglaterra". II Jornadas Nacionales de Historia de la Traducción, León 1990. Actas publicadas en la revista *Livius* nº 1 y 2, 1992. Public. de la Universidad de León, vol. II, p. 149-160.

Chiclana, A. (1995): "Algunas reflexiones sobre la traducción de Goldoni". Coloquio Teatro y Traducción, Salamanca 1993. Actas publicadas por F.

Lafarga, R. Dengler (1995) *Teatro y Traducción*. Barcelona, Public. de la Universitat Pompeu Fabra, p. 399-404.

Chicharro Chamorro, D. (1989): "La formación teatral de los Machado: Traducciones y refundiciones". *Homenaje al Profesor Antonio Gallego Morell*, Universidad de Granada, vol. I, p. 387-403.

Dahruch, M. (1990): "Autores españoles traducidos al árabe: teatro español en árabe (D)". Actas de las Jornadas de Hispanismo Arabe (Madrid mayo 1988), publicadas por F. de Agreda (1990). Madrid, Agencia Española de Cooperación Internacional, p. 471-484.

Dengler Gassin, R. (1986): "El teatro francés en Madrid (1830-1850)". *Resúmenes de Tesis Doctorales*, Univ. Salamanca, 1986, p. 1-24.

Dengler Gassin, R. (1987): "El teatro de Victor Hugo a través de la prensa madrileña, 1835-1850". *Studia Zamorensia* 8, 1987, p. 222-233.

Dengler Gassin, R. (1989): "El drama romántico francés en Madrid (1830-1850)". *Imágenes de Francia en las letras hispánicas*. Ed. Francisco Lafarga. Barcelona, PPU, 1989, p. 307-317.

Dengler Gassin, R. (1991): "Algunas consideraciones a propósito de **Hernani**, drama de Victor Hugo (1830), versión castellana de Eugenio de Ochoa (1836)". Coloquio Traducción y Adaptación Cultural España-Francia, Oviedo 1990. Actas publicadas en 1991 por M.L. Donaire, F. Lafarga: *Traducción y Adaptación cultural España-Francia*. Public. de la Universidad de Oviedo, p. 337-346.

Dengler Gassin, R. (1991): "La traducción del **vaudeville** francés en España durante la época romántica". I Coloquio Internacional de Traductología, Valencia 1989. Actas publicadas por B. Lépinette, A. Olivares, E. Sopeña, E. (1991) *Actas del Primer Coloquio Internacional de traductología*. Public. por la Universitat de Valencia, *Quaderns de Filologia*, p. 87-88.

Dengler Gassin, R. (1995): "Apuntes sobre el teatro vodevilesco de Scribe y su acogida en las tablas madrileñas". Coloquio Teatro y Traducción, Salamanca 1993. Actas publicadas por F. Lafarga, R. Dengler (1995) *Teatro y Traducción*. Barcelona, Public. de la Universitat Pompeu Fabra, p. 131-140.

Díaz García, J. (1989): "Las primeras versiones de *Hamlet* al español: Apuntes para la historia de la traductología anglo-española". I Jornadas Nacionales de Historia de la Traducción, León 1987. Actas publicadas por J.C. Santoyo, R. Rabadán, T. Guzmán, J.L. Chamosa (1987) *Fidus interpres*, vol. 1 y (1989) *Fidus Interpres*, vol. 2. Public. de la Universidad de León, vol. II, p. 60-72.

Fernández Insuela, A. (1993): "Sobre la recepción de Brecht en revistas culturales españolas de postguerra". *Anuario de Estudios Filológicos* 16, 1993, p. 123-138.

Fernández Rodríguez, A. (1995): "El modelo de traducción y el traductor del discurso teatral". Coloquio Teatro y Traducción, Salamanca 1993. Actas publicadas por F. Lafarga, R. Dengler (1995) *Teatro y Traducción*. Barcelona, Public. de la Universitat Pompeu Fabra, p. 37-46.

Fernández Sánchez, C. (1995): "La España escénica de Théophile Gautier". Coloquio Teatro y Traducción, Salamanca 1993. Actas publicadas por F. Lafarga, R. Dengler (1995) *Teatro y Traducción*. Barcelona, Public. de la Universitat Pompeu Fabra, p. 141-150.

Ferreira de Brito, A. (1995): "Do *Tartuffe* de Molière ao *Tartufo* de Manuel Sousa (1768) e ao de Castilho (1870): achegas para o conceito de traduçao em Portugal nos séculos XVIII e XIX". Coloquio Teatro y Traducción, Salamanca 1993. Actas publicadas por F. Lafarga, R. Dengler (1995) *Teatro y Traducción*. Barcelona, Public. de la Universitat Pompeu Fabra, p. 109-120.

Flores López, V. (1986): *Propuesta metodológica para una edición bilingüe de Shakespeare*. Universidad de Valencia.

Formosa, F. (1995): "El teatro clásico alemán y la traducción pragmática". *El difícil lugar del traductor*. Quimera, Barcelona, Ed. Montesinos, p. 70-71.

Gabaudan, P. (1995): "Quand un poète traduit: *Le Cid* de Corneille". Coloquio Teatro y Traducción, Salamanca 1993. Actas publicadas por F. Lafarga, R. Dengler (1995) *Teatro y Traducción*. Barcelona, Public. de la Universitat Pompeu Fabra, p. 277-286.

Gallén, E. (1995): "La recepció del teatre francès en les col.leccions catalanes de preguerra (1918-1938)". Coloquio Teatro y Traducción, Salamanca 1993. Actas publicadas por F. Lafarga, R. Dengler (1995) *Teatro y Traducción*. Barcelona, Public. de la Universitat Pompeu Fabra, p. 193-204.

García Garrosa, M.J. (1989): "La versión española de *La Brouette du Vinaigrier* de L.S. Mercier (1975): *El trapero de Madrid* (Valladares de Sotomayor 1783)". *Actas del VI Simposio de la Sociedad Española de Literatura General y Comparada* (13-15 marzo 1986). Actas publicadas por J. Paredes Nuñez, A. Soria Olmedo (1989), Granada, Publicaciones de la Universidad, p. 327-330.

García Garrosa, M.J. (1991): "*El Comerciante inglés* y *El fabricante de paños*: De la traducción a la adaptación". *Anales de Literatura Española* 7, 1991, p. 85-97.

García Garrosa, M.J. (1992): "Françoise de Graffigny vista por Valladares: *Cénie* y *El marido de su hija*". *Cuadernos de Traducción e Interpretación*, 11/12, 1992, p. 237-257.

García Garrosa, M.J. (1992): "Valladares adaptador de Marmontel. Una nueva versión española de los Contes Moraux". *Investigación Franco-Española* 7, 1992, p. 39-54.

García Garrosa, M.J. (1995): "Las versiones españolas del drama *L'Orphelin anglais* o los enigmas de una atribución". Coloquio Teatro y Traducción, Salamanca 1993. Actas publicadas por F. Lafarga, R. Dengler (1995) *Teatro y Traducción*. Barcelona, Public. de la Universitat Pompeu Fabra, p. 71-82.

Garelli, P. (1995): "Dos adaptaciones de *Dione abbandonata* de Pietro Metastasio en el teatro español de la segunda mitad del siglo XVIII". Coloquio Teatro y Traducción, Salamanca 1993. Actas publicadas por F. Lafarga, R. Dengler (1995) *Teatro y Traducción*. Barcelona, Public. de la Universitat Pompeu Fabra, p. 95-108.

Garín, I. (1985): "Mucho ruido y pocas nueces". *Cuadernos de Traducción e Interpretación*, 5/6, 1985, p. 123-136.

Gómez Moreno, J.D. (1995): "Traducciones españolas de William Shakespeare: soluciones a la ambivalencia". VI Encuentros Complutenses sobre la Traducción, Madrid 1995. Actas en prensa.

González Doreste, D.M. (1995): "El teatro de Copi: traducción y recepción". Coloquio Teatro y Traducción, Salamanca 1993. Actas publicadas por F. Lafarga, R. Dengler (1995) *Teatro y Traducción*. Barcelona, Public. de la Universitat Pompeu Fabra, p. 413-424.

González Fernández, J.M. (1993): *Shakespeare en España: Crítica, traducciones y representaciones*. Publicaciones de la Univ. de Alicante y Libros Pórtico.

González Jiménez, L. (1988): "Artaud: Problemática de lectura y de traducción". Jornadas de Traducción, Ciudad Real 1986. Actas publicadas en 1986 con el título de *Actas de las Jornadas de Traducción*. Public. de la Fac. de Letras de la Universidad de Castilla-La Mancha, p. 203-212.

González Martín, V. (1995): "Traducciones españolas del teatro de Pirandello". Coloquio Teatro y Traducción, Salamanca 1993. Actas publicadas por F. Lafarga, R. Dengler (1995) *Teatro y Traducción*. Barcelona, Public. de la Universitat Pompeu Fabra, p. 205-214.

González Royo, C. (1991): "*El retablillo de don Cristóbal*, en italiano. Propuesto en dos experiencias de traducción literaria y pedagógica". I Coloquio Internacional de Traductología, Valencia 1989. Actas publicadas por B.

Lépinette, A. Olivares, E. Sopeña, E. (1991) *Actas del Primer Coloquio Internacional de traductología*. Public. por la Universitat de Valencia, *Quaderns de Filologia*, p. 113-114.

Guzmán, T; Santoyo, J.C. (1992): "Moratín, traductor de Thomas Otway: **Venice Preserved**". II Jornadas Nacionales de Historia de la Traducción, León 1990. Actas publicadas en la revista *Livius* nº 1 y 2, 1992. Public. de la Universidad de León, vol. I, p. 187-200.

Jiménez Plaza, D. (1995): "Las representaciones del teatro de Dumas padre en Valencia (1840-1852)". Coloquio Teatro y Traducción, Salamanca 1993. Actas publicadas por F. Lafarga, R. Dengler (1995) *Teatro y Traducción*. Barcelona, Public. de la Universitat Pompeu Fabra, p. 151-162.

Johnston, D. (1994): "Text and ideotext: translation and adaptation for the stage". I Jornadas Internacionales de Traducción e Interpretación: Tendencias actuales, Las Palmas de Gran Canaria 1994. Actas en prensa.

Lafarga, F. (1984): "El teatro de Diderot en España". *Cuadernos de Traducción e Interpretación*, 4, 1984, p. 109-118.

Lafarga, F. (1987): "Dos nuevas traducciones españolas de Voltaire en el siglo XVIII". *Récifs* 9, 1987, p. 7-12.

Lafarga, F. (1987): "Teoría y práctica en el teatro de Diderot: el ejemplo de las traducciones españolas". F. Lafarga (ed.): *Diderot*, Ed. Univ. Barcelona, p. 163-173.

Lafarga, F. (1988): *Las traducciones españolas del teatro francés (1700-1835). II Catálogo de manuscritos*. Publicacions de la Universitat de Barcelona.

Lafarga, F. (1989): "Sobre el 'Teatro Nuevo Español' (1800-1801): ¿Español?". I Jornadas Nacionales de Historia de la Traducción, León 1987. Actas publicadas por J.C. Santoyo, R. Rabadán, T. Guzmán, J.L. Chamosa (1987) *Fidus interpres*, vol. 1 y (1989) *Fidus Interpres*, vol. 2. Public. de la Universidad de León, vol. II, p. 15-22.

Lafarga, F. (1991): "¿Adaptación o reconstrucción? Sobre Beaumarchais traducido por Bretón de los Herreros". Coloquio Traducción y Adaptación Cultural España-Francia, Oviedo 1990. Actas publicadas en 1991 por M.L. Donaire, F. Lafarga: *Traducción y Adaptación cultural España-Francia*. Public. de la Universidad de Oviedo, p. 159-166.

Lafarga, F. (1991): "De Beaumarchais a Hartzenbusch". R. Dengler Gassin (ed.): *Estudios humanísticos en homenaje a Luis Cortés Vázquez*, Universidad de Salamanca, vol. I, p. 421-424.

Lécrivain, C. (1986): "Archaïsmes et traduction: *L'Oeuvre au noir de M. Yourcenar*". Actes du Colloque international sur Marguerite Yourcenar, Valencia 1984, publicadas por E. Real (1986). Universidad de Valencia, p. 135-142.

López Jiménez, L. (1995): "La adaptación española de *Dulcinée* de Gaston Baty por H. Pérez de la Ossa". Coloquio Teatro y Traducción, Salamanca 1993. Actas publicadas por F. Lafarga, R. Dengler (1995) *Teatro y Traducción*. Barcelona, Public. de la Universitat Pompeu Fabra, p. 327-336.

López Román, B. (1989): "Transformaciones galoclásicas en el texto de la traducción de *Hamlet* de Moratín". XI Congreso de AEDEAN, León 1987. Actas publicadas por J.C. Santoyo (1989): *Translation Across Cultures*: La traducción en el mundo hispánico y anglosajón, relaciones lingüísticas, culturales y literarias. Publicaciones de la Univ. de León, p. 119-126.

López Román, B. (1990): "Procesos de transformación de Shakespeare en la traducción de *Hamlet* de Moratín". *Bells* 1, 1990, p. 117-123.

Losada Friend, M. (1995): "Traducción, **translatio**, adaptación: el *Edipo* de Dryden y Lee". V Encuentros Complutenses sobre la Traducción, Madrid 1994. Actas publicadas con el mismo nombre en 1995. Public. de la Univ. Complutense de Madrid, p. 349-356.

Lozano González, W.C. (1995): "La traducción al español de *Les bestiaires* de H. de Montherlant por Pedro Salinas: un caso de restitución cultural". III Coloquio de la APFFUE, Barcelona 1995. Actas publicadas por F. Lafarga, A. Ribas, M. Tricas (1995): *La Traducción. Metodología, Historia, Literatura, Ambito hispanofrancés*. Barcelona, PPU, p. 307-314.

MacErlain, T. (1995): "La traducción de lo surreal: Francisco Nieva". V Encuentros Complutenses sobre la Traducción, Madrid 1994. Actas publicadas con el mismo nombre en 1995. Public. de la Univ. Complutense de Madrid, p. 383-392.

Manero Sorolla, M.P. (1991): "Un diálogo de carmelitas primitivo traducido al francés: *Pour l'instruction de novices* de María de San José (Salazar)". Coloquio Traducción y Adaptación Cultural España-Francia, Oviedo 1990. Actas publicadas en 1991 por M.L. Donaire, F. Lafarga: *Traducción y Adaptación cultural España-Francia*. Public. de la Universidad de Oviedo, p. 369-380.

Martínez Ascaso, R.M. (1985): "Diàriament, periòdica, sempre Shakespeare". *Cuadernos de Traducción e Interpretación*, 5/6, 1985, p. 137-151.

Martínez, C. (1991): "Sobre la *élégante invention* de Juan de Flores por Scève". Coloquio Traducción y Adaptación Cultural España-Francia, Oviedo 1990. Actas publicadas en 1991 por M.L. Donaire, F. Lafarga: *Traducción y Adaptación cultural España-Francia*. Public. de la Universidad de Oviedo, p. 381-390.

Martínez, C. (1995): "Versión e interpretación en la escena francesa renacentista". Coloquio Teatro y Traducción, Salamanca 1993. Actas publicadas por F. Lafarga, R. Dengler (1995) *Teatro y Traducción*. Barcelona, Public. de la Universitat Pompeu Fabra, p. 49-58.

Martínez-Peñuela, A. (1989): "Del texto italiano a la escena española". I Jornadas Nacionales de Historia de la Traducción, León 1987. Actas publicadas por J.C. Santoyo, R. Rabadán, T. Guzmán, J.L. Chamosa (1987) *Fidus interpres*, vol. 1 y (1989) *Fidus Interpres*, vol. 2. Public. de la Universidad de León, vol. II, p. 164-168.

Mateo Martínez-Bartolomé, M. (1992): "El componente escénico en la traducción teatral". Actas publicadas por Parcerisas, F. (ed.) (1995): *Actes del I Congrès Internacional sobre Traducció* (abril 1992). Publicacions de l'Universitat Autónoma de Barcelona, p. 907-918.

Mateo Martínez-Bartolomé, M. (1992): "Las traducciones españolas de **Volpone**, de Ben Jonson". II Jornadas Nacionales de Historia de la Traducción, León 1990. Actas publicadas en la revista *Livius* nº 1 y 2, 1992. Public. de la Universidad de León, vol. I, p. 167-178.

Mateo Martínez-Bartolomé, M. (1994): "¿Lady Sneerwell o Doña Virtudes?: la traducción de los nombres propios emblemáticos en las comedias". IV Encuentros Complutenses sobre la Traducción, Madrid 1992. Actas publicadas con el mismo nombre en 1994. Public. de la Universidad Complutense de Madrid, p. 433-444.

Mateo Martínez-Bartolomé, M. (1995): *La traducción del humor: Las comedias inglesas en español*. Universidad de Oviedo.

Mendiz Noguero, A. (1994): "Diferencias estéticas entre teatro y cine. Hacia una teoría de la adaptación dramática". Jornadas sobre Trasvases Culturales: Literatura, Cine, Traducción (20-22 mayo 1993). Actas publicadas por F. Eguiluz (1994). Vitoria, Public. de la Univ. del País Vasco, p. 331-340.

Merino Alvarez, R. (1990): "Un hombre para la eternidad: ¿una traducción para la eternidad?". F. Rodríguez González (ed.) (1990): *Estudios de Filología Inglesa: Homenaje al Doctor Pedro Jesús Marcos Pérez*. Publicaciones del Dpto. de Filología Inglesa de la Universidad de Alicante, p. 199-208.

Merino Alvarez, R. (1992): "Una versión libre de Sastre, o cómo un dramaturgo traduce a otro dramaturgo". Actas publicadas por Parcerisas, F. (ed.) (1995): *Actes del I Congrès Internacional sobre Traducció* (abril 1992). Publicacions de l'Universitat Autónoma de Barcelona, p. 919-926.

Merino Alvarez, R. (1992): *Teatro inglés en España: ¿Traducción, adaptación o destrucción? Algunas calas en textos dramáticos*. Tesis, Universidad de León.

Merino Alvarez, R. (1994): "La **réplica** como unidad de descripción y comparación de textos dramáticos traducidos". IV Encuentros Complutenses sobre la Traducción, Madrid 1992. Actas publicadas con el mismo nombre en 1994. Public. de la Universidad Complutense de Madrid, p. 397-406.

Merino Alvarez, R. (1995): "La traducción del teatro inglés en España: cuarenta años de plagios". *III Curso Superior de Traducción: Perspectivas de la traducción inglés / español*. Textos publicados por P. Fernández Nistral, J.Mª. Bravo Gozalo (eds.) 1995. ICE de la Universidad de Valladolid, p. 75-90.

Merino Alvarez, R. (1995): "Traducción y adaptación en el campo dramático: la producción dramática de W. Russel para el teatro y el cine". V Encuentros Complutenses sobre la Traducción, Madrid 1994. Actas publicadas con el mismo nombre en 1995. Public. de la Univ. Complutense de Madrid, p. 399-406.

Micó, J.M. (1985): "Una traición a Shakespeare". *Cuadernos de Traducción e Interpretación*, 5/6, 1985, p. 53-60.

Montezani, M.A. (1993): "Areas semánticas en *The Cocktail Party*". *Essays on Translation. Ensayos sobre Traducción* I, Cáceres 1993, p. 39-50.

Murillo, A.M. (1994): "Cultural transfer in different literary contexts. The Case of *La Celestina*". Jornadas sobre Trasvases Culturales: Literatura, Cine, Traducción (20-22 mayo 1993). Actas publicadas por F. Eguiluz (1994). Vitoria, Public. de la Univ. del País Vasco, p. 351-357.

Olivares Pardo, M.A. (1995): "Aproximación a algunos fenómenos de la traducción teatral: *Les Bonnes* de J. Genet". Coloquio Teatro y Traducción, Salamanca 1993. Actas publicadas por F. Lafarga, R. Dengler (1995) *Teatro y Traducción*. Barcelona, Public. de la Universitat Pompeu Fabra, p. 239-250.

Olivares Vaquero, M.D. (1991): "Una comedia española en Francia: *Peor está que estaba*". Coloquio Traducción y Adaptación Cultural España-Francia, Oviedo 1990. Actas publicadas en 1991 por M.L. Donaire, F. Lafarga: *Traducción y Adaptación cultural España-Francia*. Public. de la Universidad de Oviedo, p. 231-243.

Olivares Vaquero, M.D. (1995): "Rojas Zorrilla y Thomas Corneille: *Entre bobos anda el juego*". Coloquio Teatro y Traducción, Salamanca 1993. Actas publicadas por F. Lafarga, R. Dengler (1995) *Teatro y Traducción*. Barcelona, Public. de la Universitat Pompeu Fabra, p. 287-298.

Orduña, J. (1991): "Pragmática, análisis estructural y traducción teatral". I Coloquio Internacional de Traductología, Valencia 1989. Actas publicadas por B. Lépinette, A. Olivares, E. Sopeña, E. (1991) *Actas del Primer*

Coloquio Internacional de traductología. Public. por la Universitat de Valencia, *Quaderns de Filologia*, p. 163-166.

Ortiz de Zárate, C. (1991): "Aspectos sicosociológicos de la traducción de *La Enriada* por Viera y Clavijo". Coloquio Traducción y Adaptación Cultural España-Francia, Oviedo 1990. Actas publicadas en 1991 por M.L. Donaire, F. Lafarga: *Traducción y Adaptación cultural España-Francia*. Public. de la Universidad de Oviedo, p. 401-410.

Ortiz de Zárate, C. (1995): "La traducción de *Les Barmécides* por Viera y Clavijo". Coloquio Teatro y Traducción, Salamanca 1993. Actas publicadas por F. Lafarga, R. Dengler (1995) *Teatro y Traducción*. Barcelona, Public. de la Universitat Pompeu Fabra, p. 311-326.

Ortiz García, J. (1995): "Nuevos acercamientos a la traducción de textos dramáticos". I Encuentros Alcalainos de Traducción. Cultura sin fronteras. *Encuentros en torno a la traducción*. Actas publicadas por C. Valero Garcés (1995). Publicaciones de la Universidad de Alcalá de Henares, p. 89-98.

Ozaeta Gálvez, M.R. (1991): "La traducción en el género dramático, claro exponente de la diversidad de culturas: 'Le Théâtre de la Salamandre'". Coloquio Traducción y Adaptación Cultural España-Francia, Oviedo 1990. Actas publicadas en 1991 por M.L. Donaire, F. Lafarga: *Traducción y Adaptación cultural España-Francia*. Public. de la Universidad de Oviedo, p. 109-124.

Ozaeta Gálvez, M.R. (1993): "La difícil empresa de la traducción de teatro contemporáneo: *Le Saperleau*". III Encuentros Complutenses sobre la Traducción, Madrid 1990. Actas publicadas con el mismo nombre en 1993. Public. de la Univ. Complutense de Madrid, p. 261-272.

Ozaeta Gálvez, M.R. (1995): "La Fontaine, adaptador de un texto clásico". Coloquio Teatro y Traducción, Salamanca 1993. Actas publicadas por F. Lafarga, R. Dengler (1995) *Teatro y Traducción*. Barcelona, Public. de la Universitat Pompeu Fabra, p. 263-276.

Pagán, V. (1990): "La traducción y adaptación de un texto teatral de Carlo Goldoni: *Le bourru bienfaisant*". II Encuentros Complutenses sobre la Traducción, Madrid 1988. Actas publicadas con el mismo nombre en 1990. Public. de la Univ. Complutense de Madrid, p. 247-352.

Pageaux, D.H. (1995): "En torno a Marguerite Yourcenar". Coloquio Teatro y Traducción, Salamanca 1993. Actas publicadas por F. Lafarga, R. Dengler (1995) *Teatro y Traducción*. Barcelona, Public. de la Universitat Pompeu Fabra, p. 381-386.

Parra i Albà, M. (1995): "Adaptaciones teatrales de *Los tres mosqueteros* de Alejandro Dumas". III Coloquio de la APFFUE, Barcelona 1995. Actas publicadas por F. Lafarga, A. Ribas, M. Tricas (1995): *La Traducción. Metodología, Historia, Literatura, Ambito hispanofrancés*. Barcelona, PPU, p. 255-262.

Portillo García, R. (1986): "Dramatizar la historia: *La Vida de Eduardo II*, de Marlowe a Pasqual". Actas del IX Congreso Nacional de la AEDEAN, Murcia 1985, publicadas en 1986. Dpto. de Filología Inglesa y Alemana de la Universidad de Murcia, p. 55-61.

Pujals, E. (1985): "Shakespeare y sus traducciones en España: perspectiva histórica". *Cuadernos de Traducción e Interpretación*, 5/6, 1985, p. 77-86.

Pujante, A.L. (1995): "Traducir Shakespeare: mis tres fidelidades". *Vasos Comunicantes* 5, p. 10-21.

Pujante, A.L; Scheu, D. (1992): "El Shakespeare de Hans Rothe o el mito de la traducción teatral". II Jornadas Nacionales de Historia de la Traducción, León 1990. Actas publicadas en la revista *Livius* nº 1 y 2, 1992. Public. de la Universidad de León, vol. II, p. 253-262.

Rajoy Feijóo, M.D. (1991): "La figura del falso devoto: itinerario y adaptación cultural". Coloquio Traducción y Adaptación Cultural España-Francia, Oviedo 1990. Actas publicadas en 1991 por M.L. Donaire, F. Lafarga: *Traducción y Adaptación cultural España-Francia*. Public. de la Universidad de Oviedo, p. 411-422.

Raul del Toro, A. (1993): "Otero Pedrayo: *Ulysses* y Stephen Dedalus en Compostela". *Essays on Translation. Ensayos sobre Traducción* I, Cáceres 1993, p. 61-66.

Ribas Pujol, A. (1995): "Adecuación a aceptabilidad en la traducción de textos dramáticos". Coloquio Teatro y Traducción, Salamanca 1993. Actas publicadas por F. Lafarga, R. Dengler (1995) *Teatro y Traducción*. Barcelona, Public. de la Universitat Pompeu Fabra, p. 25-36.

Richardson, B. (1994): "Translating dislocated temporal deictics in Lorca's *La casa de Bernarda Alba*". *Sendebar*, vol. 5, 1994, p. 225-240.

Rives Traver, P. (1988): "Notas sobre la traducción de textos dramáticos shakesperianos". *Cuadernos de Traducción e Interpretación*, 10, 1988, p. 11-18.

Rodríguez Sánchez de León, M.J. (1993): "Las traducciones del teatro francés durante la Ominosa Década: El sentido de la traducción y su consideración crítica". *Livius*, 4 (1993), p. 191-204.

Saenz Sagaseta de Ilurdoz, M. (1994): "Thomas Bernard / Peter Handke: Semejanzas y diferencias". *Vasos comunicantes* 3, p. 33-42.

Saleh, W.G. (1990): "*Al-Andalus* y el teatro árabe contemporáneo". Actas de las Jornadas de Hispanismo Arabe (Madrid mayo 1988), publicadas por F.

de Agreda (1990). Madrid, Agencia Española de Cooperación Internacional, p. 269-284.

Sánchez Escribano, F.J. (1987): "La traducción de *Le Cid* de Corneille al inglés: un problema de fechas (Las traducciones de Joseph Rutter)". I Jornadas Nacionales de Historia de la Traducción, León 1987. Actas publicadas por J.C. Santoyo, R. Rabadán, T. Guzmán, J.L. Chamosa (1987) *Fidus interpres*, vol. 1 y (1989) *Fidus Interpres*, vol. 2. Public. de la Universidad de León, vol. I, p. 277-282.

Sánchez García, M. (1991): "Lenguaje y emancipación de la mujer en Shakespeare: Un ejemplo de deterioro del discurso en la traducción". *Lenguaje y Textos* 5, 1991, p. 49-61.

Santa, A. (1995): "*La núvia venuda*: problemática de la adaptación teatral catalana de *Le maître de Forges* de Georges Ohnet". III Coloquio de la APFFUE, Barcelona 1995. Actas publicadas por F. Lafarga, A. Ribas, M. Tricas (1995): *La Traducción. Metodología, Historia, Literatura, Ambito hispanofrancés*. Barcelona, PPU, p. 301-306.

Santa, A. (1995): "Las adaptaciones teatrales españolas de las novelas de Maurice Leblanc. Arsène Lupin frente a Sherlok Holmes". Coloquio Teatro y Traducción, Salamanca 1993. Actas publicadas por F. Lafarga, R. Dengler (1995) *Teatro y Traducción*. Barcelona, Public. de la Universitat Pompeu Fabra, p. 361-370.

Santoyo, J.C. (1987): "Dramaturgos contemporáneos de Shakespeare: traducciones españolas". *El teatro de Shakespeare y su época*. Publ. por R. Portillo (ed.). Madrid, Cátedra, p. 303-313.

Santoyo, J.C. (1995): "Reflexiones, teoría y crítica de la traducción dramática. Panorama desde el páramo español". Coloquio Teatro y Traducción, Salamanca 1993. Actas publicadas por F. Lafarga, R. Dengler (1995) *Teatro y Traducción*. Barcelona, Public. de la Universitat Pompeu Fabra, p. 13-24.

Scheu, D; Aguado Giménez, P. (1995): "A.W. Schlegel: Los principios de fidelidad y agilidad estilística en la traducción de W. Shakespeare". *Cuadernos de Filología Inglesa* 4, 1995, p. 75-92.

Serrano Mañes, M. (1989): "Thomas Corneille y el teatro clásico español: inspiración, adaptación, traducción". *Actas del VI Simposio de la Sociedad Española de Literatura General y Comparada* (13-15 marzo 1986). Actas publicadas por J. Paredes Nuñez, A. Soria Olmedo (1989), Granada, Publicaciones de la Universidad, p. 407-416.

Serrano Mañes, M. (1995): "De *Le Bourgeois gentilhomme* a *El labrador gentilhommbre*: un eco molieresco en la corte española". Coloquio Teatro y

Traducción, Salamanca 1993. Actas publicadas por F. Lafarga, R. Dengler (1995) *Teatro y Traducción*. Barcelona, Public. de la Universitat Pompeu Fabra, p. 299-310.

Serrano, A. (1988): *Las traducciones de Shakespeare en España: el ejemplo de "Othelo"*. Valencia, Fundación Shakespeare.

Sopeña Balordi, A.E; Olivares Pardo, M.A. (1995): "*L'Aigle à deux têtes*: Cocteau-Antonioni". Coloquio Teatro y Traducción, Salamanca 1993. Actas publicadas por F. Lafarga, R. Dengler (1995) *Teatro y Traducción*. Barcelona, Public. de la Universitat Pompeu Fabra, p. 387-396.

Tolivar Alas, A.C. (1988): "Traducciones y adaptaciones españolas de Racine en el siglo XVIII". *Investigación Franco-Española* 1, 1988, p. 245-268.

Tolivar Alas, A.C. (1989): "Comella y las tragedias bíblicas de Racine". *Imágenes de Francia en las letras hispánicas*. Ed. Francisco Lafarga. Barcelona, PPU, 1989, p. 379-387.

Tolivar Alas, A.C. (1991): "*Phèdre* de Racine en la España del siglo XVIII". Coloquio Traducción y Adaptación Cultural España-Francia, Oviedo 1990. Actas publicadas en 1991 por M.L. Donaire, F. Lafarga: *Traducción y Adaptación cultural España-Francia*. Public. de la Universidad de Oviedo, p. 433-442.

Tolivar Alas, A.C. (1995): "El teatro de Racine en la España de los primeros Borbones". Coloquio Teatro y Traducción, Salamanca 1993. Actas publicadas por F. Lafarga, R. Dengler (1995) *Teatro y Traducción*. Barcelona, Public. de la Universitat Pompeu Fabra, p. 59-70.

Tolivar Alas, A.M. (1987): *Traducciones y adaptaciones españolas de Racine en el siglo XVII*. Tesis inédita, Universidad de Oviedo.

Totzeva, S. (1994): "A new theoretical approach to equivalence as a of translating drama". I Jornadas Internacionales de Traducción e Interpretación: Tendencias actuales, Las Palmas de Gran Canaria 1994. Actas en prensa.

Tricás Preckler, M. (1995): "Conectores argumentativos e implícito: la traducción española del teatro de Albert Camus". Coloquio Teatro y Traducción, Salamanca 1993. Actas publicadas por F. Lafarga, R. Dengler (1995) *Teatro y Traducción*. Barcelona, Public. de la Universitat Pompeu Fabra, p. 227-238.

Tuda, P; Vallejo Rodríguez, M. (1991): "Problemas de la traducción teatral: *Haute surveillance* de Jean Genet". I Coloquio Internacional de Traductología, Valencia 1989. Actas publicadas por B. Lépinette, A. Olivares, E. Sopeña, E. (1991) *Actas del Primer Coloquio Internacional de traductología*. Public. por la Universitat de Valencia, *Quaderns de Filologia*, p. 207-208.

Uribe-Echevarria, I; Merino Alvarez, R. (1994): "Tradición y Traducción: *Exiliados* de J. Joyce". Jornadas sobre Trasvases Culturales: Literatura, Cine, Traducción (20-22 mayo 1993). Actas publicadas por F. Eguiluz (1994). Vitoria, Public. de la Univ. del País Vasco, p. 433-444.

Vassale, V. (1991): "Traduzione vs. attività teatrale nell'insegnamento di una lingua straniera". Actas de las XV Jornadas Pedagógicas sobre la enseñanza del Francés en España (febrero - marzo 1991): *Actes de la section de français du I Congrés International sur l'enseignement du français en Espagne: Les Langues étrangères dans l'Europe de l'Acte unique*, publicadas por R. Gauchola, C. Mestreit, M. Tost (1991). Barcelona, publicacions de l'ICE de l'Universitat Autònoma,

Vega Cernuda, M.A. (1995): "Anatol y A la cacatúa verde de Arthur Schnitzler". *Hieronymus Complutensis*, nº 1, ene.-jun. 1995, p. 124-127.

Vilvandre de Sousa, C. (1995): "Traduction de scènes-limites du théâtre de Ionesco: la part de l'implicite et la chute du langage". III Coloquio de la APFFUE, Barcelona 1995. Actas publicadas por F. Lafarga, A. Ribas, M. Tricas (1995): *La Traducción. Metodología, Historia, Literatura, Ambito hispanofrancés*. Barcelona, PPU, p. 321-326.

Wells, S. (1985): "Nuevas ediciones shakesperianas". *Cuadernos de Traducción e Interpretación*, 5/6, 1985, p. 11-36.

Zabalbeascoa, J.A. (1986): "Un drama nuevo y Yorick's Love". *Cuadernos de Traducción e Interpretación*, 7, 1986, p. 171-186.

TRADUCCIÓN LITERARIA (Narrativa)

Acinas, B. (1995): "Juegos de palabras y traducción: *Zazie dans le métro* de Raymond Queneau". III Coloquio de la APFFUE, Barcelona 1995. Actas publicadas por F. Lafarga, A. Ribas, M. Tricas (1995): *La Traducción. Metodología, Historia, Literatura, Ambito hispanofrancés*. Barcelona, PPU, p. 407-414.

Adanjo Correia, M.R. (1992): "*Notícia da cidade silvestre* em castelhano, francés e italiano". Actas publicadas por Parcerisas, F. (ed.) (1995): *Actes del I Congrès Internacional sobre Traducció* (abril 1992). Publicacions de l'Universitat Autónoma de Barcelona, p. 647-654.

Adrada Rafael, C. (1995): "La traducción de los nombres propios en *Madame Bovary* de Flaubert". VI Encuentros Complutenses sobre la Traducción, Madrid 1995. Actas en prensa.

Aguirre de Cercer, L.F. (1992): "Las traducciones del **Quijote** al árabe". II Jornadas Nacionales de Historia de la Traducción, León 1990. Actas publicadas en la revista *Livius* nº 1 y 2, 1992. Public. de la Universidad de León, vol. I, p. 227-242.

Al-Jatib, I. (1990): "Reflexiones sobre mi traducción al árabe de algunos relatos de Jorge Luis Borges (D)". Actas de las Jornadas de Hispanismo Arabe (Madrid mayo 1988), publicadas por F. de Agreda (1990). Madrid, Agencia Española de Cooperación Internacional, p. 461-464.

Aleza Izquierda, M; García-Medall Villanueva, J. (1985): "Unos problemas en la traducción al español de *Gli amori difficili*, de Italo Calvino". Actas del III Congreso Nacional de Lingüística Aplicada (AESLA), Valencia abril 1985: *Pasado, presente y futuro de la lingüística aplicada en España*, publicadas por F. Fernández (1986), p. 265-268.

Alonso Morales, M.C. (1994): "Zola por Clarín: Otra visión de la traducción al servicio dela propaganda en la literatura finisecular del XIX". I Encuentro Interdisciplinar de Teoría y Práctica de la Traducción, Cádiz 1993. *Reflexiones sobre la Traducción*. Actas publicadas por L. Charlo Brea (1994). Public. de la Universidad de Cádiz, p. 131-136.

Alonso Seoane, M.J. (1988): "Una desconocida traducción española de L. D'Ussieux: La Heroina francesa de Vicente Rodríguez Arellano". *Investigación Franco-Española* 1, 1988, p. 9-30.

Alou, D. (1995): "Taller de traducción en torno a *A Suitable Boy*. *Vasos Comunicantes* 4, p. 67-69.

Alvarez Calleja, M.A. (1987): "Equivalencia de sentido y equivalencia formal: la traducción española de *The Golden Bowl*, de Henry James". I Jornadas Nacionales de Historia de la Traducción, León 1987. Actas publicadas por J.C. Santoyo, R. Rabadán, T. Guzmán, J.L. Chamosa (1987) *Fidus interpres*, vol. 1 y (1989) *Fidus Interpres*, vol. 2. Public. de la Universidad de León, vol. I, p. 316-321.

Alvarez Calleja, M.A. (1994): "El lenguaje económico como fuente de imágenes metafóricas en *The Golden Bowl* de Henry James". IV Encuentros Complutenses sobre la Traducción, Madrid 1992. Actas publicadas con el mismo nombre en 1994. Public. de la Universidad Complutense de Madrid, p. 467-476.

Alvarez Polo, J. (1994): "La figura del intérprete en el *Voyage en Orient* de Nerval". I Encuentro Interdisciplinar de Teoría y Práctica de la Traducción, Cádiz 1993. *Reflexiones sobre la Traducción*. Actas publicadas por L. Charlo Brea (1994). Public. de la Universidad de Cádiz, p. 137-144.

Alvarez-Buiza, E.A. (1995): "Literatura infantil y su traducción". VI Encuentros Complutenses sobre la Traducción, Madrid 1995. Actas en prensa.

Anoll Vendrell, L. (1984): "Balance de las traducciones españolas de la obra de Balzac". *Cuadernos de Traducción e Interpretación*, 4, 1984, p. 119-126.

Anoll Vendrell, L. (1986): "Les traduccions catalanes de l'obra de Balzac". *Cuadernos de Traducción e Interpretación*, 7, 1986, p. 137-140.

Anoll Vendrell, L. (1987): "Las traducciones de la obra de Balzac en la prensa periódica española del siglo XIX (1)". *Cuadernos de Traducción e Interpretación*, 8/9, 1987, p. 237-246.

Anoll Vendrell, L. (1988): "Las traducciones de la obra de Balzac en la prensa periódica española del siglo XIX (II)". *Cuadernos de Traducción e Interpretación*, 10, 1988, p. 69-76.

Anoll Vendrell, L. (1988): "Les traduccions catalanes de l'obra de Stendhal". *Stendhal*. Ed. M.A. Santa. Barcelona, PUB, 1988, p. 165-168.

Aragón Fernández, M.A. (1989): "Traducciones de obras francesas en la Gaceta de Madrid entre 1790 y 1799". *Imágenes de Francia en las letras hispánicas*. Ed. Francisco Lafarga. Barcelona, PPU, 1989, p. 61-71.

Arnedo Arnedo, J.J. (1984): "Juan Ramón Jiménez en francés". Nueva Revista de Enseñanzas Medias nº 6: *La Traducción, Arte y Técnica*, 1984, M.E.C., p. 185-190.

Atfeh, R. (1990): "Presencia de *Cien años de soledad* en la novela *Flor desándalo* de Walid Ihlasi". Actas de las Jornadas de Hispanismo Arabe (Madrid mayo 1988), publicadas por F. de Agreda (1990). Madrid, Agencia Española de Cooperación Internacional, p. 263-268.

Avendaño Anguita, L. (1992): "La palabra Amor". *Sendebar*, vol. 3, 1992, p. 211-224.

Avendaño Anguita, L. (1993): "Aux Prises avec Nathalie Sarraute". *Sendebar*, vol. 4, 1993, p. 179-186.

Barreras Gómez, A. (1994): "A study on the translation of the lexical content of Nabokov's *Lolita*". I Congreso Internacional de traducción e Interpretación de Soria, 1993. Actas publicadas por A. Bueno, M. Ramiro, J.M. Zarandona (1994): *La traducción de lo inefable*. Publicaciones del Colegio Universitario de Soria, p. 417-434.

Bartolomé Corrochano, C. (1990): "Sobre las 'penas' de la traducción de *Het verdriet van België* (La Pena de Bélgica) de Hugo Claus". II Encuentros Complutenses sobre la Traducción, Madrid 1988. Actas publicadas con el mismo nombre en 1990. Public. de la Univ. Complutense de Madrid, p. 303-310.

Baselga Calvo, M. (1995): "La traducción y la edición de **Mrs. Dalloway**: ¿labores diferentes?". V Encuentros Complutenses sobre la Traducción,

Madrid 1994. Actas publicadas con el mismo nombre en 1995. Public. de la Univ. Complutense de Madrid, p. 243-250.

Benítez, E. (1995): "Pentimento: un relato de Alberto Moravia 20 años después". II Jornades sobre la Traducció, Castelló 1994. Actas publicadas por J. Marco Burillo (1995) *La traducció Literaria*. Public. de la Universitat Jaume I de Castelló, p. 107-116.

Benremdane, A. (1990): "Reflexiones sobre los textos de Juan Goytisolo, traducidos en la prensa árabe y marroquí en particular". Actas de las Jornadas de Hispanismo Arabe (Madrid mayo 1988), publicadas por F. de Agreda (1990). Madrid, Agencia Española de Cooperación Internacional, p. 235-238.

Blanco Barros, M.I. (1989): "Aproximación a la versión española de la novela de Boris Vian *J'irai cracher sur vos tombes*". I Jornadas Nacionales de Historia de la Traducción, León 1987. Actas publicadas por J.C. Santoyo, R. Rabadán, T. Guzmán, J.L. Chamosa (1987) *Fidus interpres*, vol. 1 y (1989) *Fidus Interpres*, vol. 2. Public. de la Universidad de León, vol. II, p. 218-226.

Blanco García, P. (1994): "La problemática de la traducción en *Le livre des fuites* de J.M.G. Le Clézio". IV Encuentros Complutenses sobre la Traducción, Madrid 1992. Actas publicadas con el mismo nombre en 1994. Public. de la Universidad Complutense de Madrid, p. 557-568.

Blanco Hölscher, M. (1994): "*Malina* de Ingeborg Bachmann: la complejidad literaria a través de la traducción". IV Encuentros Complutenses sobre la Traducción, Madrid 1992. Actas publicadas con el mismo nombre en 1994. Public. de la Universidad Complutense de Madrid, p. 549-556.

Blanco, M. (1992): "Traducciones al español de la narrativa de Christa Wolf". II Jornadas Nacionales de Historia de la Traducción, León 1990. Actas publicadas en la revista *Livius* nº 1 y 2, 1992. Public. de la Universidad de León, vol. II, p. 263-269.

Borgenstierna, M. (1990): "La traducción de las homilías de Blickling y la fijación de un estilo". II Encuentros Complutenses sobre la Traducción, Madrid 1988. Actas publicadas con el mismo nombre en 1990. Public. de la Univ. Complutense de Madrid, p. 311-316.

Borot, M.-F. (1995): "Proust et Ruskin: traduire pour créer". III Coloquio de la APFFUE, Barcelona 1995. Actas publicadas por F. Lafarga, A. Ribas, M. Tricas (1995): *La Traducción. Metodología, Historia, Literatura, Ambito hispanofrancés*. Barcelona, PPU, p. 293-300.

Boussebaine, S. (1990): "Problemas de una traducción indirecta: *El gallardo español*". Actas de las Jornadas de Hispanismo Arabe (Madrid mayo 1988), publicadas por F. de Agreda (1990). Madrid, Agencia Española de Cooperación Internacional, p. 239-244.

Bravo Castillo, J. (1995): "*Madame Bovary* et ses versions à l'espagnol". III Coloquio de la APFFUE, Barcelona 1995. Actas publicadas por F. Lafarga, A. Ribas, M. Tricas (1995): *La Traducción. Metodología, Historia, Literatura, Ambito hispanofrancés*. Barcelona, PPU, p. 397-406.

Bueno Alonso, J. (1992): "Un ejemplo de traducción literaria: *Les Diaboliques* de Jules Barbey d'Aurevilly". Actas publicadas por Parcerisas, F. (ed.) (1995): *Actes del I Congrès Internacional sobre Traducció* (abril 1992). Publicacions de l'Universitat Autònoma de Barcelona, p. 661-670.

Bueno García, A. (1995): "La última Madame Bovary. Un nuevo empeño de desagravio". *Hieronymus Complutensis*, nº 1, ene.-jun. 1995, p. 141-142.

Buesa Gómez, C. (1989): "Las traducciones inglesas de *El Héroe* de Baltasar Gracián". XI Congreso de AEDEAN, León 1987. Actas publicadas por J.C. Santoyo (1989): *Translation Across Cultures*: La traducción en el mundo hispánico y anglosajón, relaciones lingüísticas, culturales y literarias. Publicaciones de la Univ. de León, p. 39-46.

Burdeus, M.D; Verdegal, J.M. (1995): "Traducir ensayo: ¿**El Grial** o **El Graal**?". V Encuentros Complutenses sobre la Traducción, Madrid 1994. Actas publicadas con el mismo nombre en 1995. Public. de la Univ. Complutense de Madrid, p. 257-264.

Calvet Lora, R.M. (1995): "*Le roman comique* o la reversibilidad de una traducción". III Coloquio de la APFFUE, Barcelona 1995. Actas publicadas por F. Lafarga, A. Ribas, M. Tricas (1995): *La Traducción. Metodología, Historia, Literatura, Ambito hispanofrancés*. Barcelona, PPU, p. 231-240.

Calvo García, J.J; Iglesias Fernández, R. (1994): "La **Metathesis** del Nadsat de origen ruso". II Coloquio Internacional de Traductología, Valencia 1991. Actas publicadas por B. Lépinette, A. Olivares, E. Sopeña (1994) *Actas del Primer Coloquio Internacional de traductología*. Public. por la Universitat de Valencia, *Quaderns de Filologia*, p. 91-96.

Calvo Rigual, C. (1991): "Alguns aspectes de la traducció francesa del *Tirant lo Blanc* (segle XVIII)". I Coloquio Internacional de Traductología, Valencia 1989. Actas publicadas por B. Lépinette, A. Olivares, E. Sopeña, E. (1991) *Actas del Primer Coloquio Internacional de traductología*. Public. por la Universitat de Valencia, *Quaderns de Filologia*, p. 67-70.

Camps, A. (1992): *Recepció de Gabriele d'Annunzio a Catalunya*. Universidad Autónoma de Barcelona, tesis inédita.

Candela Sánchez, P. (1995): "King James'version: un modelo de tolerancia". VI Encuentros Complutenses sobre la Traducción, Madrid 1995. Actas en prensa.

Castillo Baena, R. (1995): "Traducciones comparadas: Lucie ou la femme sans ombre de Michel Tournier / Lucie o la mujer sin sombra". I Encuentros

Alcalainos de Traducción. Cultura sin fronteras. *Encuentros en torno a la traducción*. Actas publicadas por C. Valero Garcés (1995). Publicaciones de la Universidad de Alcalá de Henares, p. 169-176.

Caudet Roca, F. (1988): "Traducir L'Assommoir de E. Zola". *Investigación Franco-Española* 1, 1988, p. 57-66.

Cazcarra, V. (1994): "Traducir a Platónov". *Vasos Comunicantes* 5, p. 46-51.

Celaya, M.L. (1989): "Switf's Gulliver's Travels and *Los viajes de Gulliver*: Errors in Some 20th Century Translations into Spanish". XI Congreso de AEDEAN, León 1987. Actas publicadas por J.C. Santoyo (1989): *Translation Across Cultures*: La traducción en el mundo hispánico y anglosajón, relaciones lingüísticas, culturales y literarias. Publicaciones de la Univ. de León, p. 59-64.

Cobos Castro, E. (1988): "Traducciones españolas de las novelas de Georges Ohuet". *Investigación Franco-Española* 1, 1988, p. 245-268.

Cobos Castro, E. (1989): "Victor Cherbuliez y André Theuriet. Dos idealistas franceses traducidos al español". *Investigación Franco-Española* 2, 1989, p. 21-39.

Coletes Blanco, A. (1989): "Una traducción olvidada de Feijoo al inglés". XI Congreso de AEDEAN, León 1987. Actas publicadas por J.C. Santoyo (1989): *Translation Across Cultures*: La traducción en el mundo hispánico y anglosajón, relaciones lingüísticas, culturales y literarias. Publicaciones de la Univ. de León, p. 73-78.

Colomer, J.L. (1987): "La traducción de un género literario: *Il picariglio castigliano* de Barezzo Barezzi". I Jornadas Nacionales de Historia de la Traducción, León 1987. Actas publicadas por J.C. Santoyo, R. Rabadán, T. Guzmán, J.L. Chamosa (1987) *Fidus interpres*, vol. 1 y (1989) *Fidus Interpres*, vol. 2. Public. de la Universidad de León, vol. I, p. 255-259.

Conde Pardilla, M.A. (1994): "*A Portrait of the Artist as a Young Man* traducido al español". *Joyce en España (I)*. Publ. por F. García Tortosa, A.R. Toro Santos (eds.), Universidad de La Coruña, p. 45-54.

Contreras Palao, M.A. (1994): "Traducción al español del **passé composé** en la novela contemporánea francesa (*L'amant* de Marguerite Duras)". IV Encuentros Complutenses sobre la Traducción, Madrid 1992. Actas publicadas con el mismo nombre en 1994. Public. de la Universidad Complutense de Madrid, p. 531-538.

Corredor Plaja, A.-M. (1994): "Forma y sentido en traducción literaria: el ejemplo de Voltaire". I Jornadas Internacionales de Traducción e Interpretación: Tendencias actuales, Las Palmas de Gran Canaria 1994. Actas en prensa.

Cuesta Torre, M.L. (1993): "Traducción o recreación: En torno a las versiones hispánicas del *Tristan en prose*". *Livius*, 3 (1993), p. 65-76.

Curell, C; Privat, M. (1992): "Un problème de langue: *Le japonais* (Travail de retraduction et analyse contrastive français-espagnol)". Actas publicadas por Parcerisas, F. (ed.) (1995): *Actes del I Congrès Internacional sobre Traducció* (abril 1992). Publicacions de l'Universitat Autónoma de Barcelona, p. 603-612.

Curell, C; Privat, M. (1995): "Las novelas de Philippe Djian y sus traducciones en España". III Coloquio de la APFFUE, Barcelona 1995. Actas publicadas por F. Lafarga, A. Ribas, M. Tricas (1995): *La Traducción. Metodología, Historia, Literatura, Ambito hispanofrancés*. Barcelona, PPU, p. 415-420.

Charbonnier, C. (1992): "Una piedra en mi jardín, traducción de un cuento de Jean-Pierre Otte". *Cuadernos de Filología Francesa* 6, p. 39-46.

Chaume Varela, F. (1994): "La noción de género como categoría semiótica en la traducción de *Una habitación con Vistas*". I Congreso Internacional de traducción e Interpretación de Soria, 1993. Actas publicadas por A. Bueno, M. Ramiro, J.M. Zarandona (1994): *La traducción de lo inefable*. Publicaciones del Colegio Universitario de Soria, p. 405-416.

Chown, L.E. (1989): "Willa Cather's Re-humanized 'Kingdom of Art'". XI Congreso de AEDEAN, León 1987. Actas publicadas por J.C. Santoyo (1989): *Translation Across Cultures*: La traducción en el mundo hispánico y anglosajón, relaciones lingüísticas, culturales y literarias. Publicaciones de la Univ. de León, p. 229-236.

Dahlgren, M. (1994): "Innocence or experience: a critical reading of two recent translations of William Faulkner". I Jornadas Internacionales de Traducción e Interpretación: Tendencias actuales, Las Palmas de Gran Canaria 1994. Actas en prensa.

De Prada, J.M. (1995): "Los cuentos tradicionales y su traducción". *Vasos Comunicantes* 5, p. 22-27.

Del Castillo Blanco, L. (1993): "La traducción de *The Canonization* de John Donne al español". *Essays on Translation. Ensayos sobre Traducción* I, 1993, Cáceres, p. 121-129.

Despres, C. (1991): "La traduction calque: Analyse des Exercices de style de Queneau, traduits par Fernández Ferrer". I Coloquio Internacional de Traductología, Valencia 1989. Actas publicadas por B. Lépinette, A. Olivares, E. Sopeña, E. (1991) *Actas del Primer Coloquio Internacional de traductología*. Public. por la Universitat de Valencia, *Quaderns de Filologia*, p. 89-92.

Dietz Guerrero, B. (1987): "La osadía de un tímido: una introducción al Diario de Samuel Pepys". *Cuadernos de Traducción e Interpretación*, 8/9, 1987, p. 161-190.

Duncan Barlow, K. (1992): "The Passive Voice as translated by Dámaso Alonso in *The Portrait of the Artist as a Young Man*". Actas publicadas por Parcerisas, F. (ed.) (1995): *Actes del I Congrès Internacional sobre Traducció* (abril 1992). Publicacions de l'Universitat Autónoma de Barcelona, p. 671-678.

Espinosa Carbonell, J. (1991): "Una traducción anónima de *I Promessi sposi*". I Coloquio Internacional de Traductología, Valencia 1989. Actas publicadas por B. Lépinette, A. Olivares, E. Sopeña, E. (1991) *Actas del Primer Coloquio Internacional de traductología*. Public. por la Universitat de Valencia, *Quaderns de Filologia*, p. 93-96.

Ezzaim, A. (1990): "Gabriel García Márquez en árabe". Actas de las Jornadas de Hispanismo Arabe (Madrid mayo 1988), publicadas por F. de Agreda (1990). Madrid, Agencia Española de Cooperación Internacional, p. 333-342.

Fernández López, M. (1989): "La traducción de las series juveniles anglosajonas en España". XI Congreso de AEDEAN, León 1987. Actas publicadas por J.C. Santoyo (1989): *Translation Across Cultures*: La traducción en el mundo hispánico y anglosajón, relaciones lingüísticas, culturales y literarias. Publicaciones de la Univ. de León, p. 97-104.

Fernández López, M. (1991): "Análisis textual en *The Wind in the Willows*, de Kenneth Grahame: Su aplicación a los estudios de traducción". *Boletín de la Asociación de Amigos del libro Infantil y Juvenil* 3, 1991, p. 14-24.

Fernández López, M. (1993): "*Peter and Wendy*, de J.M. Barrie: Tres traducciones de un clásico". *Livius*, 3 (1993), p. 77-88.

Fernández López, M. (1995): *Traducción y literatura juvenil: Narrativa anglosajona contemporánea en España*. Universidad de León.

Fernández Ocampo, A. (1995): "Intertextualité et traduction chez Marie de France: commentaire à la traduction en galicien de lai du **laüstic**". III Coloquio de la APFFUE, Barcelona 1995. Actas publicadas por F. Lafarga, A. Ribas, M. Tricas (1995): *La Traducción. Metodología, Historia, Literatura, Ambito hispanofrancés*. Barcelona, PPU, p. 195-202.

Figuerola Cabrol, M.C. (1995): "Traducción y adaptación de una novela de Julio Verne: *Michel Strogoff*". III Coloquio de la APFFUE, Barcelona 1995. Actas publicadas por F. Lafarga, A. Ribas, M. Tricas (1995): *La Traducción. Metodología, Historia, Literatura, Ambito hispanofrancés*. Barcelona, PPU, p. 281- 286.

Floren, C. (1994): "The Handmaid's Tale, Margaret Atwood's Novel and Volker Schlondorff'Film". Jornadas sobre Trasvases Culturales: Literatura, Cine, Traducción (20-22 mayo 1993). Actas publicadas por F. Eguiluz (1994). Vitoria, Public. de la Univ. del País Vasco, p. 211-218.

Fuster, M. (1991): "Agrupamientos léxicos en *The Recuyell of the historyes of Troye*, traducción inglesa de William Caxton". I Coloquio Internacional de Traductología, Valencia 1989. Actas publicadas por B. Lépinette, A. Olivares, E. Sopeña, E. (1991) *Actas del Primer Coloquio Internacional de traductología*. Public. por la Universitat de Valencia, *Quaderns de Filologia*, p. 101-104.

Gambini, D. (1994): "*Octavia Santino* de Valle-Inclán: un dúplice problema de fidelidad". IV Encuentros Complutenses sobre la Traducción, Madrid 1992. Actas publicadas con el mismo nombre en 1994. Public. de la Universidad Complutense de Madrid, p. 491-508.

García Bascuñana, J.F. (1991): "Alegoría y traducción: versiones españolas del *Roman de la Rose*". Coloquio Traducción y Adaptación Cultural España-Francia, Oviedo 1990. Actas publicadas en 1991 por M.L. Donaire, F. Lafarga: *Traducción y Adaptación cultural España-Francia*. Public. de la Universidad de Oviedo, p. 347-358.

García de Toro, A.C. (1992): "La traducció del registre col.loquial en la narrativa sota una perspectiva comunicativa. El cas de la novel.la negra de Ferran Torrent". Actas publicadas por Parcerisas, F. (ed.) (1995): *Actes del I Congrès Internacional sobre Traducció* (abril 1992). Publicacions de l'Universitat Autónoma de Barcelona, p. 633-646.

García Garrosa, M.J. (1991): "Dos nuevas versiones españolas del Decameron François". *Investigación Franco-Española* 5, 1991, p. 113-129.

García Landa, J.A. (1989): "Abstracted to Death: Estética del bilingüismo y la traducción en la prosa de Beckett". XI Congreso de AEDEAN, León 1987. Actas publicadas por J.C. Santoyo (1989): *Translation Across Cultures*: La traducción en el mundo hispánico y anglosajón, relaciones lingüísticas, culturales y literarias. Publicaciones de la Univ. de León, p. 105-110.

García López, R. (1992): "Dificultades vinculadas con los valores de los adjetivos demostrativos en la comprensión del texto y en la traducción (Sus connotaciones en *Moderato Cantabile* de Marguerite Duras)". Actas publicadas por Parcerisas, F. (ed.) (1995): *Actes del I Congrès Internacional sobre Traducció* (abril 1992). Publicacions de l'Universitat Autónoma de Barcelona, p. 273-280.

García López, R. (1992): "Interpretación del texto original en la Traducción Literaria(Moderato cantabile de M. Duras)". Actas del II Congreso

Internacional de la Sociedad de Didáctica de la Lengua y la Literatura, Las Palmas de Gran Canaria 1992, publicadas por A. Delgado y F. Menéndez (1992), nº 3 de la revista *El Guiniguada*, p. 347-354.

García López, R. (1994): "Lo implícito en la traducción literaria: algunas consideraciones sobre la traducción al español de *Moderato cantabile* de Marguerite Duras". IV Encuentros Complutenses sobre la Traducción, Madrid 1992. Actas publicadas con el mismo nombre en 1994. Public. de la Universidad Complutense de Madrid, p. 523-530.

García Martínez, I. (1992): "Galdós y M. Ortega y Gasset: traductores y resucitadores de *The Posthumous Papers of the Pickwick Club*". II Jornadas Nacionales de Historia de la Traducción, León 1990. Actas publicadas en la revista *Livius* nº 1 y 2, 1992. Public. de la Universidad de León, vol. II, p. 221-232.

García Morilla, A. (1995): "A Clockwork Orange": Reflexiones sobre una traducción prospectiva. V Encuentros Complutenses sobre la Traducción, Madrid 1994. Actas publicadas con el mismo nombre en 1995. Public. de la Univ. Complutense de Madrid, p. 309-318.

García Tortosa, F. (1994): "Las traducciones de Joyce al español". *Joyce en España (I)*. Publ. por F. García Tortosa, A.R. Toro Santos (eds.), Universidad de La Coruña, p. 19-29.

García, M. (1991): "La traducción de la trilogía de Samuel Beckett". I Coloquio Internacional de Traductología, Valencia 1989. Actas publicadas por B. Lépinette, A. Olivares, E. Sopeña, E. (1991) *Actas del Primer Coloquio Internacional de traductología*. Public. por la Universitat de Valencia, *Quaderns de Filologia*, p. 105-108.

García, O.G. (1995): "*La cripta de los capuchinos*, de Joseph Roth". *Hieronymus Complutensis*, nº 1, ene.-jun. 1995, p. 133-135.

Gil García, C. (1992): *Ediciones y traducciones españolas de 'Wuthering Heights': Análisis y evaluación*. Universidad de Zaragoza, tesis inédita.

Gil García, T; Valdés Estébanez, N. (1987): "'Gofredo Famoso' o la traducción de la 'Gerusalemme Liberata', de Cairasco de Figueroa". I Jornadas Nacionales de Historia de la Traducción, León 1987. Actas publicadas por J.C. Santoyo, R. Rabadán, T. Guzmán, J.L. Chamosa (1987) *Fidus interpres*, vol. 1 y (1989) *Fidus Interpres*, vol. 2. Public. de la Universidad de León, vol. I, p. 306-315.

Gimeno Sanz, A; Martínez Luciano, J.V. (1992): "Monólogo, de Harold Pinter, traducción". *Cuadernos de Traducción e Interpretación*, 11/12, 1992, p. 5-10.

Gómez Bedate, P. (1992): "La traducción moderna del *Corbaccio*". Actas publicadas por Parcerisas, F. (ed.) (1995): *Actes del I Congrès Internacional sobre Traducció* (abril 1992). Publicacions de l'Universitat Autónoma de Barcelona, p. 713-726.

González Fernández, F. (1991): "Ecología de una idea en la obra de Flaubert y de Unamuno". Coloquio Traducción y Adaptación Cultural España-Francia, Oviedo 1990. Actas publicadas en 1991 por M.L. Donaire, F. Lafarga: *Traducción y Adaptación cultural España-Francia*. Public. de la Universidad de Oviedo, p. 31-44.

Guardia Massó, P. (1992): "La traducción de términos sexuales en *Los Cuentos de Canterbury*". I Curso Superior de Traducción Inglés-Español, Valladolid 1992. Textos publicados por P. Fernández Nistral (ed.) (1992): *Estudios de Traducción*. Public. del ICE de la Universidad de Valladolid, p. 61-70.

Guidotti, G. (1989): "*Dei delitti e delle pene* en dos traducciones". I Jornadas Nacionales de Historia de la Traducción, León 1987. Actas publicadas por J.C. Santoyo, R. Rabadán, T. Guzmán, J.L. Chamosa (1987) *Fidus interpres*, vol. 1 y (1989) *Fidus Interpres*, vol. 2. Public. de la Universidad de León, vol. II, p. 212-217.

Guidotti, G. (1990): "*(Il) Principe* y (los) *Príncipe*(s)". II Encuentros Complutenses sobre la Traducción, Madrid 1988. Actas publicadas con el mismo nombre en 1990. Public. de la Univ. Complutense de Madrid, p. 337-342.

Guil Povedano, P. (1989): "Sobre las traducciones decimonónicas al castellano del *Il Cinque Maggio*, de A. Manzoni". I Jornadas Nacionales de Historia de la Traducción, León 1987. Actas publicadas por J.C. Santoyo, R. Rabadán, T. Guzmán, J.L. Chamosa (1987) *Fidus interpres*, vol. 1 y (1989) *Fidus Interpres*, vol. 2. Public. de la Universidad de León, vol. II, p. 85-90.

Gurpegui, J.A. (1994): "Versiones cinematográficas de las novelas de John Steinbeck". Jornadas sobre Trasvases Culturales: Literatura, Cine, Traducción (20-22 mayo 1993). Actas publicadas por F. Eguiluz (1994). Vitoria, Public. de la Univ. del País Vasco, p. 253-259.

Harris, R; Suárez Lafuente, M.S. (1992): "Una persona muy hospitalaria, de Malcolm Bradbury, traducción". *Cuadernos de Traducción e Interpretación*, 11/12, 1992, p. 19-30.

Hernández, I; Tamames, G. (1995): "La traducción del diminutivo en la narrativa de Gottfreid Keller: Una manera peculiar de entender la realidad". VI Encuentros Complutenses sobre la Traducción, Madrid 1995. Actas en prensa.

Herrero Quirós, C. (1994): "Traducción y narrativa moderna: dos ilustraciones". II Curso Superior de Traducción Inglés-Español, Valladolid 1993.

Textos publicados por P. Fernández Nistral (ed.) (1994): *Aspectos de la traducción Inglés-Español*. Public. del ICE de la Univ. de la Universidad de Valladolid, p. 79-90.

Herrero Quirós, C. (1994): *The Sudden Revelation of the Whatness of a Thing*: La traducción de lo inefable en *A Portrait of the Artist as a Young Man*". I Congreso Internacional de traducción e Interpretación de Soria, 1993. Actas publicadas por A. Bueno, M. Ramiro, J.M. Zarandona (1994): *La traducción de lo inefable*. Publicaciones del Colegio Universitario de Soria, p. 103-116.

Herrero, I; Vázquez, L. (1991): "Recepción de **Montesquieu** en España a través de las traducciones". Coloquio Traducción y Adaptación Cultural España-Francia, Oviedo 1990. Actas publicadas en 1991 por M.L. Donaire, F. Lafarga: *Traducción y Adaptación cultural España-Francia*. Public. de la Universidad de Oviedo, p. 143-158.

Hue Fanost, C. (1989): "Traductores españoles de las novelas de Emilio Zola". I Jornadas Nacionales de Historia de la Traducción, León 1987. Actas publicadas por J.C. Santoyo, R. Rabadán, T. Guzmán, J.L. Chamosa (1987) *Fidus interpres*, vol. 1 y (1989) *Fidus Interpres*, vol. 2. Public. de la Universidad de León, vol. II, p. 338-343.

Hughes, B. (1993): "Joyce According to Valverde: A Critique of the Translation of the **Cyclops** Episode in *Ulysses*". *Essays on Translation. Ensayos sobre Traducción* I, Cáceres 1993, p. 67-82.

Hunt, L. (1992): "La Utopía de Tomas Moro". *Cuadernos de Traducción e Interpretación*, 11/12, 1992, p. 133-150.

Hunt, L. (1992): "La Utopía de Tomás Moro". *Cuadernos de Traducción e Interpretación*, 11/12, 1992, p. 133-150.

Hurtley, J.A. (1989): "Distrito del Sur: novela para después de una guerra". XI Congreso de AEDEAN, León 1987. Actas publicadas por J.C. Santoyo (1989): *Translation Across Cultures*: La traducción en el mundo hispánico y anglosajón, relaciones lingüísticas, culturales y literarias. Publicaciones de la Univ. de León, p. 253-258.

Illas i Josa, N. (1987): "Notas sobre Joubert en España". *Cuadernos de Traducción e Interpretación*, 8/9, 1987, p. 247-256.

Isasi Martínez, C. (1993): "Quevedo, ¿traductor negligente? Observaciones sobre el texto de *El Rómulo*". *Livius*, 4 (1993), p. 89-96.

Juretschke, L.G. (1990): "La traducción del libreto". II Encuentros Complutenses sobre la Traducción, Madrid 1988. Actas publicadas con el mismo nombre en 1990. Public. de la Univ. Complutense de Madrid, p. 187-196.

Kess, A. (1993): "Traducir a Galdós: Ironía como elemento estilístico y conceptual de Tristana y la traducción rusa de 1987". *Cuarto Congreso*

Internacional de Estudios Galdosianos: Actas. Las Palmas de G.C., Cabildo Insular, vol. II, p. 93-99.

Khallaf, M. (1990): "Problemática de la traducción de la literatura popular marroquí de tradición oral durante el Protectorado español". Actas de las Jornadas de Hispanismo Arabe (Madrid mayo 1988), publicadas por F. de Agreda (1990). Madrid, Agencia Española de Cooperación Internacional, p. 163-188.

Ladrón de Cegama Fernández, E. (1989): "Traducción y ediciones totales o parciales al castellano de Manzoni". *Actas del VI Simposio de la Sociedad Española de Literatura General y Comparada* (13-15 marzo 1986). Actas publicadas por J. Paredes Nuñez, A. Soria Olmedo (1989), Granada, Publicaciones de la Universidad, p. 369-372.

Lafarga, F. (1988): "Contribución a un catálogo de traducciones españolas de las obras de Sthendal. Años 1940 a 1983". A. Santa (ed.): *Sthendal*, Ed. Univ. Barcelona, 1988, p. 169-180.

Lago Alonso, J. (1991): "Michel Tournier: *Gaspar, Melchior et Balthazard* y algunas notas sobre traducción". R. Dengler Gassin (ed.): *Estudios humanísticos en homenaje a Luis Cortés Vázquez*, Universidad de Salamanca, vol. I, p. 425-430.

Lanero Fernández, J.J. (1989): "Las traducciones emersonianas en España a comienzos del siglo XX". I Jornadas Nacionales de Historia de la Traducción, León 1987. Actas publicadas por J.C. Santoyo, R. Rabadán, T. Guzmán, J.L. Chamosa (1987) *Fidus interpres*, vol. 1 y (1989) *Fidus Interpres*, vol. 2. Public. de la Universidad de León, vol. II, p. 79-84.

Lanero Fernández, J.J; Santoyo, J.C; Villoria Andreu, S. (1993): "50 años de traductores, críticos e imitadores de Edgar Allan Poe (1857-1913)". *Livius*, 3 (1993), p. 159-184.

Lanero Fernández, J.J; Villoria Andreu, S. (1992): "Primeras traducciones españolas de Nathaniel Hawthorne". II Jornadas Nacionales de Historia de la Traducción, León 1990. Actas publicadas en la revista *Livius* nº 1 y 2, 1992. Public. de la Universidad de León, vol. II, p. 203-220.

Lanero Fernández, J.J; Villoria Andreu, S. (1994): "Traductores y traducciones españolas de James Fenimore Cooper en el siglo XIX". *Livius*, 5 (1994), p. 63-84.

Le Bel, E; Lécrivain, C. (1990-1991): "Observaciones sobre la traducción de cuentos fantásticos. Le **Horla** de Guy de Maupassant". *Anales de la Universidad de Cádiz nº 7-8: Homenaje a D. Antonio Holgado*. Universidad de Cádiz, p. 311-319.

Lécrivain, C. (1987): "Contes réalistes et traduction: étude de certains exemples de traduction discordante des contes de Guy de Maupassant". *Estudios de Lengua y Literatura Francesas*, 1, 1987, p. 123-130.

Lécrivain, C. (1991): "Recit fantastique et traduction". I Coloquio Internacional de Traductología, Valencia 1989. Actas publicadas por B. Lépinette, A. Olivares, E. Sopeña, E. (1991) *Actas del Primer Coloquio Internacional de traductología*. Public. por la Universitat de Valencia, *Quaderns de Filologia*, p. 135-136.

Lefere, R. (1993): "La traduction française des *Novelas ejemplares*: Réflexions sur une trajectoire". *Livius*, 3 (1993), p. 185-196.

López Abadia-Arroita, S. (1993): "Sobre la traducción del teatro de J. Romains: Cuestiones teóricas y prácticas". *Cauce* 16, 1993, p. 277-293.

López Fanego, O. (1984): "En torno a la primera traducción de Montaigne al español". Nueva Revista de Enseñanzas Medias nº 6: *La Traducción, Arte y Técnica*, 1984, M.E.C., p. 79-98.

López Folgado, V; Mora, L. (1987): "La primera traducción de *The Bride of Lammermoor*, de Walter Scott". I Jornadas Nacionales de Historia de la Traducción, León 1987. Actas publicadas por J.C. Santoyo, R. Rabadán, T. Guzmán, J.L. Chamosa (1987) *Fidus interpres*, vol. 1 y (1989) *Fidus Interpres*, vol. 2. Public. de la Universidad de León, vol. I, p. 349-353.

López Guix, J.G. (1995): "Los Ensayos de Montaigne". *Vasos Comunicantes* 4, p. 70-74.

López Jiménez, L. (1988): "Julien Lugol, esforzado traductor de B. Pérez Galdós". *Estudios de investigación franco-española* 1, 1988, p. 147-155.

López Jiménez, L. (1991): "Ideas de Clarín sobre la traducción y su versión de *Travail* de Zola". R. Dengler Gassin (ed.): *Estudios humanísticos en homenaje a Luis Cortés Vázquez*, Universidad de Salamanca, vol. II, p. 531-538.

López Jiménez, L. (1991): "*Marianela* de B. Pérez Galdós, en francés". Coloquio Traducción y Adaptación Cultural España-Francia, Oviedo 1990. Actas publicadas en 1991 por M.L. Donaire, F. Lafarga: *Traducción y Adaptación cultural España-Francia*. Public. de la Universidad de Oviedo, p. 359-368.

López Jiménez, L. (1992): "La prosa de Mallarmé estudiada y traducida en español". *Revista de Filología Francesa* 1, 1992, p. 81-93.

López Jiménez, L. (1995): "Las traducciones de Pérez Galdós en francés". III Coloquio de la APFFUE, Barcelona 1995. Actas publicadas por F. Lafarga, A. Ribas, M. Tricas (1995): *La Traducción. Metodología, Historia, Literatura, Ambito hispanofrancés*. Barcelona, PPU, p. 157-164.

López Román, B. (1985): "D.H. Lawrence: procesos de traducción y transformación entre *Odour of Chrysanthemums* y *The Widowing of Mrs. Holroyd*". Actas del IX Congreso Nacional de la AEDEAN, Murcia 1985, publicadas en 1986. Dpto. de Filología Inglesa y Alemana de la Universidad de Murcia, p. 127-133.

Lorenzo Criado, E. (1986): "Tecnicismos y traducción". *Telos: Cuad. de comunicación, tecnología y sociedad*, 5, 1986, p. 90-95.

Lorenzo Criado, E. (1990): "Más sobre las traducciones de *Gulliver's Travels* de Jonathan Swuift". F. Rodríguez González (ed.) (1990): *Estudios de Filología Inglesa: Homenaje al Doctor Pedro Jesús Marcos Pérez*. Publicaciones del Dpto. de Filología Inglesa de la Universidad de Alicante, p. 183-198.

Lorés Sanz, R. (1994): "The Pragmatics of Translation: Effectiveness and Efficiency in the Spanish Translation of *The Good Terrorist*". *Livius*, 5 (1994), p. 99-108.

Loyo Gómez, H. (1994): "The Communicative Dimension in The Translation of David Lodge's Nice Work". Jornadas sobre Trasvases Culturales: Literatura, Cine, Traducción (20-22 mayo 1993). Actas publicadas por F. Eguiluz (1994). Vitoria, Public. de la Univ. del País Vasco, p. 293-302.

Lozano González, W.C. (1995): "Benjamin Constant traducido al castellano: Algunos criterios traductológicos y su aplicación". Actas del II Coloquio Internacional de Lingüística Francesa: *La Lingüística Francesa: gramática, historia y epistemología* (Sevilla 1995). Dpto. de Filología Francesa de la Universidad de Sevilla (en prensa).

Lucena Flores, C. (1994): "*Adolphe* y la versión española de G. Oliver". *Investigación Franco-Española* 10, 1994, p. 97-110.

Llamas Muñoz, M.E. (1993): "Una aproximación a la traducción de las variaciones dialectales en James Joyce". Actas del XV Congreso Nacional de la AEDEAN, Logroño, publicadas por F.J. Ruíz de Mendoza & C. Cunchillos (1991). Universidad de La Rioja, p. 137-142.

Llanos García, J. (1994): "Traducciones inglesas de patrística y literatura religiosa en el siglo XVI". *Livius*, 5 (1994), p. 85-98.

Maillo Salgado, F. (1986): "Consideraciones sobre la lengua árabe y su traducción: A propósito de la traducción de la *Historia de Al-Andalus* de Ibn Al-Kerdabûs". *Studia Historica / Historia Medieval*, vol. IV, 2, p. 231-250.

Maison, E.D. (1994): "Traducir Svevo: Itinerario de Senilità". *Livius*, 5 (1994), p. 109-118.

Mallafrè i Gavalda, J. (1983): "Sobre la traducció de l'*Ulisses* al català: notes i reflexions". *Cuadernos de Traducción e Interpretación*, 2, 1983, p. 107-116.

Mallafrè i Gavalda, J. (1994): "Joyce en catalán". *Joyce en España (I)*. Publ. por F. García Tortosa, A.R. Toro Santos (eds.), Universidad de La Coruña, p. 39-43.

Mañas Lahoz, P. (1992): "La traducción de expresiones adverbiales en un texto narrativo de D.H. Lawrence". *Cuadernos de Traducción e Interpretación*, 11/12, 1992, p. 113-120.

Mariño, F.M. (1989): "Sobre las notas a pie de página en las traducciones del **Werther** español". *Universitas Tarraconensis* 12, 1988-89, p. 65-75.

Marizzi, B. (1993): "*Robinson der Jüngere*: un libro de lecciones de cosas de la Ilustración española y alemana". III Encuentros Complutenses sobre la Traducción, Madrid 1990. Actas publicadas con el mismo nombre en 1993. Public. de la Univ. Complutense de Madrid, p. 215-224.

Marizzi, B. (1995): "Übersetzungskritik: **El Cimarrón**". V Encuentros Complutenses sobre la Traducción, Madrid 1994. Actas publicadas con el mismo nombre en 1995. Public. de la Univ. Complutense de Madrid, p. 371-382.

Martín Baz, M. (1994): "Una traducción de *Boule de suif*". *Investigación Franco-Española* 10, 1994, p. 111-126.

Martín-Gaitero, R. (1995): "Las traducciones del Fausto de Goethe al español (I)". *Hieronymus Complutensis*, nº 1, ene.-jun. 1995, p. 122-123.

Martínes Péres, V. (1994): "La versión catalana de la Queste del Saint Graal (16 de mayo de 1380)". I Encuentro Interdisciplinar de Teoría y Práctica de la Traducción, Cádiz 1993. *Reflexiones sobre la Traducción*. Actas publicadas por L. Charlo Brea (1994). Public. de la Universidad de Cádiz, p. 379-390.

Martínez-Lage, M. (1993): "El dialecto de la tribu de Harry Mathews". *Vasos Comunicantes* 1, p. 33-39.

Martino, P. (1995): "*Yo la muerte*, de Hermann Kesten". *Hieronymus Complutensis*, nº 1, ene.-jun. 1995, p. 136-140.

Masoliver Ródenas, J.A. (1983): "La práctica de la traducción: *Spanking the maid*, de Robert Coover". *Cuadernos de Traducción e Interpretación*, 3, 1983, p. 105-122.

Matas Gil, P. (1987): "La traducción como creación original: Elio Vittorini y 'Americana'". I Jornadas Nacionales de Historia de la Traducción, León 1987. Actas publicadas por J.C. Santoyo, R. Rabadán, T. Guzmán, J.L.

Chamosa (1987) *Fidus interpres*, vol. 1 y (1989) *Fidus Interpres*, vol. 2. Public. de la Universidad de León, vol. I, p. 322-326.

Mazars Denys, E. (1995): "Réflexions sur la traduction française d'un texte philosophique espagnol". Actas del II Coloquio Internacional de Lingüística Francesa: *La Lingüística Francesa: gramática, historia y epistemología* (Sevilla 1995). Dpto. de Filología Francesa de la Universidad de Sevilla (en prensa).

Mendizabal, J.M. (1995): "Taller de literatura norteamericana *Chef's House*, de Raymond Carver". *Vasos Comunicantes* 4, p. 65-66.

Mendoza Ramos, M.P. (1995): "Los problemas de la traducción de un texto medieval: *D'Aubérée*, Fabliau del siglo XIII". III Coloquio de la APFFUE, Barcelona 1995. Actas publicadas por F. Lafarga, A. Ribas, M. Tricas (1995): *La Traducción. Metodología, Historia, Literatura, Ambito hispanofrancés*. Barcelona, PPU, p. 211-216.

Merck Navarro, B. (1995): "Dificultades de traducción de un texto barroco alemán al español: *La pícara Coraje*". V Encuentros Complutenses sobre la Traducción, Madrid 1994. Actas publicadas con el mismo nombre en 1995. Public. de la Univ. Complutense de Madrid, p. 393-398.

Mérida Jiménez, R.M. (1990): "¿Traducción, traición o creación? Herberay des Essarts y el *Thresor del Livres d'Amadis*". II Encuentros Complutenses sobre la Traducción, Madrid 1988. Actas publicadas con el mismo nombre en 1990. Public. de la Univ. Complutense de Madrid, p. 343-346.

Miguel Crespo, O. (1994): "Las traducciones de Henry James al español: De *El banco dela desolación* a *El rincón de la dicha*". *Livius*, 5 (1994), p. 119-132.

Mínguez Ubeda, P; Vallejo Rodríguez, M. (1989): "Dos traducciones de *L'Enfant*, de Jules Vallès". I Jornadas Nacionales de Historia de la Traducción, León 1987. Actas publicadas por J.C. Santoyo, R. Rabadán, T. Guzmán, J.L. Chamosa (1987) *Fidus interpres*, vol. 1 y (1989) *Fidus Interpres*, vol. 2. Public. de la Universidad de León, vol. II, p. 258-266.

Montero, J. (1991): "Nota sobre la primera traducción al francés (Rheims, 1578): de la Diana de Montemayor". *Investigación Franco-Española* 4, 1991, p. 35-44.

Montes Granado, C. (1994): "Of Mice and Men and de Ratones y Hombres: Cultual transfer of substandard characters from Literary Discourse to film discourse". Jornadas sobre Trasvases Culturales: Literatura, Cine, Traducción (20-22 mayo 1993). Actas publicadas por F. Eguiluz (1994). Vitoria, Public. de la Univ. del País Vasco, p. 341-350.

Montes Pazos, F. (1994): "A propósito de una traducción de Henry David Thoreau a principios del siglo XX". *Livius*, 5 (1994), p. 145-152.

Monto Hernández, E; Rodríguez, I. (1994): "Traducción y adaptación del *Tristán* de Thomas en *La Tavola Ritonda*". *Livius*, 5 (1994), p. 133-144.

Moreno Lorenzo, M. (1994): "Lenguajes imaginarios". *Sendebar*, vol. 5, 1994, p. 267-273.

Navarrete, M.A. (1994): "Veinte mil voces del mundo submarino: niveles terminológicos y dificultades del relato verniano". I Jornadas Internacionales de Traducción e Interpretación: Tendencias actuales, Las Palmas de Gran Canaria 1994. Actas en prensa.

Nencioni, A. (1991): "Tradurre Tabucchi: un rebus da risolvere?". I Coloquio Internacional de Traductología, Valencia 1989. Actas publicadas por B. Lépinette, A. Olivares, E. Sopeña, E. (1991) *Actas del Primer Coloquio Internacional de traductología*. Public. por la Universitat de Valencia, *Quaderns de Filologia*, p. 157-158.

Orzeszek, A. (1992): "La cruz de Marek Hlsko. Traducción y noticia del autor". *Cuadernos de Traducción e Interpretación*, 11/12, 1992, p. 121-132.

Pagán López, A. (1994): "La traducción Literaria: *L'amant* de M. Duras". I Encuentro Interdisciplinar de Teoría y Práctica de la Traducción, Cádiz 1993. *Reflexiones sobre la Traducción*. Actas publicadas por L. Charlo Brea (1994). Public. de la Universidad de Cádiz, p. 491-502.

Pajares Infante, E. (1992): "El anónimo traductor de la versión española de **Pamela Andrews**". II Jornadas Nacionales de Historia de la Traducción, León 1990. Actas publicadas en la revista *Livius* nº 1 y 2, 1992. Public. de la Universidad de León, vol. I, p. 201-210.

Parra i Albà, M. (1991): "Une adaptation du *Bossu*: Enrique de Lagardera". R. Dengler Gassin (ed.): *Estudios humanísticos en homenaje a Luis Cortés Vázquez*, Universidad de Salamanca, vol. II, p. 613-618.

Pedersen, V.H. (1994): "The Hans Christian Andersen tradition(s) in English". I Jornadas Internacionales de Traducción e Interpretación: Tendencias actuales, Las Palmas de Gran Canaria 1994. Actas en prensa.

Pegenaute Rodríguez, L. (1991): "Reflexiones en *Tristram Shandy* sobre la traducción y el papel de Sterne como traductor". *Studia Patriciae Shaw Oblata*. Publ. por S. González Fernández-Corugedo & al. (eds.). Universidad de Oviedo, vol. I, p. 205-220.

Pegenaute Rodríguez, L. (1992): "Las primeras traducciones de Sterne al español y el problema de la censura". II Jornadas Nacionales de Historia de la Traducción, León 1990. Actas publicadas en la revista *Livius* nº 1 y 2, 1992. Public. de la Universidad de León, vol. I, p. 133-140.

Pegenaute Rodríguez, L. (1993): *Tristram Shandy: Problemas de traducción al español (De la teoría a la práctica)*. Tesis inédita, Universidad de León.

Pelegi, G. (1991): "Alcuni esercizi di Raymond Queneau". I Coloquio Internacional de Traductología, Valencia 1989. Actas publicadas por B. Lépinette, A. Olivares, E. Sopeña, E. (1991) *Actas del Primer Coloquio Internacional de traductología*. Public. por la Universitat de Valencia, *Quaderns de Filologia*, p. 171-172.

Pendlebury, J. (1995): "G.G. Márquez traducido al inglés: *The Colonel has no one to write to him*?". I Encuentros Alcalainos de Traducción. Cultura sin fronteras. *Encuentros en torno a la traducción*. Actas publicadas por C. Valero Garcés (1995). Publicaciones de la Universidad de Alcalá de Henares, p. 113-124.

Pérez Gil, V. (1993): "La recepción de E.T.A. Hoffmann: primeras traducciones al francés y al español". III Encuentros Complutenses sobre la Traducción, Madrid 1990. Actas publicadas con el mismo nombre en 1993. Public. de la Univ. Complutense de Madrid, p. 225-232.

Pérez Gil, V. (1994): "*Die Elexiere des Teufels* o la influencia de la primera traducción francesa de E.T.A. Hoffmann en *La morte amoureuse* de Gautier". IV Encuentros Complutenses sobre la Traducción, Madrid 1992. Actas publicadas con el mismo nombre en 1994. Public. de la Universidad Complutense de Madrid, p. 457-466.

Pérez Gil, V. (1995): "Entre traducción y adaptación: la recepción de L. Tieck en Francia". V Encuentros Complutenses sobre la Traducción, Madrid 1994. Actas publicadas con el mismo nombre en 1995. Public. de la Univ. Complutense de Madrid, p. 407-416.

Pérez Gil, V. (1995): "La primera traducción al español de Robert Walwer: *Jakob von Gunten* (Guiños, complicidades y azar en el mundo de la traducción y de la recepción literaria)". VI Encuentros Complutenses sobre la Traducción, Madrid 1995. Actas en prensa.

Perramon, T; Mañé, L. (1982): "Un **Mar** contaminado (a propósito de la traducción de un cuento de Montserrat Roig)". *Cuadernos de Traducción e Interpretación*, 1, 1982, p. 47-56.

Petit Fontseré, N. (1995): "Comentarios en torno a las traducciones catalanas de Montaigne". III Coloquio de la APFFUE, Barcelona 1995. Actas publicadas por F. Lafarga, A. Ribas, M. Tricas (1995): *La Traducción. Metodología, Historia, Literatura, Ambito hispanofrancés*. Barcelona, PPU, p. 225-230.

Piastra, L. (1988): "El Palomar que no escribió Italo Calvino". *Cuadernos de Traducción e Interpretación*, 10, 1988, p. 89-92.

Pina Medina, U.M. (1993): *La idiomaticidad en el lenguaje literario: Estudio basado en la novela "On the Road" de Jack Keronae en sus versiones inglesa, castellana y francesa*. Public. de la Universidad de Alicante.

Pinco Muñoz, A. (1995): "El misteriador misteriado. Historia de una traducción de R.L. Stevenson". VI Encuentros Complutenses sobre la Traducción, Madrid 1995. Actas en prensa.

Pinto Muñoz, A. (1976): *D.H. Lawrence: Estudio comparado de las dos versiones de un mismo relato.* Tesis inédita, Universidad de Salamanca.

Poch Olivé, D. (1989): "Algunas traducciones de obras de lingüística en España". I Jornadas Nacionales de Historia de la Traducción, León 1987. Actas publicadas por J.C. Santoyo, R. Rabadán, T. Guzmán, J.L. Chamosa (1987) *Fidus interpres*, vol. 1 y (1989) *Fidus Interpres*, vol. 2. Public. de la Universidad de León, vol. II, p. 103-114.

Polo, J. (1992): "Las traducciones al español del *Curso de Lingüística General* de F. de Saussure". *Cuadernos de Investigación Filológica* 18, 1-2, p. 183-187.

Prado, J. del. (1991): "Lo que Clarín dice y lo que calla en su traducción de Zola". Coloquio Traducción y Adaptación Cultural España-Francia, Oviedo 1990. Actas publicadas en 1991 por M.L. Donaire, F. Lafarga: *Traducción y Adaptación cultural España-Francia.* Public. de la Universidad de Oviedo, p. 175-188.

Raders, M. (1993): "*La pequeña ciudad* o la novela dramática en Heinrich Mann: dificultades traductológicas del género mixto". III Encuentros Complutenses sobre la Traducción, Madrid 1990. Actas publicadas con el mismo nombre en 1993. Public. de la Univ. Complutense de Madrid, p. 239-252.

Ramiro Valderrama, M. (1994): "Connotaciones y traducción: de lo intraducible a lo intraducido en *Libro de Manuel*, de Julio Cortázar". I Congreso Internacional de traducción e Interpretación de Soria, 1993. Actas publicadas por A. Bueno, M. Ramiro, J.M. Zarandona (1994): *La traducción de lo inefable.* Publicaciones del Colegio Universitario de Soria, p. 117-134.

Ribas Pujol, A. (1995): "Las traducciones de *Mémoires d'Hadrien* de Marguerite Yourcenar: regularidades en las divergencias". III Coloquio de la APF-FUE, Barcelona 1995. Actas publicadas por F. Lafarga, A. Ribas, M. Tricas (1995): *La Traducción. Metodología, Historia, Literatura, Ambito hispanofrancés.* Barcelona, PPU, p. 49-60.

Risco Casanova, C. (1991): "La traducción literaria: *La chambre bleue* de Prosper Merimee". I Coloquio Internacional de Traductología, Valencia 1989. Actas publicadas por B. Lépinette, A. Olivares, E. Sopeña, E. (1991) *Actas del Primer Coloquio Internacional de traductología.* Public. por la Universitat de Valencia, *Quaderns de Filologia*, p. 177-178.

Rodríguez Ortega, N; Schnell, B. (1994): "Una visión de América Latina a través de las versiones alemana y francesa de un best-seller de la literatura latinoamericana: *La casa de los espíritus*". I Jornadas Internacionales de Traducción e Interpretación: Tendencias actuales, Las Palmas de Gran Canaria 1994. Actas en prensa.

Roig Morras, C. (1992): "Las traducciones del *Neveu de Rameau* de Diderot en España". Actas publicadas por Parcerisas, F. (ed.) (1995): *Actes del I Congrès Internacional sobre Traducció* (abril 1992). Publicacions de l'Universitat Autónoma de Barcelona, p. 761-778.

Roig Morras, C. (1995): "Una versión anarquista del *Supplément au voyage de Bougainville* de Diderot". VI Encuentros Complutenses sobre la Traducción, Madrid 1995. Actas en prensa.

Ruiz Alvarez, R. (1991): "La traducción y otras prácticas hipertextuales en la obra dramática de Scarron". I Coloquio Internacional de Traductología, Valencia 1989. Actas publicadas por B. Lépinette, A. Olivares, E. Sopeña, E. (1991) *Actas del Primer Coloquio Internacional de traductología*. Public. por la Universitat de Valencia, *Quaderns de Filologia*, p. 185-186.

Rutherford, J. (1989): "Teoría y práctica de la traducción literaria: *La Regenta* al inglés". XI Congreso de AEDEAN, León 1987. Actas publicadas por J.C. Santoyo (1989): *Translation Across Cultures*: La traducción en el mundo hispánico y anglosajón, relaciones lingüísticas, culturales y literarias. Publicaciones de la Univ. de León, p. 159-172.

Sabio Pinilla, J.A. (1992): "Traducir del portugués al español: la engañosa facilidad". Actas publicadas por Parcerisas, F. (ed.) (1995): *Actes del I Congrès Internacional sobre Traducció* (abril 1992). Publicacions de l'Universitat Autónoma de Barcelona, p. 613-620.

Sala-Sanahuja, J. (1992): "Sanibald de Mas: mori la traducció!". Actas publicadas por Parcerisas, F. (ed.) (1995): *Actes del I Congrès Internacional sobre Traducció* (abril 1992). Publicacions de l'Universitat Autónoma de Barcelona, p. 621-632.

San José Villacorta, P. (1992): "De Tolkien a C.S. Lewis". *Cuadernos de Traducción e Interpretación*, 11/12, 1992, p. 157-172.

San Miguel Hernández, M. (1994): "La narrativo de Francis Jammes: Prologuistas y traductores". *Investigación Franco-Española* 10, 1994, p. 127-157.

Sánchez Escribano, F.J. (1989): "La versión inglesa de *Historia de Hipólito y Aminta*, de Francisco de Quintana: Aportación bibliográfica". XI Congreso de AEDEAN, León 1987. Actas publicadas por J.C. Santoyo (1989): *Translation Across Cultures*: La traducción en el mundo hispánico y anglosajón, relaciones lingüísticas, culturales y literarias. Publicaciones de la Univ. de León, p. 173-180.

Sánchez Férriz, M.A. (1987): "Gargantua i Pantagruel al català per primera vegada: consideracions entorn d'una traducció". *Cuadernos de Traducción e Interpretación*, 8/9, 1987, p. 203-208.

Sánchez García, M. (1994): *Desplazamientos léxico-semánticos en* ***El cuarteto de Alejandría*** *de Lawrence Durell: Un ejercicio en traductología descriptiva con un enfoque funcional combinado*. Tesis inédita, Universidad de Granada.

Sanz Casares, M.C. (1994): "Dificultades inherentes a la traducción de *The Plough and the Stars* de Sean O'Casey: Análisis de una traducción". *Livius*, 5 (1994), p. 169-180.

Schalekamp, J. (1992): "Dos traducciones: *La route de Flandres* y *The Old Gringo*". *Cuadernos de Traducción e Interpretación*, 11/12, 1992, p. 37-46.

Serrano Valverde, F. (1986): "Fracaso ejemplar: la traducción de *Riders to the Sea* de J.M. Synge". *Actas del VI Simposio de la Sociedad Española de Literatura General y Comparada* (13-15 marzo 1986). Actas publicadas por J. Paredes Nuñez, A. Soria Olmedo (1989), Granada, Publicaciones de la Universidad, p. 417-426.

Serrat Crespo, M. (1995): "¿Que no Queneau?". *Vasos Comunicantes* 4, p. 75-76.

Shaw Fairman, P. (1987): "La invocación a Diana: de Geoffrey of Monmouth a John Milton". I Jornadas Nacionales de Historia de la Traducción, León 1987. Actas publicadas por J.C. Santoyo, R. Rabadán, T. Guzmán, J.L. Chamosa (1987) *Fidus interpres*, vol. 1 y (1989) *Fidus Interpres*, vol. 2. Public. de la Universidad de León, vol. I, p. 98-108.

Soennecken, H. (1995): "Traducir o interpretar. Cuestión ejemplificada en *Carlota en Weimar*". V Encuentros Complutenses sobre la Traducción, Madrid 1994. Actas publicadas con el mismo nombre en 1995. Public. de la Univ. Complutense de Madrid, p. 445-450.

Soltero Godoy, M. (1995): "Una posible traducción de un texto gaddiano: aproximación hermenéutica". VI Encuentros Complutenses sobre la Traducción, Madrid 1995. Actas en prensa.

Sopeña Balordi, A.E. (1986): "Images et locutions discordantes dans les traductions de l'*Oeuvre au noir* de M. Yourcenar". Actes du Colloque international sur Marguerite Yourcenar, Valencia 1984, publicadas por E. Real (1986). Universidad de Valencia, p. 175-186.

Soto Vázquez, A.L. (1991): "El Cockney de Charles Dickens, ¿una traducción utópica?". *Lenguaje y Textos* 4, 1991, p. 95-100.

Soto Vázquez, A.L. (1993): "La jerga marginal de *Oliver Twist* en las traducciones al español". *Livius*, 4 (1993), p. 231-242.

Soto Vázquez, A.L. (1993): *El inglés de Charles Dickens y su traducción al español.* Universidad de La Coruña.

Soto Vázquez, A.L. (1994): "Los Malapropismos de *The Pickwich papers* y *Great expèctations* en las versiones al español". I Encuentro Interdisciplinar de Teoría y Práctica de la Traducción, Cádiz 1993. *Reflexiones sobre la Traducción.* Actas publicadas por L. Charlo Brea (1994). Public. de la Universidad de Cádiz, p. 697-706.

Sproule, K. (1994): "El Jarama / The One Day of the Week: testing Newmark". I Jornadas Internacionales de Traducción e Interpretación: Tendencias actuales, Las Palmas de Gran Canaria 1994. Actas en prensa.

Tally, J. (1989): "White Over Black: Problems in the Translation of *The Color Purple*". XI Congreso de AEDEAN, León 1987. Actas publicadas por J.C. Santoyo (1989): *Translation Across Cultures*: La traducción en el mundo hispánico y anglosajón, relaciones lingüísticas, culturales y literarias. Publicaciones de la Univ. de León, p. 195-198.

Tejada, P. (1989): "Traducción y caracterización lingüística: la prosa anglosajona". *Revista Canaria de Estudios Ingleses* 18, 1989, p. 143-249.

Todó, L.M. (1991): "Una adaptación catalana del primer cuento publicado por Flaubert: *Bibliomanie*". Coloquio Traducción y Adaptación Cultural España-Francia, Oviedo 1990. Actas publicadas en 1991 por M.L. Donaire, F. Lafarga: *Traducción y Adaptación cultural España-Francia.* Public. de la Universidad de Oviedo, p. 253-258.

Tomé, M. (1989): "La traducción al español de la reciente narrativa francesa". I Jornadas Nacionales de Historia de la Traducción, León 1987. Actas publicadas por J.C. Santoyo, R. Rabadán, T. Guzmán, J.L. Chamosa (1987) *Fidus interpres*, vol. 1 y (1989) *Fidus Interpres*, vol. 2. Public. de la Universidad de León, vol. II, p. 329-337.

Tomeo, J; Laroutis, D; Wehr, E. (1994): "Javier Tomeo y sus traductoras: Mesa redonda en las Jornadas de Tarazona de 1993". *Vasos Comunicantes* 2, p. 38-56.

Tost Planet, M.A. (1986): "Claude Simon y 'la materia de España'". *Cuadernos de Traducción e Interpretación*, 7, 1986, p. 187-198.

Urdiroz Villanueva, M.N. (1991): "Una curiosa traducción de Maupassant: La dernière escapade". *Investigación Franco-Española* 4, 1991, p. 129-151.

Usandizaga, A. (1989): "La autobiografía: Ficción-traducción de la identidad". XI Congreso de AEDEAN, León 1987. Actas publicadas por J.C. Santoyo (1989): *Translation Across Cultures*: La traducción en el mundo hispánico y anglosajón, relaciones lingüísticas, culturales y literarias. Publicaciones de la Univ. de León, p. 279-284.

Valero Garcés, C. (1990): *Aspectos de la traducción de la novela **The Scarlet Letter** de N. Hawthorne: Propuesta metodológica de evaluación crítica de sus traducciones y aplicación*. Tesis inédita, Universidad de Zaragoza.

Valero Garcés, C. (1993): "Translating for Children: The Example of *Moby Dick*". Actas de las Jornadas Internacionales de Lingüística Aplicada, publicadas por J. Fernández-Barrientos Martín (1993). Granada, ICE de la Universidad, p. 727-737.

Vega, M.A. (1995): "Las traducciones del Fausto de Goethe al español (II)". *Hieronymus Complutensis* nº 2, 1995, p. 113-114.

Vega, M.A. (1995): "Traducciones menores: Hölderkin - Schelling - Hegel". *Hieronymus Complutensis*, nº 1, ene.-jun. 1995, p. 117-121.

Verdegal, J.M. (1996): "La enseñanza de la traducción literaria". III Jornades sobre la Traducció: Didáctica de la Traducció. Universitat Jaume I, Mayo 1995. Actas publicadas por A. Hurtado Albir (ed.) (1996) *La enseñanza en la traducción*. Universitat Jaume I de Castelló, p. 213-216.

Vidal Colell, M.A. (1991): "Quatre versions catalanes d'une fable de La Fontaine (La cigale et la fourmi)". I Coloquio Internacional de Traductología, Valencia 1989. Actas publicadas por B. Lépinette, A. Olivares, E. Sopeña, E. (1991) *Actas del Primer Coloquio Internacional de traductología*. Public. por la Universitat de Valencia, Quaderns de Filologia, p. 215-217.

Viñuela Angulo, U. (1993): "James Fenimore Cooper: Entre la popularidad y la transformación textual". *Livius*, 4 (1993), p. 267-279.

TRADUCCIÓN LITERARIA (Poesia)

Alvarez Sanagustín, A. (1991): "La traducción poética". Coloquio Traducción y Adaptación Cultural España-Francia, Oviedo 1990. Actas publicadas en 1991 por M.L. Donaire, F. Lafarga: *Traducción y Adaptación cultural España-Francia*. Public. de la Universidad de Oviedo, p. 261- 270.

Arce Menéndez, A. (1987): "La primera égloga de Garcilaso en la Italia del 'Settecento'". I Jornadas Nacionales de Historia de la Traducción, León 1987. Actas publicadas por J.C. Santoyo, R. Rabadán, T. Guzmán, J.L. Chamosa (1987) *Fidus interpres*, vol. 1 y (1989) *Fidus Interpres*, vol. 2. Public. de la Universidad de León, vol. I, p. 208-214.

Arce Menéndez, A. (1990): "Pietro Monti y su versión de la *Egloga I* de Garcilaso". II Encuentros Complutenses sobre la Traducción, Madrid 1988. Actas publicadas con el mismo nombre en 1990. Public. de la Univ. Complutense de Madrid, p. 291-296.

Arce Menéndez, A. (1994): "La rosa del desierto de Cienfuegos 'transplantada' a la Italia del s. XIX". I Encuentro Interdisciplinar de Teoría y Práctica de la Traducción, Cádiz 1993. *Reflexiones sobre la Traducción*. Actas publicadas por L. Charlo Brea (1994). Public. de la Universidad de Cádiz, p. 145-157.

Arce Menéndez, A. (1995): "Una versión 'dulcificada' de Tasso". VI Encuentros Complutenses sobre la Traducción, Madrid 1995. Actas en prensa.

Arias Torres, J.P; Peña Martín, S. (1995): "Qabbani-Montávez: invariante en traducción de poesía árabe". V Encuentros Complutenses sobre la Traducción, Madrid 1994. Actas publicadas con el mismo nombre en 1995. Public. de la Univ. Complutense de Madrid, p. 233-242.

Arranz, M. (1987): "El soneto en **IX** de Mallarmé: ensayo de traducción y comentario". *Cuadernos de Traducción e Interpretación*, 8/9, 1987, p. 61-64.

Badenas de la Peña, P. (1993): "Nuevo poemario recuperado de Cavafis". *Gaceta de la Traducción*, nº 1, jun. 1993, p. 49-64.

Badia, A. (1983): "Seixanta poemes trobadorescos dels segles XII i XIII en versió catalana". *Cuadernos de Traducción e Interpretación*, 3, 1983, p. 131-134.

Ballestero Izquierdo, A. (1994): "Juan Larrea traducido: dos traducciones para un poema (*Signes d'ansiété*)". I Congreso Internacional de traducción e Interpretación de Soria, 1993. Actas publicadas por A. Bueno, M. Ramiro, J.M. Zarandona (1994): *La traducción de lo inefable*. Publicaciones del Colegio Universitario de Soria, p. 343-358.

Barbolani, C. (1989): "La singular apropiación de un texto: Notas sobre la 'Mirra' de Cabanyes". I Jornadas Nacionales de Historia de la Traducción, León 1987. Actas publicadas por J.C. Santoyo, R. Rabadán, T. Guzmán, J.L. Chamosa (1987) *Fidus interpres*, vol. 1 y (1989) *Fidus Interpres*, vol. 2. Public. de la Universidad de León, vol. II, p. 194-198.

Barjau, E. (1984): "La traducción de textos en verso". Nueva Revista de Enseñanzas Medias nº 6: *La Traducción, Arte y Técnica*, 1984, M.E.C., p. 27-36.

Barjau, E. (1986): "Carles Riba, traductor de Rilke: Notes a Esbossos de versions de Rilke". *Actes del Simposi Carles Ribas*. Publ. por J. Medina, E. Sullà (eds.), Publicacions de l'Abadia de Montserrat, p. 73-84.

Barjau, E. (1994): "Taller de traducción de textos poéticos alemanes". *Vasos comunicantes* 3, p. 75-86.

Barjau, E. (1995): "La traducción de textos poéticos: dificultades y estrategias". II Jornades sobre la Traducció, Castelló 1994. Actas publicadas por J.

Marco Burillo (1995) *La traducció Literaria*. Public. de la Universitat Jaume I de Castelló, p. 59-81.

Barón, E. (1983): "Jules Laforgue: su lugar en la poesía moderna (Nota a *Solode lune*)". *Cuadernos de Traducción e Interpretación*, 2, 1983, p. 99-106.

Barón, E. (1985): "Herederos de Hamlet". *Cuadernos de Traducción e Interpretación*, 5/6, 1985, p. 61-76.

Barón, E. (1992): "Todo poema es un epitafio: *Hamlet* en *The Waste Land*". *Cuadernos de Traducción e Interpretación*, 11/12, 1992, p. 209-226.

Barón, E; Barón, M.L. (1987): "La poesía canadiense y sus traductores al español". *Cuadernos de Traducción e Interpretación*, 8/9, 1987, p. 129-140.

Barón, E; Barón, M.L. (1987): "Poetas canadienses en francés". *Cuadernos de Traducción e Interpretación*, 8/9, 1987, p. 117-128.

Barón, E; Barón, M.L. (1987): "Sobre traducciones, traiciones y selecciones". *Cuadernos de Traducción e Interpretación*, 8/9, 1987, p. 85-90.

Barrero Pérez, O. (1994): "Jorge Guillén: Traductor del soneto *Night and Death* de Blanco White". *Livius*, 5 (1994), p. 9-24.

Bassif, V. (1989): "The Solitary Seeker as Depicted by Thomas Pynchon and Surrealist Painter Varo". XI Congreso de AEDEAN, León 1987. Actas publicadas por J.C. Santoyo (1989): *Translation Across Cultures*: La traducción en el mundo hispánico y anglosajón, relaciones lingüísticas, culturales y literarias. Publicaciones de la Univ. de León, p. 225-228.

Bejarano Escanilla, I. (1987): "Algunos poemas de Sulafa Hiyyawi". *Cuadernos de Traducción e Interpretación*, 8/9, 1987, p. 97-110.

Belinchón, A. (1985): "La traducción gráfica del poema *La tragédie des poètes* de Louis Aragón". Actas del III Congreso Nacional de Lingüística Aplicada (AESLA), Valencia abril 1985: *Pasado, presente y futuro de la lingüística aplicada en España*, publicadas por F. Fernández (1986), p. 285-290.

Belloso Berrocal, P; Bueno, F. (1984): "Humanidad y poesía de un escritor escocés". Nueva Revista de Enseñanzas Medias nº 6: *La Traducción, Arte y Técnica*, 1984, M.E.C., p. 191-196.

Benito de Lucas, J. (1990): "Las 'Rimas' de Bécquer en árabe: una traducción atípica". Actas de las Jornadas de Hispanismo Arabe (Madrid mayo 1988), publicadas por F. de Agreda (1990). Madrid, Agencia Española de Cooperación Internacional, p. 415-420.

Bermúdez Cañete, F. (1989): "Las traducciones de Rilke al español". *Actas del VI Simposio de la Sociedad Española de Literatura General y Comparada*

(13-15 marzo 1986). Actas publicadas por J. Paredes Nuñez, A. Soria Olmedo (1989), Granada, Publicaciones de la Universidad, p. 245-250.

Bermúdez Cañete, F. (1993): "Las primeras traducciones de Rilke en España". *Sendebar*, vol. 4, 1993, p. 133-162.

Blanco Outon, C. (1994): "La poesía inglesa y alemana en la revista Cántico". Jornadas sobre Trasvases Culturales: Literatura, Cine, Traducción (20-22 mayo 1993). Actas publicadas por F. Eguiluz (1994). Vitoria, Public. de la Univ. del País Vasco, p. 95-103.

Brito, M. (1989): "Cinco versiones para un carretilla roja". XI Congreso de AEDEAN, León 1987. Actas publicadas por J.C. Santoyo (1989): *Translation Across Cultures*: La traducción en el mundo hispánico y anglosajón, relaciones lingüísticas, culturales y literarias. Publicaciones de la Univ. de León, p. 33-38.

Bueno García, A. (1995): "*Les fleurs du mal* de Baudelaire: Historia de su traducción, historia de la estética". III Coloquio de la APFFUE, Barcelona 1995. Actas publicadas por F. Lafarga, A. Ribas, M. Tricas (1995): *La Traducción. Metodología, Historia, Literatura, Ambito hispanofrancés*. Barcelona, PPU, p. 263-272.

Burrel Arguis, M. (1994): "De Gumilióv a Etkind: principios de traducción poética". IV Encuentros Complutenses sobre la Traducción, Madrid 1992. Actas publicadas con el mismo nombre en 1994. Public. de la Universidad Complutense de Madrid, p. 49-60.

Calle Martín, J. (1972): *Poesía y traducción: Los versos de B. Brecht en español*. Universidad de La Laguna, tesis inédita.

Campos Vilanova, X. (1994): "La traducció poètica: el pensament teòric de James S. Holmes". I Jornades sobre la Traducció, Castelló 1993. Actas publicadas por A. Hurtado Albir (1994) *Estudis sobre la Traducció*. Public. de la Universitat Jaume I de Castelló, p. 11-24.

Candela Osés, N; Ballestero Izquierdo, A. (1994): "Manuel Altolaguirre traductor de T.S. Eliot (*Journey of the Magi*)". I Congreso Internacional de traducción e Interpretación de Soria, 1993. Actas publicadas por A. Bueno, M. Ramiro, J.M. Zarandona (1994): *La traducción de lo inefable*. Publicaciones del Colegio Universitario de Soria, p. 331-342.

Canellas de Castro Duarte, D. (1994): "El lenguaje poético: problemas de traducción del portugués al castellano en poemas de Jorge de Sena". IV Encuentros Complutenses sobre la Traducción, Madrid 1992. Actas publicadas con el mismo nombre en 1994. Public. de la Universidad Complutense de Madrid, p. 539-548.

Cano Echevarría, B. (1994): "Traducción poética de la desolación, *I wake and feel the fell of dark*, un soneto de Gerard Manley Hopkins". I Congreso

Internacional de traducción e Interpretación de Soria, 1993. Actas publicadas por A. Bueno, M. Ramiro, J.M. Zarandona (1994): *La traducción de lo inefable*. Publicaciones del Colegio Universitario de Soria, p. 289-298.

Carmona, A. (1984): "al-Qart yann , un poeta arábigo-español". Nueva Revista de Enseñanzas Medias nº 6: *La Traducción, Arte y Técnica*, 1984, M.E.C., p. 155-158.

Carrera de la Red, A. (1994): "Pensamiento y acción en *The battle of Maldon*: una lectura para una traducción". II Curso Superior de Traducción Inglés-Español, Valladolid 1993. Textos publicados por P. Fernández Nistral (ed.) (1994): *Aspectos de la traducción Inglés-Español*. Public. del ICE de la Univ. de la Universidad de Valladolid, p. 63-70.

Carrera de la Red, M.J; Pedro Ricoy, R. de. (1992): "El Sueño de la Cruz o *The Dream of the Rood* en castellano". I Curso Superior de Traducción Inglés-Español, Valladolid 1992. Textos publicados por P. Fernández Nistral (ed.) (1992): *Estudios de Traducción*. Public. del ICE de la Universidad de Valladolid, p. 93-123.

Carro Marina, L. (1990): "Poe por Baudelaire: poeta traduce poeta". II Encuentros Complutenses sobre la Traducción, Madrid 1988. Actas publicadas con el mismo nombre en 1990. Public. de la Univ. Complutense de Madrid, p. 323-328.

Castillo Cofiño, R. (1995): "Traducción poética". V Encuentros Complutenses sobre la Traducción, Madrid 1994. Actas publicadas con el mismo nombre en 1995. Public. de la Univ. Complutense de Madrid, p. 727-730.

Cinca Pinós, D. (1992): "Al-Jahiz: *La poesia no es pot traduir*". Actas publicadas por Parcerisas, F. (ed.) (1995): *Actes del I Congrès Internacional sobre Traducció* (abril 1992). Publicacions de l'Universitat Autónoma de Barcelona, p. 843-850.

Collar, F. (1988): "Dieciocho versiones castellanas del poema *Lorelei* de Heine". Mesa redonda en torno a la Traducción. Madrid 1987, Fundación Alfonso X el Sabio. Textos publicados el mismo año por la Fundación con el título *Problemas de la traducción*, p. 155-199.

Conde Silvestre, J.C. (1995): "Texto y contextos en la traducción de la poesía anglosajona: 'The Wanderer' (23b-38)". *Cuadernos de Filología Inglesa* 4, 1995, p. 9-26.

Crespo, A. (1987): "La traducción de la Comedia de Dante: terza rima o nada". *Cuadernos de Traducción e Interpretación*, 8/9, 1987, p. 7-20.

Chamosa González, J.L. (1985): "A propósito de una traducción de la obra poética de Joyce". *Contextos* 5, 1985, p. 173-178.

Chamosa González, J.L. (1988): "Problemas de la traducción de poesía". Jornadas de Traducción, Ciudad Real 1986. Actas publicadas en 1986 con el título de *Actas de las Jornadas de Traducción*. Public. de la Fac. de Letras de la Universidad de Castilla-La Mancha, p. 83-92.

Chamosa González, J.L. (1992): "Aspectos de la traducción de poesía". I Curso Superior de Traducción Inglés-Español, Valladolid 1992. Textos publicados por P. Fernández Nistral (ed.) (1992): *Estudios de Traducción*. Public. del ICE de la Universidad de Valladolid, p. 5-22.

Chamosa González, J.L; Guzmán, T. (1987): "Robert Southey, traductor de poesía española". I Jornadas Nacionales de Historia de la Traducción, León 1987. Actas publicadas por J.C. Santoyo, R. Rabadán, T. Guzmán, J.L. Chamosa (1987) *Fidus interpres*, vol. 1 y (1989) *Fidus Interpres*, vol. 2. Public. de la Universidad de León, vol. I, p. 340-348.

Chamosa González, J.L; Martín, M.C. (1989): "Barnabe Googe: creador, adaptador, traductor". XI Congreso de AEDEAN, León 1987. Actas publicadas por J.C. Santoyo (1989): *Translation Across Cultures*: La traducción en el mundo hispánico y anglosajón, relaciones lingüísticas, culturales y literarias. Publicaciones de la Univ. de León, p. 65-72.

Del Castillo Barrero, M.J. (1991): "Creativité de la traduction poétique". I Coloquio Internacional de Traductología, Valencia 1989. Actas publicadas por B. Lépinette, A. Olivares, E. Sopeña, E. (1991) *Actas del Primer Coloquio Internacional de traductología*. Public. por la Universitat de Valencia, *Quaderns de Filologia*, p. 83-86.

Devoto, D. (1988): "Sobre cuatro poemas venecianos y sobre la manera de traducirlos". *Boletín de la Real Academia Española LXVIII*, 244, 1988, p. 275-287.

Duncan Barlow, K. (1994): "Dámaso Alonso's Translations of the passive voice in *El retrato del artista adolescente*: Further considerations". Jornadas sobre Trasvases Culturales: Literatura, Cine, Traducción (20-22 mayo 1993). Actas publicadas por F. Eguiluz (1994). Vitoria, Public. de la Univ. del País Vasco, p. 175-181.

Duro Moreno, M. (1994): "La traducción poética de poesía (a propósito de una nueva versión al castellano de *Annabel Lee*, de E.A. Poe)". I Congreso Internacional de traducción e Interpretación de Soria, 1993. Actas publicadas por A. Bueno, M. Ramiro, J.M. Zarandona (1994): *La traducción de lo inefable*. Publicaciones del Colegio Universitario de Soria, p. 321-330.

Equíluz Ortiz de Latierro, F. (1995): "Poesía norteamericana del siglo XX en traducción: una experiencia". V Encuentros Complutenses sobre la Traducción, Madrid 1994. Actas publicadas con el mismo nombre en 1995. Public. de la Univ. Complutense de Madrid, p. 731-740.

Faber, P. (1989): "Charles Baudelaire and his Translations of E.A. Poe". I Jornadas Nacionales de Historia de la Traducción, León 1987. Actas publicadas por J.C. Santoyo, R. Rabadán, T. Guzmán, J.L. Chamosa (1987) *Fidus interpres*, vol. 1 y (1989) *Fidus Interpres*, vol. 2. Public. de la Universidad de León, vol. II, p. 23-32.

Faber, P. (1989): "El enfoque polisistémico de la traducción aplicado a textos de Edgar Allan Poe traducidos por Charles Baudelaire". Actas del VII Congreso Nacional de Lingüística Aplicada (AESLA), Sevilla abril 1989, publicadas por F. Garrudo Carabias, J. Rincón (1990). Dpto. de Filología Inglesa de la Universidad de Sevilla, p. 173-180.

Felten, H. (1990): "Poesía española en alemán: esplendor y miseria de la traducción. Informe sobre una experiencia". Simposio Internacional de Literatura Comparada: (1990) *Europa en España / España en Europa*. Actas publicadas por H. Dyserinck & al., Barcelona, Promociones y Publicaciones Universitarias, p. 33-49.

Fernández Nistal, P. (1992): "La traducción de *The Dream of the Rood*: el problema de la sinonimia". I Curso Superior de Traducción Inglés-Español, Valladolid 1992. Textos publicados por P. Fernández Nistral (ed.) (1992): *Estudios de Traducción*. Public. del ICE de la Universidad de Valladolid, p. 79-92.

Fernández-Corugedo, S.G. (1994): "Problemas formales de la traducción de *The Shepheards Calender* de Edmund Spenser". Jornadas sobre Trasvases Culturales: Literatura, Cine, Traducción (20-22 mayo 1993). Actas publicadas por F. Eguiluz (1994). Vitoria, Public. de la Univ. del País Vasco, p. 199-210.

Folguera, J.J. (1993): "Los *Four Quartets* de T.S. Eliot: Situación y traducción". *Cauce* 16, 1993, p. 243-275.

Fonte, R. (1984): "Catro poetas galegos". Nueva Revista de Enseñanzas Medias nº 6: *La Traducción, Arte y Técnica*, 1984, M.E.C., p. 207-212.

Fouilloux, C; Veglia, A. (1991): "Los avatares del poema *La muerte de los amantes* en español". Coloquio Traducción y Adaptación Cultural España-Francia, Oviedo 1990. Actas publicadas en 1991 por M.L. Donaire, F. Lafarga: *Traducción y Adaptación cultural España-Francia*. Public. de la Universidad de Oviedo, p. 271-282.

Furnari, T. (1994): "Tre poemi di Antonio Carvajal in italiano". *Sendebar*, vol. 5, 1994, p. 289-311.

Fuster, M; Salvador, V. (1985): "Consideracions sobre el concepte d'isotopia en la traducció de textos poètics". Actas del III Congreso Nacional de Lingüística Aplicada (AESLA), Valencia abril 1985: *Pasado, presente y futuro de la lingüística aplicada en España*, publicadas por F. Fernández (1986), p. 277-284.

Gallego Roca, M. (1993): *Traducción y poesía en España 1918-1936: Ensayo metodológico para el estudio de las traducciones literarias*. Universidad de Granada, tesis inédita.

Gallego Roca, M. (1994): "La ordenación del caos: Poesía traducida y antologada". *Sendebar*, vol. 5, 1994, p. 249-254.

Gandía Buleo, Pedro. (1987): "Sandro Penna o la 'Tragedia oscura della bellezza'". *Cuadernos de Traducción e Interpretación*, 8/9, 1987, p. 111-116.

Gandía Buleo, Pilar; Gandía Buleo, Pedro. (1988): "Oscar Wilde: poemas (versión)". *Cuadernos de Traducción e Interpretación*, 10, 1988, p. 41-46.

García Ael, C. (1989): "Traducciones del español en el romanticismo alemán, o la influencia del mundo hispano en la imagen del mundo y de la poesía romántica". I Jornadas Nacionales de Historia de la Traducción, León 1987. Actas publicadas por J.C. Santoyo, R. Rabadán, T. Guzmán, J.L. Chamosa (1987) *Fidus interpres*, vol. 1 y (1989) *Fidus Interpres*, vol. 2. Public. de la Universidad de León, vol. II, p. 299-304.

García Bascuñana, J.F. (1991): "Traducción literaria y civilización medieval: Versión castellana de las poesías completas de Charles d'Orleans". I Coloquio Internacional de Traductología, Valencia 1989. Actas publicadas por B. Lépinette, A. Olivares, E. Sopeña, E. (1991) *Actas del Primer Coloquio Internacional de traductología*. Public. por la Universitat de Valencia, *Quaderns de Filologia*, p. 109-112.

García Castañón, L. (1990): "La presencia de Federico García Lorca en dos poetas iraquíes contemporáneos". Actas de las Jornadas de Hispanismo Arabe (Madrid mayo 1988), publicadas por F. de Agreda (1990). Madrid, Agencia Española de Cooperación Internacional, p. 343-358.

García de la Banda, F. (1993): "Traducción de poesía y traducción poética". III Encuentros Complutenses sobre la Traducción, Madrid 1990. Actas publicadas con el mismo nombre en 1993. Public. de la Univ. Complutense de Madrid, p. 115-136.

García de la Banda, F. (1994): "Traducir a Lorca". IV Encuentros Complutenses sobre la Traducción, Madrid 1992. Actas publicadas con el mismo nombre en 1994. Public. de la Universidad Complutense de Madrid, p. 509-522.

García de la Banda, F. (1995): "**Fishing in a very** dull **canal**: Estudio de las traducciones de la palabra **dull** en dos contextos de *The Waste Land* de T.S. Eliot". V Encuentros Complutenses sobre la Traducción, Madrid 1994. Actas publicadas con el mismo nombre en 1995. Public. de la Univ. Complutense de Madrid, p. 285-298.

García López, B. (1992): "Estrategias de traducción de algunos sonetos de Shakespeare". *Archivum*, 41-42, 1991-92, p. 255-273.

García Martín, J.L. (1988): "La tradición priápica. Antología de *El hermafrodita*". *Cuadernos de Traducción e Interpretación*, 10, 1988, p. 77-88.

García Martínez, M.T; Brandl, R. (1992): "Ernst Jandl: un poeta-traductor y sus experimentos". Actas publicadas por Parcerisas, F. (ed.) (1995): *Actes del I Congrès Internacional sobre Traducció* (abril 1992). Publicacions de l'Universitat Autónoma de Barcelona, p. 793-812.

García Yebra, V. (1991): "L'heure du berger". R. Dengler Gassin (ed.): *Estudios humanísticos en homenaje a Luis Cortés Vázquez*, Universidad de Salamanca, p. 289-296.

Gargallo Guil, M.C. (1992): "Un caso de transgresión textual: Emilio García Gómez, traductor". Actas publicadas por Parcerisas, F. (ed.) (1995): *Actes del I Congrès Internacional sobre Traducció* (abril 1992). Publicacions de l'Universitat Autónoma de Barcelona, p. 869-876.

Gibert Maceda, T. (1989): "Esta es la tierra baldía tan rudamente violada (Sobre las versiones de *The Waste Land*)". XI Congreso de AEDEAN, León 1987. Actas publicadas por J.C. Santoyo (1989): *Translation Across Cultures*: La traducción en el mundo hispánico y anglosajón, relaciones lingüísticas, culturales y literarias. Publicaciones de la Univ. de León, p. 111-118.

Gómez Bedate, P. (1987): "Para traducir a Mallarmé: la imitación de las estructuras". *Cuadernos de Traducción e Interpretación*, 8/9, 1987, p. 43-60.

Gómez Lara, M.J. (1989): "La versión poética como comentario de textos". I Jornadas Nacionales de Historia de la Traducción, León 1987. Actas publicadas por J.C. Santoyo, R. Rabadán, T. Guzmán, J.L. Chamosa (1987) *Fidus interpres*, vol. 1 y (1989) *Fidus Interpres*, vol. 2. Public. de la Universidad de León, vol. II, p. 129-139.

Goncharenko, S. (1995): "Teoría de la comunicación y traducción poética". V Encuentros Complutenses sobre la Traducción, Madrid 1994. Actas publicadas con el mismo nombre en 1995. Public. de la Univ. Complutense de Madrid, p. 695-702.

González Sardinero, E. (1992): "Pluralidad en la traducción poética". Actas publicadas por Parcerisas, F. (ed.) (1995): *Actes del I Congrès Internacional sobre Traducció* (abril 1992). Publicacions de l'Universitat Autónoma de Barcelona, p. 813-830.

Goujon, J.P. (1995): "Approches de la problématique du texte poétique". E. Le Bel (ed.) (1995): *Le masque et la plume. Traducir: reflexiones, experiencias y prácticas*, Servicio de Publicaciones de la Universidad de Sevilla, p. 45-54.

Guatelli-Tedeschi, J. (1990): "Sept poèmes de Pedro Soto de Rojas". *Sendebar*, vol. 1, 1990, p. 91-98.

Guatelli-Tedeschi, J. (1994): "Dos poemas de Antonio Carvajal en francés". *Sendebar*, vol. 5, 1994, p. 317-319.

Güell, L; Valls, F. (1989): "Las traducciones castellanas de la poesía de Joan Vinyoli (1914-1984)". I Jornadas Nacionales de Historia de la Traducción, León 1987. Actas publicadas por J.C. Santoyo, R. Rabadán, T. Guzmán, J.L. Chamosa (1987) *Fidus interpres*, vol. 1 y (1989) *Fidus Interpres*, vol. 2. Public. de la Universidad de León, vol. II, p. 91-102.

Guerra, J.T; Bernárdez, E. (1992): "Revisión modernista del **Seafarer**: la traducción de Ezra Pound". II Jornadas Nacionales de Historia de la Traducción, León 1990. Actas publicadas en la revista *Livius* nº 1 y 2, 1992. Public. de la Universidad de León, vol. I, p. 179-186.

Hambrook, G. (1991): "La obra de Charles Baudelaire traducida al español (1982-1910)". *Investigación Franco-Española* 4, 1991, p. 99-102.

Hartnett, M. (1989): "The Poetry of Lorca and Irish Surrealism". XI Congreso de AEDEAN, León 1987. Actas publicadas por J.C. Santoyo (1989): *Translation Across Cultures*: La traducción en el mundo hispánico y anglosajón, relaciones lingüísticas, culturales y literarias. Publicaciones de la Univ. de León, p. 251-252.

Herrero Cecilia, J. (1995): "La traducción poética como reelaboración y recreación: análisis de versiones al español de poemas de Baudelaire y Verlaine". III Coloquio de la APFFUE, Barcelona 1995. Actas publicadas por F. Lafarga, A. Ribas, M. Tricas (1995): *La Traducción. Metodología, Historia, Literatura, Ambito hispanofrancés*. Barcelona, PPU, p. 273- 280.

Hinterhauser, H. (1995): "Elogio y crítica de la traducción de la poesía de Quevedo hecha por el austríaco Wilhelm Muster". V Encuentros Complutenses sobre la Traducción, Madrid 1994. Actas publicadas con el mismo nombre en 1995. Public. de la Univ. Complutense de Madrid, p. 201-206.

Irigoyen, R. (1995): "Delirios de un reseñista sobre traducción de Cavafis". *Vasos Comunicantes* 4, p. 11-18.

Ivanovici, V. (1993): "Traducibilidad y texto poético. A propósito de un poema de Cadafis". *Gaceta de la Traducción*, nº 1, jun. 1993, p. 5-20.

Juez Gálvez, F.J. (1994): "Los poemas en la versión española de *Bajo el yugo* de Iván Vázov". IV Encuentros Complutenses sobre la Traducción, Madrid 1992. Actas publicadas con el mismo nombre en 1994. Public. de la Universidad Complutense de Madrid, p. 477-490.

Julia Ballbe, J; Suzuki, S. (1993): "Discrepancias profundas en las traducciones occidentales de *Oku no Hosomichi* de Matsuo Basho". *Livius*, 4 (1993), p. 97-106.

Junyent i Figueras, M.C. (1988): "Kiswahili. Un poema d'Ahmad Nassir Juma". *Cuadernos de Traducción e Interpretación*, 10, 1988, p. 59-68.

Krebs Bermúdez, V.E. (1994): "Las traducciones de un soneto de Petrarca en el Renacimiento español". *Livius*, 6 (1994), p. 191-220.

Ladrón de Guevara, P. (1991): "*L'Infinito* de Leopardi: evolución histórica de su traducción". I Coloquio Internacional de Traductología, Valencia 1989. Actas publicadas por B. Lépinette, A. Olivares, E. Sopeña, E. (1991) *Actas del Primer Coloquio Internacional de traductología*. Public. por la Universitat de Valencia, *Quaderns de Filologia*, p. 135-136.

Lavin, A.A.P. (1989): "Poe's Romance in the Context of American Naturalism". XI Congreso de AEDEAN, León 1987. Actas publicadas por J.C. Santoyo (1989): *Translation Across Cultures*: La traducción en el mundo hispánico y anglosajón, relaciones lingüísticas, culturales y literarias. Publicaciones de la Univ. de León, p. 259-264.

Lécrivain, C. (1991): "Textes surréalistes et traduction: diffusion du surréalisme dans les revues de langue espagnole". R. Dengler Gassin (ed.): *Estudios humanísticos en homenaje a Luis Cortés Vázquez*, Universidad de Salamanca, vol. I, p. 431-438.

Lécrivain, C. (1992): "Traduire les poètes surréalistes: L'écriture **lirique** de Paul Eluard". *Anales de Filología Francesa*, 4, 1992, p. 57-71.

Lécrivain, C. (1993): "Traduire les poèmes surréalistes français: L'écriture **lirique** de Paul Eluard (suite et fin)". *Anales de Filología Francesa*, 5, 1993, p. 75-97.

León Atencia, M.V. (1992): *La obra poética de Maria Victoria Atencia. Ensayo de aproximación y traducción inglesa*. Tesis inédita, Universidad de Málaga.

López Abadia-Arroita, S. (1989): "Teoría y práctica de la traducción poética: Sobre un poema de Victor Hugo". *Lenguaje y Textos* 1, La Coruña, p. 75-84.

López Abadia-Arroita, S. (1991): "Teoría y práctica de la traducción poética: sobre un poema de V. Hugo". *Lenguaje y Textos* 1, La Coruña, p. 75-84.

López Pacheco, J. (1995): "Un ejemplo de traducción poética: V. de Tony Harrison". *Vasos Comunicantes* 5, p. 28-37.

Lorda, C.U. (1995): "Sistema discursivo, ritmo y traducción". III Coloquio de la APFFUE, Barcelona, 1995. Actas publicadas por F. Lafarga, A. Ribas, M. Tricas (1995): *La Traducción. Metodología, Historia, Literatura, Ambito hispanofrancés*. Barcelona, PPU, p. 17-22.

MacCandless, I.R. (1987): *Estrategias para la traducción de la poesía: Estudio de la problemática de la traducción de la poesia mediante el análisis de las traducciones al castellano de los SONETOS de Shakespeare*. Tesis inédita, Universidad de Granada.

MacCandless, I.R. (1993): "La popularidad de un texto isabelino en España: Los sonetos de Shakespeare". *Sendebar*, vol. 4, 1993, P. 225-244.

Mallafrè i Gavalda, J. (1994): "Tots el sonets de Shakespeare: Una traducció catalana". *Miscel.lània d'homenatge al Dr. Esteve Pujals*, p. 221-227.

Marco Borillo, J. (1992): "Algunes consideracions a l'entorn de la traducció al català de *The Sea and the Mirror*, de W.H. Auden". Actas publicadas por Parcerisas, F. (ed.) (1995): *Actes del I Congrès Internacional sobre Traducció* (abril 1992). Publicacions de l'Universitat Autónoma de Barcelona, p. 877-884.

Marías, J. (1993): "La traducción de poesía: ausencia y memoria". *Gaceta de la Traducción*, nº 1, jun. 1993, p. 65-76.

Márquez Villegas, L. (1990): "Un caso de traducción literaria: algunos poemas sobre Granada de Louis Aragón". *Sendebar*, vol. 1, 1990, p. 23-34.

Márquez Villegas, L. (1992): "Tres poemas de Louis Aragón sobre la Granada musulmana". *Sendebar*, vol. 3, 1992, p. 193-210.

Martín Morillas, J. (1985): "La traducción poética como hermeusis: el poema *Gloire de Dijon*". *Simposio Homenaje a D.H. Lawrence en su Centenario*, Dpto. de Filología Inglesa de la Univ. de Granada.

Martínez García, P. (1991): "Traducción y poesía moderna. Un texto de Yves Bonnefoy". Coloquio Traducción y Adaptación Cultural España-Francia, Oviedo 1990. Actas publicadas en 1991 por M.L. Donaire, F. Lafarga: *Traducción y Adaptación cultural España-Francia*. Public. de la Universidad de Oviedo, p. 283-295.

Mestrallet Guerre, R; Juve Acero, T. (1988): "Approche d'une traduction littéraire: un texte de Jarry". Actas de las XI Jornadas Pedagógicas sobre la enseñanza del Francés en España. *Approches diverses du FLE, Traduction et Littérature*, publicadas por C. Mestreit, M. Tost (1988). Barcelona, Publicacions de l'ICE de l'Universitat Autonoma, p. 70-78.

Milton, J. (1994): "Towards a poetic translation". I Jornadas Internacionales de Traducción e Interpretación: Tendencias actuales, Las Palmas de Gran Canaria 1994. Actas en prensa.

Muñoz de la Peña, M.R. (1992): "Encuentro de límites: Traducir poesía". *Revista de Filología Francesa* 2, 1992, p. 153-164.

Muñoz Raya, E; Nogueras Valdivieso, E.J. (1994): "Tres versiones castellanas de un soneto de Petrarca (Sobre las traducciones recientes del Canzoniere)". I Encuentro Interdisciplinar de Teoría y Práctica de la

Traducción, Cádiz 1993. *Reflexiones sobre la Traducción*. Actas publicadas por L. Charlo Brea (1994). Public. de la Universidad de Cádiz, p. 445-460.

Muñoz, M. (1989): "Traducciones de los *Sonetos* de Shakespeare al castellano en el siglo XIX". I Jornadas Nacionales de Historia de la Traducción, León 1987. Actas publicadas por J.C. Santoyo, R. Rabadán, T. Guzmán, J.L. Chamosa (1987) *Fidus interpres*, vol. 1 y (1989) *Fidus Interpres*, vol. 2. Public. de la Universidad de León, vol. II, p. 115-119.

Najmías Bentolila, D. (1994): "¿Qué debe saber el traductor? (A propósito de la traducción de dos poemas de Paul Celan)". I Jornadas Internacionales de Traducción e Interpretación: Tendencias actuales, Las Palmas de Gran Canaria 1994. Actas en prensa.

Ozaeta Gálvez, M.R. (1991): "Algunas versiones castellanas de un poema de Charles Baudelaire". I Coloquio Internacional de Traductología, Valencia 1989. Actas publicadas por B. Lépinette, A. Olivares, E. Sopeña, E. (1991) *Actas del Primer Coloquio Internacional de traductología*. Public. por la Universitat de Valencia, *Quaderns de Filologia*, p. 167-170.

Pacheco Costa, V. (1995): "Poesía anglosajona contemporánea escrita por mujeres. Traducción y notas". I Encuentros Alcalainos de Traducción. Cultura sin fronteras. *Encuentros en torno a la traducción*. Actas publicadas por C. Valero Garcés (1995). Publicaciones de la Universidad de Alcalá de Henares, p. 159-168.

Pamies Beltrán, A. (1990): "La traduction de la chanson: problèmes rythmiques". *Sendebar*, vol. 1, 1990, p. 47-64.

Pamies Beltrán, A. (1990): "Métrica y traducción de textos poéticos". II Encuentros Complutenses sobre la Traducción, Madrid 1988. Actas publicadas con el mismo nombre en 1990. Public. de la Univ. Complutense de Madrid, p. 197-202.

Pamies Beltrán, A. (1991): "Las Quimeras de Gérald de Nerval". *Sendebar*, vol. 2, 1991, p. 71-80.

Pérez Gil, V. (1990): "El poema inserto en Joseph von Eichendorff: problemática de su traducción". II Encuentros Complutenses sobre la Traducción, Madrid 1988. Actas publicadas con el mismo nombre en 1990. Public. de la Univ. Complutense de Madrid, p. 353-360.

Pérez Romero, C. (1988): "Sanciones aduaneras en la frontera lingüística anglo-española al traducir los sonetos de Shakespeare". *Cuadernos de Traducción e Interpretación*, 10, 1988, p. 19-38.

Pérez Romero, C. (1988): "Traducción de un poema: El reto imposible". *Miscelánea* 9, 1988, p. 69-87.

Piorno Benéitez, A; Prieto Santiago, M. (1984): "Poetas portugueses contemporáneos". Nueva Revista de Enseñanzas Medias nº 6: *La Traducción, Arte y Técnica*, 1984, M.E.C., p. 197-206.

Piquer Desvaux, A. (1995): "Las relaciones entre traducción y creación en la obra ensayística y poética de Octavio Paz". III Coloquio de la APFFUE, Barcelona 1995. Actas publicadas por F. Lafarga, A. Ribas, M. Tricas (1995): *La Traducción. Metodología, Historia, Literatura, Ambito hispanofrancés*. Barcelona, PPU, p. 327-332.

Pliego Sánchez, I. (1994): "El concepto de *Ripio* en la traducción literaria". I Congreso Internacional de traducción e Interpretación de Soria, 1993. Actas publicadas por A. Bueno, M. Ramiro, J.M. Zarandona (1994): *La traducción de lo inefable*. Publicaciones del Colegio Universitario de Soria, p. 359-368.

Puente, G.S. (1994): "Desde el murmullo hasta la desesperación (Análisis del poema *Federico García Lorca* de Jorge Guillén)". I Congreso Internacional de traducción e Interpretación de Soria, 1993. Actas publicadas por A. Bueno, M. Ramiro, J.M. Zarandona (1994): *La traducción de lo inefable*. Publicaciones del Colegio Universitario de Soria, p. 175-192.

Pujante, A.L. (1989): "El Shakespeare de Mario Reyes: su traducción de los Sonetos". XI Congreso de AEDEAN, León 1987. Actas publicadas por J.C. Santoyo (1989): *Translation Across Cultures*: La traducción en el mundo hispánico y anglosajón, relaciones lingüísticas, culturales y literarias. Publicaciones de la Univ. de León, p. 135-140.

Rabadán Alvarez, R; Chamosa González, J.L. (1994): "Traducción y manipulación: El caso de Ezra Pound". Jornadas sobre Trasvases Culturales: Literatura, Cine, Traducción (20-22 mayo 1993). Actas publicadas por F. Eguiluz (1994). Vitoria, Public. de la Univ. del País Vasco, p. 131-138.

Ramírez García, T. de J. (1994): "Factores extralingüísticos y su importancia en la traducción poética". I Jornadas Internacionales de Traducción e Interpretación: Tendencias actuales, Las Palmas de Gran Canaria 1994. Actas en prensa.

Ramón Sales, E. (1995): "Traducción comentada de *O Captain! My Captain!*". *Cuadernos de Filología Inglesa* 4, 1995, p. 63-74.

Ramos Orea, T. (1989): "La traducción poética de la traducción: reflexiones y hallazgos". XI Congreso de AEDEAN, León 1987. Actas publicadas por J.C. Santoyo (1989): *Translation Across Cultures*: La traducción en el mundo hispánico y anglosajón, relaciones lingüísticas, culturales y literarias. Publicaciones de la Univ. de León, p. 147-152.

Ramos Orea, T. (1992): "Recursos retóricos y hallazgos lingüísticos en la traducción poética de un fragmento de Alexander Pope". *Cuadernos de Traducción e Interpretación*, 11/12, 1992, p. 55-72.

Requejo Castillo, A; Ruesga Caballero, V. (1994): "Posibilidades métricas para la traducción de *The Dream of the Rood*". IV Encuentros Complutenses sobre la Traducción, Madrid 1992. Actas publicadas con el mismo nombre en 1994. Public. de la Universidad Complutense de Madrid, p. 419-426.

Requena Marco, M. (1986): "Ida y vuelta a Venecia: Viajes en solitario de un joven poeta". *Cuadernos de Traducción e Interpretación*, 7, 1986, p. 161-170.

Requena Marco, M. (1987): "Traducción poética: traducción ceñida, ejemplificada en tres cantos de Leopardi (XII, XIV y XXVIII)". *Cuadernos de Traducción e Interpretación*, 8/9, 1987, p. 69-80.

Requena Marco, M. (1992): "Un aspecto olvidado de la poesía goliárdica". *Cuadernos de Traducción e Interpretación*, 11/12, 1992, p. 227-236.

Rivas Yanes, A. (1994): "Traducción, variación, recreación: Las variaciones sobre temas de Jean Cassou, de Jorge Guillén". I Congreso Internacional de traducción e Interpretación de Soria, 1993. Actas publicadas por A. Bueno, M. Ramiro, J.M. Zarandona (1994): *La traducción de lo inefable*. Publicaciones del Colegio Universitario de Soria, p. 193-204.

Rivas Yanes, A. (1995): "La traducción poética en el Renacimiento: Francisco de la Torre, traductor de los petrarquistas italianos". VI Encuentros Complutenses sobre la Traducción, Madrid 1995. Actas en prensa.

Rodríguez Monroy, A. (1983): "An English **Imitation** of Rimbaud: An exercise in Comparative Translation". *Cuadernos de Traducción e Interpretación*, 3, 1983, p. 7-22.

Rodríguez Monroy, A. (1983): "Robert Lowell: proceso de una versión". *Cuadernos de Traducción e Interpretación*, 2, 1983, p. 117-126.

Rodríguez Palomero, L.F. (1992): "Jorge Luis Borges and the Debate of Translation". II Jornadas Nacionales de Historia de la Traducción, León 1990. Actas publicadas en la revista *Livius* nº 1 y 2, 1992. Public. de la Universidad de León, vol. II, p. 243-252.

Rodríguez Palomero, L.F. (1993): "John G. Lockhart y sus *Ancient Spanish Ballads*". *Livius*, 3 (1993), p. 241-256.

Roque Ferrer, P. (1988): "Une Saison en Enfer en sus traducciones". Actas de las XI Jornadas Pedagógicas sobre la enseñanza del Francés en España. *Approches diverses du FLE, Traduction et Littérature*, publicadas por C. Mestreit, M. Tost (1988). Barcelona, Publicacions de l'ICE de l'Universitat Autonoma, p. 79-85.

Rosenthal, M.L. (1987): "El Eliot de aquella adolescencia nuestra". *Cuadernos de Traducción e Interpretación*, 8/9, 1987, p. 21-28.

Rossell, A. (1984): "Text i música al poema *Belle et ressemblante* de Paul Eluard, musicat per F. Poulenc: exemple d'articulació rítmica". *Cuadernos de Traducción e Interpretación*, 4, 1984, p. 143-160.

Sáez Hermosilla, T. (1983): "Mallarmé en castellano. (Por una metodología de la traducción poética)". *Cuadernos de Traducción e Interpretación*, 3, 1983, p. 123-130.

Sáez Hermosilla, T. (1984): "Las 'vocales' de Arthur Rimbaud". Nueva Revista de Enseñanzas Medias nº 6: *La Traducción, Arte y Técnica*, 1984, M.E.C., p. 99-110.

Sáez Hermosilla, T. (1985): "El Final de Narciso: Reflexión sobre poética y traducción a propósito de Paul Valéry". *Alcántara* 4, Seminario de Estudios Cacereños, Institución Cultural El Brocense, p. 45-53.

Sáez Hermosilla, T. (1989): "Paul Verlaine en lengua castellana: Cien años de traducción poética". I Jornadas Nacionales de Historia de la Traducción, León 1987. Actas publicadas por J.C. Santoyo, R. Rabadán, T. Guzmán, J.L. Chamosa (1987) *Fidus interpres*, vol. 1 y (1989) *Fidus Interpres*, vol. 2. Public. de la Universidad de León, vol. II, p. 42-51.

Sáez Hermosilla, T. (1993): "El soneto parnasiano en versión española: Teoría y crítica". *Livius*, 4 (1993), p. 205-216.

San Miguel Hernández, M. (1995): "La poesía de Francis Jammes en España: Traducciones e influencias". *Investigación Franco-Española* 11, 1995, p. 11-54.

Sánchez Ortiz de Landaluce, M. (1994): "Traducción y crítica textual. Interpretación de algunos debatidos pasajes del poema *Argonáuticas Orficas*". I Encuentro Interdisciplinar de Teoría y Práctica de la Traducción, Cádiz 1993. *Reflexiones sobre la Traducción*. Actas publicadas por L. Charlo Brea (1994). Public. de la Universidad de Cádiz, p. 669-676.

Sánchez Rodrigo, L; Nogueras Valdivieso, E.J. (1992): "Els poetes com a traductors: Kavafis en català, Kavafis en castellà". Actas publicadas por Parcerisas, F. (ed.) (1995): *Actes del I Congrès Internacional sobre Traducció* (abril 1992). Publicacions de l'Universitat Autónoma de Barcelona, p. 851-858.

Sánchez Trigo, E. (1995): "Problemas de traducción de conceptos poéticos". III Coloquio de la APFFUE, Barcelona 1995. Actas publicadas por F. Lafarga, A. Ribas, M. Tricas (1995): *La Traducción. Metodología, Historia, Literatura, Ambito hispanofrancés*. Barcelona, PPU, p. 187-194.

Santana Martínez, P. (1994): "Sobre las dos versiones guillenianas del soneto 'Night and Death' de José María Blanco White: traducción del texto y mutación de la estrofa". I Congreso Internacional de traducción e Interpretación de Soria, 1993. Actas publicadas por A. Bueno, M. Ramiro, J.M. Zarandona (1994): *La traducción de lo inefable*. Publicaciones del Colegio Universitario de Soria, p. 219-230.

Saura Sánchez, A. (1995): "La poesía francesa en *Lunes de la Tierra*: recepción de la poesía francesa en una revista modernista de provincias". *Investigación Franco-Española* 11, 1995, p. 105-137.

Scrimieri Marsin, R. (1988): "La 'ginesatra' de Leopardi: Valor y función de alguna de sus traducciones al español". Actas del III Congreso Nacional de Italianistas, publicadas por V. González Martín. Universidad de Salamanca, 1988, p. 385-395.

Scrimieri Marsin, R. (1989): "La traducción poética: Un testimonio italiano". I Jornadas Nacionales de Historia de la Traducción, León 1987. Actas publicadas por J.C. Santoyo, R. Rabadán, T. Guzmán, J.L. Chamosa (1987) *Fidus interpres*, vol. 1 y (1989) *Fidus Interpres*, vol. 2. Public. de la Universidad de León, vol. II, p. 240-245.

Segarra Montaner, M. (1991): "Traducir a Henri Michaux". Coloquio Traducción y Adaptación Cultural España-Francia, Oviedo 1990. Actas publicadas en 1991 por M.L. Donaire, F. Lafarga: *Traducción y Adaptación cultural España-Francia*. Public. de la Universidad de Oviedo, p. 295-302.

Serghini, M. (1990): "La traducción de la poesía española al árabe: dificultades y propuestas (B)". Actas de las Jornadas de Hispanismo Arabe (Madrid mayo 1988), publicadas por F. de Agreda (1990). Madrid, Agencia Española de Cooperación Internacional, p. 445-460.

Setiuko Tengan, L. (1994): "Cecilia Meireles'e poetry in the Portuguese translated text of Virginia Woolf's Orlando". I Jornadas Internacionales de Traducción e Interpretación: Tendencias actuales, Las Palmas de Gran Canaria 1994. Actas en prensa.

Siebenmann, G. (1989): "La recepción de Federico García Lorca en los países germánicos: Crónica de una distorsión". *Homenaje al profesor Antonio Vilanova*. Publ. por A. Sotelo, M.C. Carbonell, Universidad de Barcelona, vol. II, p. 663-688.

Siles Artés, J. (1994): "Los **Sonetos** de Shakespeare: modos de traducción de poesía inglesa". IV Encuentros Complutenses sobre la Traducción, Madrid 1992. Actas publicadas con el mismo nombre en 1994. Public. de la Universidad Complutense de Madrid, p. 427-432.

Silva Sánchez, T. (1994): "Poesía didáctica y traducción: a propósito de los Cinegética de Opiamo de Apemea". I Encuentro Interdisciplinar de

Teoría y Práctica de la Traducción, Cádiz 1993. *Reflexiones sobre la Traducción*. Actas publicadas por L. Charlo Brea (1994). Public. de la Universidad de Cádiz, p. 687-696.

Söderberg, L; Giménez-Frontín, L. (1987): "Doce poemas de Werner Aspenström (versión)". *Cuadernos de Traducción e Interpretación*, 8/9, 1987, p. 91-96.

Sola, P. (1995): "Louis Aragon: Modificaciones semánticas en traducciones de poemas de autores de lengua española". Actas del II Coloquio Internacional de Lingüística Francesa: *La Lingüística Francesa: gramática, historia y epistemología* (Sevilla 1995). Dpto. de Filología Francesa de la Universidad de Sevilla (en prensa).

Solà, P. (1995): "Traduir poemes d'Aragon: l'encís per la forma y el contingut". III Coloquio de la APFFUE, Barcelona 1995. Actas publicadas por F. Lafarga, A. Ribas, M. Tricas (1995): *La Traducción. Metodología, Historia, Literatura, Ambito hispanofrancés*. Barcelona, PPU, p. 315-320.

Tena, P. (1994): "Obediencia / Desobediencia en la traducción de poesía: Algunos ejemplos en la poesía de John Donne". Jornadas sobre Trasvases Culturales: Literatura, Cine, Traducción (20-22 mayo 1993). Actas publicadas por F. Eguiluz (1994). Vitoria, Public. de la Univ. del País Vasco, p. 425-431.

Thanoon, A.J. (1990): "El *Romancero gitano* de ... Hamid Said". Actas de las Jornadas de Hispanismo Arabe (Madrid mayo 1988), publicadas por F. de Agreda (1990). Madrid, Agencia Española de Cooperación Internacional, p. 325-332.

Todó, L.M. (1995): "Tradición y traducción: tres versiones catalanas del soneto de Oronte". III Coloquio de la APFFUE, Barcelona 1995. Actas publicadas por F. Lafarga, A. Ribas, M. Tricas (1995): *La Traducción. Metodología, Historia, Literatura, Ambito hispanofrancés*. Barcelona, PPU, p. 241-246.

Torre Serrano, E. (1995): "La traducción del verso en verso". E. Le Bel (ed.) (1995): *Le masque et la plume. Traducir: reflexiones, experiencias y prácticas*, Servicio de Publicaciones de la Universidad de Sevilla, p. 33-44.

Torres Monreal, F. (1991): "La traducción del ritmo musical en los versículos de Saint-John Perse". I Coloquio Internacional de Traductología, Valencia 1989. Actas publicadas por B. Lépinette, A. Olivares, E. Sopeña, E. (1991) *Actas del Primer Coloquio Internacional de traductología*. Public. por la Universitat de Valencia, *Quaderns de Filologia*, p. 201-202.

Tricás Preckler, M. (1988): "Llegir, Interpretar, Traduïr. La traducció de *Les Fleurs du Mal* de Baudelaire per Xavier Benguerel". *Revista de Catalunya* 15, Gener (1988), p. 138-143.

Valenzuela Jiménez, R. (1989): "El tratamiento de la adjetivación en la versión de un poema de Mallarmé realizada por José Manual Caballero Bonald". *Investigación Franco-Española* 2, 1989, p. 175-188.

Valverde Villena, D. (1994): "El devenir de un poema". II Curso Superior de Traducción Inglés-Español, Valladolid 1993. Textos publicados por P. Fernández Nistral (ed.) (1994): *Aspectos de la traducción Inglés-Español*. Public. del ICE de la Univ. de la Universidad de Valladolid, p. 71-78.

VASOS COMUNICANTES. (1994): "Un poema de Konstantino Kavafis y siete traducciones". *Vasos comunicantes* 3, p. 78-86.

VASOS COMUNICANTES. (1994): "Un soneto original de W. Shakespeare y cinco traducciones diferentes, todas ellas sin firma". *Vasos Comunicantes* 2, p. 70-76.

VASOS COMUNICANTES. (1995): "Un poema de Fernando Pessoa y cuatro estaciones". *Vasos Comunicantes* 4, p. 78-83.

Veglison, J. (1990): "Evocación de España por los poetas tunecinos contemporáneos". Actas de las Jornadas de Hispanismo Arabe (Madrid mayo 1988), publicadas por F. de Agreda (1990). Madrid, Agencia Española de Cooperación Internacional, p. 291-298.

Villacañas Palomo, B. (1990): "La poesía traducida: dos versiones inglesas de un poema de San Juan de la Cruz". II Encuentros Complutenses sobre la Traducción, Madrid 1988. Actas publicadas con el mismo nombre en 1990. Public. de la Univ. Complutense de Madrid, p. 361-368.

Villena, L.A. de. (1985): "Un soneto de Shakespeare, otro de Miguel Angel". *Cuadernos de Traducción e Interpretación*, 5/6, 1985, p. 45-52.

Yllera, A. (1995): "La traducción poética, Eris del Parnaso". III Coloquio de la APFFUE, Barcelona 1995. Actas publicadas por F. Lafarga, A. Ribas, M. Tricas (1995): *La Traducción. Metodología, Historia, Literatura, Ambito hispanofrancés*. Barcelona, PPU, p. 139-146.

Zarandona Fernández, J.M. (1994): "Una traducción del *Epithalamion* de G.M. Hopkins o la palabra poética en doble lucha por expresar lo inefable". I Congreso Internacional de traducción e Interpretación de Soria, 1993. Actas publicadas por A. Bueno, M. Ramiro, J.M. Zarandona (1994): *La traducción de lo inefable*. Publicaciones del Colegio Universitario de Soria, p. 299-320.

TRADUCCIÓN PERIODÍSTICA

Castellani, J.P. (1993): "Examen comparatif de la presse économique française et espagnole". Actas del Encuentro Internacional, Las lenguas Francesa y

Española aplicadas al mundo de la empresa (Zaragoza octubre 1991), publicadas por F. Corcuera y A. Domínguez (1993). Dpto. de Filología Francesa de la Universidad de Zaragoza, p. 133-170.

Conde Muñoz, A. (1995): "Los problemas de la traducción inmediata: el caso de la prensa". VI Encuentros Complutenses sobre la Traducción, Madrid 1995. Actas en prensa.

Delbecque, N. (1991): "Análisis de una traducción: Un artículo de *Le Monde* en *El País*. Variación dialectal y alteridad idiomática". *Revista de Filología Románica* 8, 1991, p. 41-80.

Floyd, A. (1994): "The Suez crisis and the Gulf War: Attitudes to English in the Spanish press". I Congreso Internacional de traducción e Interpretación de Soria, 1993. Actas publicadas por A. Bueno, M. Ramiro, J.M. Zarandona (1994): *La traducción de lo inefable*. Publicaciones del Colegio Universitario de Soria, p. 443-450.

Le Bel, E. (1993): "Traduction et presse: quelques considérations sur le concept de fidélité". Grupo Andaluz de Pragmática (1993): *Estudios Pragmáticos, Lenguaje y Medios de Comunicación*. Dpto. de Filología Francesa de la Universidad de Sevilla, p. 81-101.

Le Bel, E. (1993): "Traduction et presse: quelques réflexions à propos du concept de fidélité". Grupo Andaluz de Pragmática (1993): *Estudios Pragmáticos, Lenguaje y Medios de Comunicación*. Dpto. de Filología Francesa de la Universidad de Sevilla, p. 81-100.

Le Bel, E. (1995): "Traduction et pragmatique: aspects didactiques. Application à des textes de presse". E. Le Bel (ed.) (1995): *Le masque et la plume. Traducir: reflexiones, experiencias y prácticas*, Servicio de Publicaciones de la Universidad de Sevilla, p. 93-122.

Marín, M. (1995): Introducción a la traducción de textos de prense: La interpretación". E. Le Bel (ed.) (1995): *Le masque et la plume. Traducir: reflexiones, experiencias y prácticas*, Servicio de Publicaciones de la Universidad de Sevilla, p. 123-138.

Martín Baz, M. & al. (1992): "La traducción y los anuncios publicitarios". *Revista de Filología Francesa* 1, 1992, p. 281-291.

Martín, A. (1994): "La prensa española y la traducción". IV Encuentros Complutenses sobre la Traducción, Madrid 1992. Actas publicadas con el mismo nombre en 1994. Public. de la Universidad Complutense de Madrid, p. 329-336.

Piñel, R; Beltrán Gandullo, M. (1994): "El lenguaje publicitario en textos de prensa: traducción o adaptación". IV Encuentros Complutenses sobre la

Traducción, Madrid 1992. Actas publicadas con el mismo nombre en 1994. Public. de la Universidad Complutense de Madrid, p. 361-380.

Pradas Aracil, A. (1992): "El discurso en la Prensa: el artículo periodístico tipo editorial". Actas publicadas por Parcerisas, F. (ed.) (1995): *Actes del I Congrès Internacional sobre Traducció* (abril 1992). Publicacions de l'Universitat Autónoma de Barcelona, p. 151-156.

Sanderson, J.D. (1995): "Journalistic Translation: An Example of Pragmatic Presupposition and Semantic Field on the Death of Sir Francis Bacon". I Encuentros Alcalainos de Traducción. Cultura sin fronteras. *Encuentros en torno a la traducción.* Actas publicadas por C. Valero Garcés (1995). Publicaciones de la Universidad de Alcalá de Henares, p. 191-196.

Taillefer de Haya, L. (1994): "Estudio comparado terminológico y sintáctico de textos periodísticos: la Guerra del Golfo Pérsico, 1991". IV Encuentros Complutenses sobre la Traducción, Madrid 1992. Actas publicadas con el mismo nombre en 1994. Public. de la Universidad Complutense de Madrid, p. 337-348.

Véglia, A. (1995): "La traduction d'articles de presse traitant de la justice". V Encuentros Complutenses sobre la Traducción, Madrid 1994. Actas publicadas con el mismo nombre en 1995. Public. de la Univ. Complutense de Madrid, p. 603-610.

TRADUCCIÓN TÉCNICA Y CIENTÍFICA

Alvarez Borge, S; Irazazábal, A. de. (1988): "Evolución de la traducción científico-técnica desde la óptica del servicio de traducciones del ICYT". Jornadas europeas de traducción e interpretación, Granada 1987. *Actas de las Jornadas Europeas de Traducción e Interpretación* (1988). Public. de la Universidad de Granada, p. 33-38.

Alvarez de Mon y Rego, I. (1988): "El texto técnico en la enseñanza de inglés para fines específicos: una descripción del texto técnico de telecomunicaciones". Actas del VI Congreso Nacional de Lingüística Aplicada (AESLA), Santander, Abril 1988: *Adquisición de Lenguas: Teorías y Aplicaciones*, publicadas por T. Labrador Gutiérrez, R.M. Sainz de la Maza, R. Viejo García (1989). Universidad de Cantabria, p. 107-114.

Arranz, J.C. (1989): "Estudios de licenciatura en traducción técnica en la Universidad de Hildesheim". *Revista Hispanorama* 53, 1989, p. 143-148.

Arrimadas Saavedra, J. (1988): "Préstamos, barbarismos y neologismos en la traducción científica y técnica". Mesa redonda en torno a la Traducción.

Madrid 1987, Fundación Alfonso X el Sabio. Textos publicados el mismo año por la Fundación con el título *Problemas de la traducción*, p. 59-73.

Aznar Mas, L; Gil Salom, L; Jaime Pastor, M.A; Montero Fleta, B. (1989): "Algunos problemas en la traducción al inglés del lenguaje científico". XI Congreso de AEDEAN, León 1987. Actas publicadas por J.C. Santoyo (1989): *Translation Across Cultures*: La traducción en el mundo hispánico y anglosajón, relaciones lingüísticas, culturales y literarias. Publicaciones de la Univ. de León, p. 25-32.

Bertrand, A. (1991): "Aspects pratiques et théoriques de la traduction spécialisée". I Coloquio Internacional de Traductología, Valencia 1989. Actas publicadas por B. Lépinette, A. Olivares, E. Sopeña, E. (1991) *Actas del Primer Coloquio Internacional de traductología*. Public. por la Universitat de Valencia, *Quaderns de Filologia*, p. 63-66.

Blas, A. (1992): "L'organisation textuelle des discours scientifiques: les textes de vulgarisation". Actas publicadas por Parcerisas, F. (ed.) (1995): *Actes del I Congrès Internacional sobre Traducció* (abril 1992). Publicacions de l'Universitat Autónoma de Barcelona, p. 213-228.

Bombardo Soles, C; Ginés Gilbert, M. (1989): "Estudio pragmático comparativo de las construcciones pasivas del discurso técnico en inglés y castellana". Actas del VII Congreso Nacional de Lingüística Aplicada (AESLA), Sevilla abril 1989, publicadas por F. Garrudo Carabias, J. Rincón (1990). Dpto. de Filología Inglesa de la Universidad de Sevilla, p. 119-128.

Boquera Matarredona, M; Jaime Pastor, M.A. (1995): "Análisis de la traducción al inglés de un texto científico con el programa **Microtac-Software**". VI Encuentros Complutenses sobre la Traducción, Madrid 1995. Actas en prensa.

Calonge, J. (1984): "Sobre la traducción de obras científicas y obras literarias". Nueva Revista de Enseñanzas Medias nº 6: *La Traducción, Arte y Técnica*, 1984, M.E.C., p. 37-60.

Campos Pardillos, P. (1995): "Scientific and Technical Translation for Beginners". I Encuentros Alcalainos de Traducción. Cultura sin fronteras. *Encuentros en torno a la traducción*. Actas publicadas por C. Valero Garcés (1995). Publicaciones de la Universidad de Alcalá de Henares, p. 239-250.

Carpintero Santamaría, N; Rubio, A.L. (1995): "Interaction between Translation and Comprehension in Scientific and Technical Texts". V Encuentros Complutenses sobre la Traducción, Madrid 1994. Actas publicadas con el mismo nombre en 1995. Public. de la Univ. Complutense de Madrid, p. 539-542.

Congost Maestre, N. (1993): *Una visión pragmática de la traducción al español del lenguaje médico: Teoría y práctica*. Universidad de Alicante, tesis inédita.

Contreras Martín, A.M. (1992): "La traducción técnica en el siglo XV: Diego de Valera y el *Arbre des Batailles*". Actas publicadas por Parcerisas, F. (ed.) (1995): *Actes del I Congrès Internacional sobre Traducció* (abril 1992). Publicacions de l'Universitat Autónoma de Barcelona, p. 141-150.

Delfour, C. (1994): "Introducción a la metodología de la traducción especializada". IV Encuentros Complutenses sobre la Traducción, Madrid 1992. Actas publicadas con el mismo nombre en 1994. Public. de la Universidad Complutense de Madrid, p. 179-188.

Díaz Prieto, P. (1988): "Los problemas de la traducción científico-técnica". Jornadas de Traducción, Ciudad Real 1986. Actas publicadas en 1986 con el título de *Actas de las Jornadas de Traducción*. Public. de la Fac. de Letras de la Universidad de Castilla-La Mancha, p. 75-82.

Díaz Prieto, P. (1992): "Las traducciones técnicas inglés-español hasta el siglo XIX". II Jornadas Nacionales de Historia de la Traducción, León 1990. Actas publicadas en la revista *Livius* nº 1 y 2, 1992. Public. de la Universidad de León, vol. II, p. 161-170.

Díaz Prieto, P. (1994): *Estudio contrastivo de traducciones inglés-español en minería*. Universidad de León, tesis inédita.

Díaz Prieto, P. (1995): "La importancia de la normalización terminológica en la calidad de la traducción científico-técnica". *Estudios Humanísticos: Filología* 17, 1995, p. 355-367.

Duque García, M.M; González, M.T; Catrain, M. (1993): "Transposición y modulación en la traducción técnica". III Encuentros Complutenses sobre la Traducción, Madrid 1990. Actas publicadas con el mismo nombre en 1993. Public. de la Univ. Complutense de Madrid, p. 137-150.

Durieux, C. (1995): "La traduction technique: fondements méthodologiques". E. Le Bel (ed.) (1995): *Le masque et la plume. Traducir: reflexiones, experiencias y prácticas*, Servicio de Publicaciones de la Universidad de Sevilla, p. 139-150.

Eurrutia, E. (1995): "La traducción de la lengua de la especialidad: peculiaridades de la lengua francesa técnica y científica". Actas del II Coloquio Internacional de Lingüística Francesa: *La Lingüística Francesa: gramática, historia y epistemología* (Sevilla 1995). Dpto. de Filología Francesa de la Universidad de Sevilla (en prensa).

Gallardo San Salvador, N. (1996): "Aspectos metodológicos de la traducción científica". III Jornades sobre la Traducció: Didáctica de la Traducció. Universitat Jaume I, Mayo 1995. Actas publicadas por A. Hurtado Albir (ed.) (1996) *La enseñanza en la traducción*. Universitat Jaume I de Castelló, p. 141-160.

Gallardo San Salvador, N; Mayoral Asensio, R; Kelly, D. (1992): "Reflexiones sobre la traducción científico-técnica". *Sendebar*, vol. 3, 1992, p. 185-192.

Gamero, S. (1996): "La enseñanza de la traducción científico-técnica". III Jornades sobre la Traducció: Didáctica de la Traducció. Universitat Jaume I, Mayo 1995. Actas publicadas por A. Hurtado Albir (ed.) (1996) *La enseñanza en la traducción*. Universitat Jaume I de Castelló, p. 195-200.

García Fernández, M.M; Aguado de Cea, G. (1989): "La traducción técnica en un marco interdisciplinar en los estudios de Informática". I Jornadas Nacionales de Historia de la Traducción, León 1987. Actas publicadas por J.C. Santoyo, R. Rabadán, T. Guzmán, J.L. Chamosa (1987) *Fidus interpres*, vol. 1 y (1989) *Fidus Interpres*, vol. 2. Public. de la Universidad de León, vol. II, p. 310-314.

González Doreste, D.M. (1995): "La traducción de textos científicos medievales y su relación con la civilización". III Coloquio de la APFFUE, Barcelona 1995. Actas publicadas por F. Lafarga, A. Ribas, M. Tricas (1995): *La Traducción. Metodología, Historia, Literatura, Ambito hispanofrancés*. Barcelona, PPU, p. 441-446.

González Pueyo, M.I. (1988): "Traducción técnica: elementos discursivos y metodología". *Miscelánea* 8, 1988, p. 5-16.

González Pueyo, M.I. (1990): *Traducción al español de las preposiciones inglesas que indican una relación espacial, de mayor frecuencia en el inglés científico-técnico*. Universidad de Zaragoza, tesis inédita.

Guardia Massó, P. (1987): "El ms. 'Medicina Hispánica', traducción inédita del siglo XVII". I Jornadas Nacionales de Historia de la Traducción, León 1987. Actas publicadas por J.C. Santoyo, R. Rabadán, T. Guzmán, J.L. Chamosa (1987) *Fidus interpres*, vol. 1 y (1989) *Fidus Interpres*, vol. 2. Public. de la Universidad de León, vol. I, p. 75-82.

Guerrero Ríos, M. (1995): "La enseñanza universitaria de la traducción técnica del inglés al castellano". VI Encuentros Complutenses sobre la Traducción, Madrid 1995. Actas en prensa.

Hens Córdoba, M.A. (1992): "La traducción de textos informáticos: nuevas dificultades, viejos problemas". *Sendebar*, vol. 3, 1992, p. 75-86.

Herbulot, F. (1994): "Le traducteur technique: savoir et savoir-faire". J. Agustín (ed.) (1994): *Traducción, Interpretación, Lenguaje*. Madrid, Cuadernos del tiempo libre, Colección Expolingua, Publicaciones: Fundación Actilibre, p. 55-66.

Lanero Fernández, J.J; Díaz Prieto, P. (1988): "Normalización del lenguaje técnico". Actas del VI Congreso Nacional de Lingüística Aplicada

(AESLA), Santander, Abril 1988: *Adquisición de Lenguas: Teorías y Aplicaciones*, publicadas por T. Labrador Gutiérrez, R.M. Sainz de la Maza, R. Viejo García (1989). Universidad de Cantabria, p. 343-348.

Lence Guilabert, M.A. (1995): "La enseñanza de vocabulario específico para la traducción de textos técnicos". VI Encuentros Complutenses sobre la Traducción, Madrid 1995. Actas en prensa.

Lerchundi Barañano, M.A. (1988): "Las instrucciones en la adquisición y aprendizaje del discurso técnico en inglés". Actas del VI Congreso Nacional de Lingüística Aplicada (AESLA), Santander, Abril 1988: *Adquisición de Lenguas: Teorías y Aplicaciones*, publicadas por T. Labrador Gutiérrez, R.M. Sainz de la Maza, R. Viejo García (1989). Universidad de Cantabria, p. 363-370.

Loffler-Laurian, A.M. (1991): "La traduction technique et scientifique". I Coloquio Internacional de Traductología, Valencia 1989. Actas publicadas por B. Lépinette, A. Olivares, E. Sopeña, E. (1991) *Actas del Primer Coloquio Internacional de traductología*. Public. por la Universitat de Valencia, *Quaderns de Filologia*, p. 37-40.

Martín, A; Padilla Benítez, P. (1988): "Adecuación de la enseñanza de la interpretación a la realidad laboral: los congresos científico-técnicos". Jornadas europeas de traducción e interpretación, Granada 1987. *Actas de las Jornadas Europeas de Traducción e Interpretación* (1988). Public. de la Universidad de Granada, p. 115-122.

Navarro, F.A. (1994): "Uso y abuso de la voz pasiva en el lenguaje médico escrito". *Medicina Clínica*, vol. 103, 12, p. 461-464.

Navarro, F.A; Hernández, F.J. (1994): "Nuevo listado de palabras de traducción engañosa en el inglés médico". *Medicina Clínica*, vol. 102, 4, p. 142-148.

Olivares Pardo, M.A. (1993): "Dos ejemplos de traducción científica: Le discours préliminaire del 'Tratado Elemental de Química' de A. Lavoisier". I Encuentro Interdisciplinar de Teoría y Práctica de la Traducción, Cádiz 1993. *Reflexiones sobre la Traducción*. Actas publicadas por L. Charlo Brea (1994). Public. de la Universidad de Cádiz, p. 480-490.

Olivares Pardo, M.A. (1994): "A propósito del discurso científico francés". Actas del Congreso Luso-Hispano de Lenguas Aplicadas a las Ciencias y la Tecnología: *Lenguas para fines específicos: temas fundamentales*, publicadas por R. Alejo, M. McGinity, S. Gómez (1994). Dpto. de Filología Inglesa de la Universidad de Extremadura, p. 156-163.

Olivares Pardo, M.A. (1994): "Aproximación a la traducción científica a través de La Recherche / Mundo Científico". II Coloquio Internacional de Traductología, Valencia 1991. Actas publicadas por B. Lépinette, A.

Olivares, E. Sopeña (1994) *Actas del Primer Coloquio Internacional de traductología.* Public. por la Universitat de Valencia, *Quaderns de Filologia*, p. 47-70.

Olivares Pardo, M.A. (1994): "Dos ejemplos de traducción científica: Le discours préliminaire del Tratado elemental de Química de Lavoisier". I Encuentro Interdisciplinar de Teoría y Práctica de la Traducción, Cádiz 1993. *Reflexiones sobre la Traducción.* Actas publicadas por L. Charlo Brea (1994). Public. de la Universidad de Cádiz, p. 479-490.

Olivares Pardo, M.A. (1995): "El discurso científico-técnico en francés: especificidad y problemas de traducción". III Coloquio de la APFFUE, Barcelona 1995. Actas publicadas por F. Lafarga, A. Ribas, M. Tricas (1995): *La Traducción. Metodología, Historia, Literatura, Ambito hispanofrancés.* Barcelona, PPU, p. 447-454.

Pajares Infante, E; Romero Armentia, F. (1991): "La predeterminación sustantiva en inglés técnico: Problemas en su interpretación y traducción al español". *Anuario de Estudios Filológicos* 14, 1991, p. 345-362.

Roig Morras, C. (1995): "La traducción científica en el siglo XVIII: problemas y soluciones". V Encuentros Complutenses sobre la Traducción, Madrid 1994. Actas publicadas con el mismo nombre en 1995. Public. de la Univ. Complutense de Madrid, p. 431-438.

Sánchez, D. (1995): "La traducción especializada (español-francés): un enfoque didáctico para los textos científicos". VI Encuentros Complutenses sobre la Traducción, Madrid 1995. Actas en prensa.

Santamaria García, C; Pérez Ruiz, L. (1994): "Algunos problemas en la traducción del lenguaje científico-técnico: Aprendizaje, práctica y adquisición". Actas del XI Congreso Nacional de Lingüística Aplicada (AESLA), Valladolid 1993, publicadas por J.M. Ruiz Ruiz, P. Sheerin Nolan, E. González - Cascos (1995). Universidad de Valladolid, p. 585-590.

Solomon, M. (1994): "Translation disease: The vernacular medical treatise in the Late Medieval Kingdom of Aragon". *Livius*, 6 (1994), p. 91-106.

Titov, V. (1991): "Los géneros de los textos científicos y la traducción". I Coloquio Internacional de Traductología, Valencia 1989. Actas publicadas por B. Lépinette, A. Olivares, E. Sopeña, E. (1991) *Actas del Primer Coloquio Internacional de traductología.* Public. por la Universitat de Valencia, *Quaderns de Filologia*, p. 199-200.

Titov, V. (1993): "Los procedimientos estilísticos de los textos científicos en español e inglés". *Essays on Translation. Ensayos sobre Traducción* I, Cáceres 1993, p. 105-108.

Vannikov, Y.V. (1994): "Tipos de adecuación como base de la tipología de traducciones científicas". I Jornadas Internacionales de Traducción e

Interpretación: Tendencias actuales, Las Palmas de Gran Canaria 1994. Actas en prensa.

Vázquez García, C. (1988): "La traducción técnica: el alumno y las distancias culturales y lingüísticas". Actas del VI Congreso Nacional de Lingüística Aplicada (AESLA), Santander, Abril 1988: *Adquisición de Lenguas: Teorías y Aplicaciones*, publicadas por T. Labrador Gutiérrez, R.M. Sainz de la Maza, R. Viejo García (1989). Universidad de Cantabria, p. 551-554.

Viaggio, S. (1995): "¿Pero la traducción finalmente de quién es?". *Sendebar*, vol. 6, 1995, p. 159-174.

Vila de la Cruz, M.P. (1995): "El papel de los acrónimos en el discurso técnico". V Encuentros Complutenses sobre la Traducción, Madrid 1994. Actas publicadas con el mismo nombre en 1995. Public. de la Univ. Complutense de Madrid, p. 611-616.

Vivancos Machimbarrena, M. (1994): "Recursos estilísticos de la generalidad, impersonalidad y objetividad en el discurso científico inglés y español: Su traducción". I Encuentro Interdisciplinar de Teoría y Práctica de la Traducción, Cádiz 1993. *Reflexiones sobre la Traducción*. Actas publicadas por L. Charlo Brea (1994). Public. de la Universidad de Cádiz, p. 743-759.

Way, C. (1995): "Como estructurar un curso de traducción especializada: premisas básicas". VI Encuentros Complutenses sobre la Traducción, Madrid 1995. Actas en prensa.

Williams, I. (1995): "Presentational-type structures in Medical Reports". VI Encuentros Complutenses sobre la Traducción, Madrid 1995. Actas en prensa.

Williams, I. (1995): "Verb Form and Style in Medical Translation". V Encuentros Complutenses sobre la Traducción, Madrid 1994. Actas publicadas con el mismo nombre en 1995. Public. de la Univ. Complutense de Madrid, p. 617-626.

TRADUCTORES: VIDA Y OBRA.

Abellán Giral, C. (1994): "La práctica de la traducción en Nebrija". *Livius*, 6 (1994), p. 163-168.

Anoll Vendrell, L. (1995): "Pompeu Fabra, mestre de traductors". III Coloquio de la APFFUE, Barcelona 1995. Actas publicadas por F. Lafarga, A. Ribas, M. Tricas (1995): *La Traducción. Metodología, Historia, Literatura, Ambito hispanofrancés*. Barcelona, PPU, p. 91-96.

Argente, J.A. (1983): "En la mort de Roman Jakobson". *Cuadernos de Traducción e Interpretación*, 2, 1983, p. 147-152.

Atxaga, B. (1995): "Conferencia de Bernardo Atxaga". *Vasos Comunicantes* 4, p. 43-54.

Balliu, C. (1995): "San Jerónimo en sus Epístolas: Las dudas metafísicas del traductor". V Encuentros Complutenses sobre la Traducción, Madrid 1994. Actas publicadas con el mismo nombre en 1995. Public. de la Univ. Complutense de Madrid, p. 177-188.

Barbolani, C. (1989): "Cabanyes, traductor de Alfieri". *Actas del VI Simposio de la Sociedad Española de Literatura General y Comparada* (13-15 marzo 1986). Actas publicadas por J. Paredes Nuñez, A. Soria Olmedo (1989), Granada, Publicaciones de la Universidad, p. 239-244.

Barbolani, C. (1991): "*La razón contra la moda*: reflexiones sobre Luzán traductor". Coloquio Traducción y Adaptación Cultural España-Francia, Oviedo 1990. Actas publicadas en 1991 por M.L. Donaire, F. Lafarga: *Traducción y Adaptación cultural España-Francia*. Public. de la Universidad de Oviedo, p. 551-560.

Barchino, M. (1987): "Un traductor español del siglo XVI: Juan Martín Cordero". I Jornadas Nacionales de Historia de la Traducción, León 1987. Actas publicadas por J.C. Santoyo, R. Rabadán, T. Guzmán, J.L. Chamosa (1987) *Fidus interpres*, vol. 1 y (1989) *Fidus Interpres*, vol. 2. Public. de la Universidad de León, vol. I, p. 195-200.

Barjau, E. (1986): "Carles Riba, traductor de Rilke: Notes a Esbossos de versions de Rilke". *Actes del Simposi Carles Ribas*. Publ. por J. Medina, E. Sullà (eds.), Publicacions de l'Abadia de Montserrat, p. 73-84.

Bayarri, M; Cardona, M. (1995): "Gadda traducido, Gadda traductor". V Encuentros Complutenses sobre la Traducción, Madrid 1994. Actas publicadas con el mismo nombre en 1995. Public. de la Univ. Complutense de Madrid, p. 251-256.

Been, G. (1983): "José María Valverde: Traducciones inéditas. Bertolt Brecht". *Cuadernos de Traducción e Interpretación*, 2, 1983, p. 37-46.

Behiels, L. (1993): "Larra, crítico de traducciones". *Livius*, 3 (1993), p. 19-30.

Benítez, E. (1984): "Correspondencia Esther Benítez / Italo Calvino. A propósito de la traducción de *I Nostri Antenati*". *Cuadernos de Traducción e Interpretación*, 4, 1984, p. 99-108.

Blanco García, P. (1995): "Mistral autotraductor". *Hieronymus Complutensis*, nº 1, ene.-jun. 1995, p. 128-131.

Broncano Rodríguez, M. (1992): "José Robles Pazos: primer traductor de Dos Passos y Lewis". II Jornadas Nacionales de Historia de la Traducción,

León 1990. Actas publicadas en la revista *Livius* nº 1 y 2, 1992. Public. de la Universidad de León, vol. II, p. 233-242.

Calero Calero, F. (1990): "La teoría de la traducción del Maestro Baltasar Céspedes". *Epos* 6, 1990, p. 455-462.

Calero Calero, F. (1991): "Teoría y Práctica de la traducción en Fray Luis de León". *Epos* 7, 1991, p. 541-558.

Calzada Pérez, A. (1993): "Walter Benjamin y la Tarea del traductor". *Sendebar*, vol. 4, 1993, p. 187-192.

Calleja Medel, G. (1992): "Gregory Rabassa, el traductor del **Boom**". II Jornadas Nacionales de Historia de la Traducción, León 1990. Actas publicadas en la revista *Livius* nº 1 y 2, 1992. Public. de la Universidad de León, vol. I, p. 35-42.

Cano Henares, J. (1992): "Entrevista a Luis Márquez, catedrático jubilado de Lingüística General en la EUTI y traductor jurado". *Campus* 62, 1992, p. 38-39.

Cañigral, L. de. (1987): "Pedro Simón Abril, teórico de la traducción". I Jornadas Nacionales de Historia de la Traducción, León 1987. Actas publicadas por J.C. Santoyo, R. Rabadán, T. Guzmán, J.L. Chamosa (1987) *Fidus interpres*, vol. 1 y (1989) *Fidus Interpres*, vol. 2. Public. de la Universidad de León, vol. I, p. 215-221.

Cañigral, L. de. (1988): "Fidus interpres: Pedro Simon Abril y la traducción". Jornadas de Traducción, Ciudad Real 1986. Actas publicadas en 1986 con el título de *Actas de las Jornadas de Traducción*. Public. de la Fac. de Letras de la Universidad de Castilla-La Mancha, p. 137-152.

Capmany Suris y de Montpalau, A. (1776): *Arte de traducir del idioma francés al castellano*. Madrid, Antonio de Sancha. Reedición comentada por Carmen Fernández Díaz. Universidad de Santiago 1987.

Cebrián García, J. (1985): "Juan de la Cierva, traductor de la *Batracomiomaquia*". *Revista de Literatura* 93, 1985, p. 23-39.

Coletes Blanco, A. (1986): "Pérez de Ayala, traductor del inglés". *Cuadernos de Traducción e Interpretación*, 7, 1986, p. 117-136.

Colomer, J.L. (1991): "España o la barbarie: Jean Chapelain, traductor y crítico dela literatura española". Coloquio Traducción y Adaptación Cultural España-Francia, Oviedo 1990. Actas publicadas en 1991 por M.L. Donaire, F. Lafarga: *Traducción y Adaptación cultural España-Francia*. Public. de la Universidad de Oviedo, p. 603-612.

Contini, G. (1988): "Carlo Emilio Gadda, Traductor expresionista". *Cuadernos de Traducción e Interpretación*, 10, 1988, p. 5-10.

Cots Vicente, M. (1995): "Amelot de la Houssaie, traductor de Gracián". III Coloquio de la APFFUE, Barcelona 1995. Actas publicadas por F. Lafarga, A. Ribas, M. Tricas (1995): *La Traducción. Metodología, Historia, Literatura, Ambito hispanofrancés*. Barcelona, PPU, p. 131-139.

Cristóbal, V. (1987): "Juan de Arjona y Gregorio Morillo, traductores de Estacio". I Jornadas Nacionales de Historia de la Traducción, León 1987. Actas publicadas por J.C. Santoyo, R. Rabadán, T. Guzmán, J.L. Chamosa (1987) *Fidus interpres*, vol. 1 y (1989) *Fidus Interpres*, vol. 2. Public. de la Universidad de León, vol. I, p. 31-37.

Díaz Palacios, M.D. (1995): "Jorge Semprún: un caso particular de autotraducción". V Encuentros Complutenses sobre la Traducción, Madrid 1994. Actas publicadas con el mismo nombre en 1995. Public. de la Univ. Complutense de Madrid, p. 265-268.

Dietz Guerrero, B. (1985): "Robert BL y sus ideas sobre la traducción". *Rev. Canaria de Estudios Ingleses* 11, 1985, p. 162-164.

Eguíluz Ortiz de Latierro, F. (1987): "Algunos traductores y trasladadores norteamericanos". I Jornadas Nacionales de Historia de la Traducción, León 1987. Actas publicadas por J.C. Santoyo, R. Rabadán, T. Guzmán, J.L. Chamosa (1987) *Fidus interpres*, vol. 1 y (1989) *Fidus Interpres*, vol. 2. Public. de la Universidad de León, vol. I, p. 327-332.

Eguíluz Ortiz de Latierro, F. (1992): "Robert Persons: fundador, escritor y traductor". II Jornadas Nacionales de Historia de la Traducción, León 1990. Actas publicadas en la revista *Livius* nº 1 y 2, 1992. Public. de la Universidad de León, vol. II, p. 49-60.

Elena García, P. (1987): "Luis Vives y la traducción". I Jornadas Nacionales de Historia de la Traducción, León 1987. Actas publicadas por J.C. Santoyo, R. Rabadán, T. Guzmán, J.L. Chamosa (1987) *Fidus interpres*, vol. 1 y (1989) *Fidus Interpres*, vol. 2. Public. de la Universidad de León, vol. I, p. 172-176.

Fernández, A.R. (1990): "Pablo de Olavide, traductor y adaptador de obras dramáticas y narrativas francesas". Simposio Internacional de Literatura Comparada: (1990) *Europa en España / España en Europa*. Actas publicadas por H. Dyserinck & al., Barcelona, Promociones y Publicaciones Universitarias, p. 93-104.

Filomena Monteiro, D. (1992): "Angel Crespo traductor de Fernando Pessoa". Actas publicadas por Parcerisas, F. (ed.) (1995): *Actes del I Congrès Internacional sobre Traducció* (abril 1992). Publicacions de l'Universitat Autónoma de Barcelona, p. 839-842.

Fontcuberta i Gel, J. (1984): "Traductor, transmissor. Aproximació a la metodologia de la traducció". *Cuadernos de Traducción e Interpretación*, 4, 1984, p. 133-136.

Fuentes Florido, F. (1979): *Rafael Cansinos Assens: traductor, crítico, ensayista, poeta y novelista.* Facultad de Filología de la Univ. Complutense de Madrid, tesis inédita.

García Cela, C. (1995): "Samuel Beckett y la auto-traducción". Coloquio Teatro y Traducción, Salamanca 1993. Actas publicadas por F. Lafarga, R. Dengler (1995) *Teatro y Traducción.* Barcelona, Public. de la Universitat Pompeu Fabra, p. 251-262.

García García, O. (1994): "Christoph Wirsung, receptor de la literatura española en Alemania". I Encuentro Interdisciplinar de Teoría y Práctica de la Traducción, Cádiz 1993. *Reflexiones sobre la Traducción.* Actas publicadas por L. Charlo Brea (1994). Public. de la Universidad de Cádiz, p. 299-307.

García Garrosa, M.J. (1991): "Las traducciones de Félix Enciso Castrillón". Coloquio Traducción y Adaptación Cultural España-Francia, Oviedo 1990. Actas publicadas en 1991 por M.L. Donaire, F. Lafarga: *Traducción y Adaptación cultural España-Francia.* Public. de la Universidad de Oviedo, p. 613-622.

García Martínez, M.T; Brandl, R. (1992): "Ernst Jandl: un poeta-traductor y sus experimentos". Actas publicadas por Parcerisas, F. (ed.) (1995): *Actes del I Congrès Internacional sobre Traducció* (abril 1992). Publicacions de l'Universitat Autónoma de Barcelona, p. 793-812.

García, O.G. (1993): "J.G. Schottelius, teórico de la traducción". *Livius*, 3 (1993), p. 89-96.

Gargallo Guil, M.C. (1992): "Un caso de transgresión textual: Emilio García Gómez, traductor". Actas publicadas por Parcerisas, F. (ed.) (1995): *Actes del I Congrès Internacional sobre Traducció* (abril 1992). Publicacions de l'Universitat Autónoma de Barcelona, p. 869-876.

Gargatagli, A. (1994): *Jorge-Luis Borges y la traducción.* Universidad Autónoma de Barcelona, tesis inédita.

Gargatagli, A; López Guix, J.G. (1992): "Ficciones y teorías en la traducción: José Luis Borges". II Jornadas Nacionales de Historia de la Traducción, León 1990. Actas publicadas en la revista *Livius* nº 1 y 2, 1992. Public. de la Universidad de León, vol. I, p. 57-68.

Giné Janer, M. (1995): "Carner y Folguera, traductores de Villiers". III Coloquio de la APFFUE, Barcelona 1995. Actas publicadas por F. Lafarga, A. Ribas, M. Tricas (1995): *La Traducción. Metodología, Historia, Literatura, Ambito hispanofrancés.* Barcelona, PPU, p. 287-292.

González Miguel, J.G. (1993): "Juan Sedeño, controvertido traductor de obras clásicas italianas". *Livius*, 3 (1993), p. 97-114.

Güell, L; Valls, F. (1988): "Entrevista: Marià Manent en castellano". *Cuadernos de Traducción e Interpretación*, 10, 1988, p. 131-134.

Guzmán Guerra, A. (1995): "Leonardo Bruni, traductor y traductólogo del Humanismo". *Hieronymus Complutensis* nº 2, 1995, p. 75-80.

Haro Tecglen, E. (1985): "En el nombre de Astrana". *Cuadernos de Traducción e Interpretación*, 5/6, 1985, p. 87-90.

Harris, D. (1987): "Versiones inglesas de José Angel Valente". *Cuadernos de Traducción e Interpretación*, 8/9, 1987, p. 29-42.

Hurtley, J.A. (1985): *La Literatura inglesa del siglo XX en la España de la post-guerra: La aportación de Josep Janés*. Tesis inédita, Universidad de Barcelona.

López Jiménez, L. (1987): "León Felipe, traductor del francés: un ilustre apellido velado y algunos rasgos de una versión en español". *León Felipe, poeta de la llama*, Madrid, Universidad Complutense, p. 277-293.

López Jiménez, L. (1988): "Julien Lugol, esforzado traductor de B. Pérez Galdós". *Estudios de investigación franco-española* 1, 1988, p. 147-155.

López Jiménez, L. (1990): "A. Germond de Lavigne, primer traductor (en libro) de B. Pérez Galdós". *El Guiniguada* 1, 1990, p. 287-293.

Maldonado Alemán, M. (1995): "Paul Celan como traductor". V Encuentros Complutenses sobre la Traducción, Madrid 1994. Actas publicadas con el mismo nombre en 1995. Public. de la Univ. Complutense de Madrid, p. 357-362.

Mugica, A. (1984): "Gabriel Aresti". Nueva Revista de Enseñanzas Medias nº 6: *La Traducción, Arte y Técnica*, 1984, M.E.C., p. 213-223.

Pajares Infante, E; Romero Armentia, F. (1993): "Alberto Lista, traductor ilustrado del inglés". *Livius*, 4 (1993), p. 127-144.

Pastor Ghelfi, M.T. (1988): "España y Vittorio Bodini, poeta y traductor". Jornadas de Traducción, Ciudad Real 1986. Actas publicadas en 1986 con el título de *Actas de las Jornadas de Traducción*. Public. de la Fac. de Letras de la Universidad de Castilla-La Mancha, p. 291-298.

Pegenaute Rodríguez, L. (1991): "Reflexiones en *Tristram Shandy* sobre la traducción y el papel de Sterne como traductor". *Studia Patriciae Shaw Oblata*. Publ. por S. González Fernández-Corugedo & al. (eds.). Universidad de Oviedo, vol. I, p. 205-220.

Pegenaute Rodríguez, L. (1993): "Aphra Behn (1640-89): Traductora y teórica de la traducción". *Livius*, 4 (1993), p. 145-156.

Peña Martín, S. (1995): "El concertista de piano: García Gómez y la traducción de la literatura árabe contemporánea". VI Encuentros Complutenses sobre la Traducción, Madrid 1995. Actas en prensa.

Pérez Escohotado, J. (1993): "Berceo como traductor: Fidelidad y contexto en la *Vida de Santo Domingo de Silos*". *Livius*, 3 (1993), p. 217-228.

Pérez Gómez, L. (1989): "Quevedo traductor de Marcial". *Actas del VI Simposio de la Sociedad Española de Literatura General y Comparada* (13-15 marzo 1986). Actas publicadas por J. Paredes Nuñez, A. Soria Olmedo (1989), Granada, Publicaciones de la Universidad, p. 385-396.

Pérez González, M. (1992): "Rogerius Bacon, teórico de la traducción". *Estudios Humanísticos: Filología* 14, 1992, p. 269-277.

Pérez Romero, C. (1989): "Juan Ramón Jiménez, poeta-traductor: Historia de un proyecto". I Jornadas Nacionales de Historia de la Traducción, León 1987. Actas publicadas por J.C. Santoyo, R. Rabadán, T. Guzmán, J.L. Chamosa (1987) *Fidus interpres*, vol. 1 y (1989) *Fidus Interpres*, vol. 2. Public. de la Universidad de León, vol. II, p. 120-128.

Recio, R. (1993): "Traductor y traducción: Los triunfos de la Muerte de Obregón y Coloma". *Livius*, 3 (1993), p. 229-240.

Rivas, E. de. (1988): "Manuel Azaña, traductor". *Gaceta de la Traducción*, nº 0, 1988, p. 7-10.

Ruiz Alvarez, R. (1995): "Rosset traductor e intermediario: de la novela de Cervantes al teatro de Hardy". Coloquio Teatro y Traducción, Salamanca 1993. Actas publicadas por F. Lafarga, R. Dengler (1995) *Teatro y Traducción*. Barcelona, Public. de la Universitat Pompeu Fabra, p. 339-348.

Saenz Sagaseta de Ilurdoz, M. (1987): "Traductor y revisor: Casiodoro de Reina y Cipriano de Valera". I Jornadas Nacionales de Historia de la Traducción, León 1987. Actas publicadas por J.C. Santoyo, R. Rabadán, T. Guzmán, J.L. Chamosa (1987) *Fidus interpres*, vol. 1 y (1989) *Fidus Interpres*, vol. 2. Public. de la Universidad de León, vol. I, p. 91-97.

Sala, R. (1989): "El erudito como traductor: Marcelino Menéndez y Pelayo". I Jornadas Nacionales de Historia de la Traducción, León 1987. Actas publicadas por J.C. Santoyo, R. Rabadán, T. Guzmán, J.L. Chamosa (1987) *Fidus interpres*, vol. 1 y (1989) *Fidus Interpres*, vol. 2. Public. de la Universidad de León, vol. II, p. 174-183.

Sánchez de Zavala, V. (1983): "De tiempo atrás, de cerca". *Cuadernos de Traducción e Interpretación*, 2, 1983, p. 47-52.

Sánchez Rodrigo, L; Nogueras Valdivieso, E.J. (1992): "Els poetes com a traductors: Kavafis en català, Kavafis en castellà". Actas publicadas por

Parcerisas, F. (ed.) (1995): *Actes del I Congrès Internacional sobre Traducció* (abril 1992). Publicacions de l'Universitat Autónoma de Barcelona, p. 851-858.

Sánchez, R. (1993): "Seis traductores: Esther Benítez, Clara Janés, Catalina Martínez, Miguel Sáenz, Angel Vega y J.E. Zúñiga". *Vasos Comunicantes* 1, p. 10-30.

Santaeulàlia, J.N. (1988): "Entrevista: Marià Manent". *Cuadernos de Traducción e Interpretación*, 10, 1988, p. 115-116.

Santamaria, J.M. (1992): "Captain John Stevens". II Jornadas Nacionales de Historia de la Traducción, León 1990. Actas publicadas en la revista *Livius* nº 1 y 2, 1992. Public. de la Universidad de León, vol. I, p. 211-220.

Serrano, C. (1986): "Sobre Unamuno traductor". Actas del VIII Congreso Internacional de Hispanistas. Madrid, Istmo, vol. II, p. 581-590.

Valverde Zambrana, J.M; López Pacheco, J; Sánchez de Zavala, V; Argullol, R; Tovar, A; Paraíso, I. (1983): "Homenaje a José Maria Valverde". *Cuadernos de Traducción e Interpretación*, 2, 1983, p. 9-88.

Varela Martínez, M.J. (1993): "Joseph von Eichendorff, traductor del español: *El Conde Lucanor*". *Livius*, 3 (1993), p. 257-268.

VASOS COMUNICANTES. (1994): "Mesa redonda: Bernardo Atxaga y sus traductores A. Sabán y A. Gabastou". *Vasos Comunicantes* 4, p. 53-64.

Vega Cernuda, M.A. (1995): "La lingüística de un pensador de la Economía o la poética (traductiva) de Adam Smith". *Hieronymus Complutensis*, nº 1, ene.-jun. 1995, p. 87-92.

Vega Cernuda, M.A. (1995): "Las teorías translatorias del abbé Desfontaines". *Hieronymus Complutensis* nº 2, 1995, p. 67-74.

TRADUCCIÓN DE LA PUBLICIDAD

Campos Plaza, N. (1988): "Las pintadas en mayo del 68: su traducción". Jornadas de Traducción, Ciudad Real 1986. Actas publicadas en 1986 con el título de *Actas de las Jornadas de Traducción*. Public. de la Fac. de Letras de la Universidad de Castilla-La Mancha, p. 213-218.

Castro Prieto, P; Pereira Rodríguez, A.M. (1994): "Publicidad y traducción". IV Encuentros Complutenses sobre la Traducción, Madrid 1992. Actas publicadas con el mismo nombre en 1994. Public. de la Universidad Complutense de Madrid, p. 381-388.

Catrain, M; Cuadrado Esclápez, G; Duque García, M.M. (1995): "La traducción en los anuncios publicitarios". V Encuentros Complutenses sobre la

Traducción, Madrid 1994. Actas publicadas con el mismo nombre en 1995. Public. de la Univ. Complutense de Madrid, p. 543-554.

Comicre, I. (1995): "Étude comparée des slogans et textes publicitaires dans la presse écrite (France / Espagne)". Actas del II Coloquio Internacional de Lingüística Francesa: *La Lingüística Francesa: gramática, historia y epistemología* (Sevilla 1995). Dpto. de Filología Francesa de la Universidad de Sevilla (en prensa).

Comicre, I; García, A. (1995): "Importancia del referente cultural en la traducción de anuncios publicitarios impresos". VI Encuentros Complutenses sobre la Traducción, Madrid 1995. Actas en prensa.

Mayoral Asensio, R; Kelly, D; Gallardo San Salvador, N. (1985): "Concepto de 'traducción subordinada' (cómic, cine, canción, publicidad). Perspectivas no lingüísticas de la traducción (I)". Actas del III Congreso Nacional de Lingüística Aplicada (AESLA), Valencia abril 1985: *Pasado, presente y futuro de la lingüística aplicada en España*, publicadas por F. Fernández (1986), p. 95-106.

Piñel, R; Beltrán Gandullo, M. (1994): "El lenguaje publicitario en textos de prensa: traducción o adaptación". IV Encuentros Complutenses sobre la Traducción, Madrid 1992. Actas publicadas con el mismo nombre en 1994. Public. de la Universidad Complutense de Madrid, p. 361-380.

Schürmanns, J. (1995): "Tipología de textos publicitarios y su traducción". VI Encuentros Complutenses sobre la Traducción, Madrid 1995. Actas en prensa.

Sevilla Muñoz, J; Veglia, A; Martín Baz, M. (1992): "La traducción y los anuncios publicitarios". *Filología Francesa* 1, 1992, p. 281-291.

2. LISTA DE CONGRESOS, COLOQUIOS, ENCUENTROS Y JORNADAS SOBRE TRADUCCIÓN E INTERPRETACIÓN CELEBRADOS EN ESPAÑA

ALCALÁ DE HENARES:

I Encuentros Alcalainos de Traducción. Cultura sin fronteras. *Encuentros en torno a la traducción*. Actas publicadas por C. Valero Garcés (1995). Publicaciones de la Universidad de Alcalá de Henares.

BARCELONA:

Simposio Internacional de Literatura Comparada: (1990) *Europa en España / España en Europa*. Actas publicadas por H. Dyserinck & al., Barcelona, Promociones y Publicaciones Universitarias.

I Congreso Internacional sobre Traducción, 1992. Actas publicadas por Parcerisas, F. (ed.) (1995): *Actes del I Congrès Internacional sobre Traducció* (abril 1992). Publicacions de l'Universitat Autónoma de Barcelona.

II Congreso Internacional sobre Traducción, 1994. Universidad Autónoma de Barcelona. Actas en prensa.

III Congreso Internacional sobre Traducción, 1996. Universidad Autónoma de Barcelona. Actas en prensa.

III Coloquio de la APFFUE, Barcelona 1995. Actas publicadas por F. Lafarga, A. Ribas, M. Tricas (1995): *La Traducción. Metodología, Historia, Literatura, Ambito hispanofrancés*. Barcelona, PPU.

CÁDIZ:

I Encuentro Interdisciplinar de Teoría y Práctica de la Traducción, Cádiz 1993. *Reflexiones sobre la Traducción*. Actas publicadas por L. Charlo Brea (1994). Public. de la Universidad de Cádiz.

CASTELLÓN:

I Jornades sobre la Traducció, Castelló 1993. Actas publicadas por A. Hurtado Albir (1994) *Estudis sobre la Traducció*. Public. de la Universitat Jaume I de Castelló.

II Jornades sobre la Traducció, Castelló 1994. Actas publicadas por J. Marco Burillo (1995) *La traducció Literaria*. Public. de la Universitat Jaume I de Castelló.

III Jornades sobre la Traducció: Didáctica de la Traducció. Universitat Jaume I, Mayo 1995. Actas publicadas por A. Hurtado Albir (ed.) (1996) *La enseñanza en la traducción*. Universitat Jaume I de Castelló.

CASTILLA-LA MANCHA:

Jornadas de Traducción, Ciudad Real 1986. Actas publicadas en 1986 con el título de *Actas de las Jornadas de Traducción*. Public. de la Fac. de Letras de la Universidad de Castilla-La Mancha.

EXTREMADURA:

I Simposio sobre Traducción Literaria y Científico-Técnica ingles al castellano, catalán, gallego y vasco (1987). Se han celebrado nueve Simposios, el décimo será en Mayo de 1996. (No hay actas).

GRANADA:

Jornadas europeas de traducción e interpretación, Granada 1987. *Actas de las Jornadas Europeas de Traducción e Interpretación* (1988). Public. de la Universidad de Granada.

Actas del VI Simposio de la Sociedad Española de Literatura General y Comparada (13-15 marzo 1986). Actas publicadas por J. Paredes

Nuñez, A. Soria Olmedo (1989), Granada, Publicaciones de la Universidad.

Coloquio Iberoamericano sobre la enseñanza de la Terminología. *La Enseñanza de la Terminología*. Actas publicadas por N. Gallardo, D. Sánchez (1992). Publicaciones de la Universidad de Granada.

LAS PALMAS DE GRAN CANARIAS:

I Jornadas Internacionales de Traducción e Interpretación: Tendencias actuales, Las Palmas de Gran Canaria 1994. Actas en prensa.

LEÓN:

I Jornadas Nacionales de Historia de la Traducción, León 1987. Actas publicadas por J.C. Santoyo, R. Rabadán, T. Guzmán, J.L. Chamosa (1987) *Fidus interpres*, vol. 1 y (1989) *Fidus Interpres*, vol. 2. Public. de la Universidad de León.

XI Congreso de AEDEAN, León 1987. Actas publicadas por J.C. Santoyo (1989): *Translation Across Cultures*: La traducción en el mundo hispánico y anglosajón, relaciones lingüísticas, culturales y literarias. Publicaciones de la Univ. de León.

II Jornadas Nacionales de Historia de la Traducción, León 1990. Actas publicadas en la revista *Livius* nº 1 y 2, 1992. Public. de la Universidad de León.

III Jornadas Nacionales de Historia de la Traducción, León 1993. Actas en prensa.

MADRID:

I Encuentros Complutenses sobre la Traducción 1986. Actas no publicadas.

II Encuentros Complutenses sobre la Traducción, Madrid 1988. Actas publicadas con el mismo nombre en 1990. Public. de la Univ. Complutense de Madrid.

III Encuentros Complutenses sobre la Traducción, Madrid 1990. Actas publicadas con el mismo nombre en 1993. Public. de la Univ. Complutense de Madrid.

IV Encuentros Complutenses sobre la Traducción, Madrid 1992. Actas publicadas con el mismo nombre en 1994. Public. de la Universidad Complutense de Madrid.

V Encuentros Complutenses sobre la Traducción, Madrid 1994. Actas publicadas con el mismo nombre en 1995. Public. de la Univ. Complutense de Madrid.

VI Encuentros Complutenses sobre la Traducción, Madrid 1995. Actas en prensa.

Mesa redonda en torno a la Traducción. Madrid 1987, Fundación Alfonso X el Sabio. Textos publicados el mismo año por la Fundación con el título *Problemas de la traducción.*

Actas de las Jornadas de Hispanismo Árabe. Publicadas por Agreda, F. (1990): *La traducción y la crítica literaria.* Madrid, Agencia Española de Cooperación Internacional.

I Encuentros Alcalainos de Traducción. Cultura sin fronteras. *Encuentros en torno a la traducción.* Actas publicadas por C. Valero Garcés (1995). Publicaciones de la Universidad de Alcalá de Henares.

OVIEDO:

Coloquio Traducción y Adaptación Cultural España-Francia, Oviedo 1990. Actas publicadas en 1991 por M.L. Donaire, F. Lafarga: *Traducción y Adaptación cultural España-Francia.* Public. de la Universidad de Oviedo.

PAÍS VASCO:

Jornadas sobre Trasvases Culturales: Literatura, Cine, Traducción (20-22 mayo 1993). Actas publicadas por F. Eguiluz (1994). Vitoria, Public. de la Univ. del País Vasco.

SALAMANCA:

Coloquio Teatro y Traducción, Salamanca 1993. Actas publicadas por F. Lafarga, R. Dengler (1995) *Teatro y Traducción.* Barcelona, Public. de la Universitat Pompeu Fabra.

VALENCIA:

I Coloquio Internacional de Traductología, Valencia 1989. Actas publicadas por B. Lépinette, A. Olivares, E. Sopeña, E. (1991) *Actas del Primer Coloquio Internacional de traductología.* Public. por la Universitat de Valencia, *Quaderns de Filologia.*

II Coloquio Internacional de Traductología, Valencia 1991. Actas publicadas por B. Lépinette, A. Olivares, E. Sopeña (1994) *Actas del Primer Coloquio Internacional de traductología.* Public. por la Universitat de Valencia, *Quaderns de Filologia.*

Traducción y Contraste Lingüístico-Cultural. Valencia 1994, UIMP.

VALLADOLID:

I Curso Superior de Traducción Inglés-Español, Valladolid 1992. Textos publicados por P. Fernández Nistral (ed.) (1992): *Estudios de Traducción.* Public. del ICE de la Universidad de Valladolid.

II Curso Superior de Traducción Inglés-Español, Valladolid 1993. Textos publicados por P. Fernández Nistral (ed.) (1994): *Aspectos de la traducción Inglés-Español.* Public. del ICE de la Univ. de la Universidad de Valladolid.

III Curso Superior de Traducción: Perspectivas de la traducción inglés / español. Textos publicados por P. Fernández Nistral, J.Mª. Bravo Gozalo (eds.) 1995. ICE de la Universidad de Valladolid.

I Congreso Internacional de traducción e Interpretación de Soria, 1993. Actas publicadas por A. Bueno, M. Ramiro, J.M. Zarandona (1994): *La traducción de lo inefable.* Publicaciones del Colegio Universitario de Soria.

VIGO:

I Simposio Galego de Traducción. Vigo 1995. Actas publicadas como Anexo de la Revista de Traducción *Viceversa.* Facultad de Traducción de la Universidad de Vigo, 1995.

3. LIBROS DE TRADUCCIÓN E INTERPRETACIÓN

Aguilera Pleguezuelo, J. (1985): *Temas monográficos sobre interpretación simultánea y toma de notas para la traducción consecutiva*. Madrid, Univ. Autónoma. Depto. Interuniversitario de Idiomas Modernos, Cuadernos del Intérprete y Traductor.

Aguilera Pleguezuelo, J. (1985): *Temas monográficos sobre interpretación simultánea y toma de notas para la traducción consecutiva*. Madrid, Universidad Autónoma, Dpto. Interfacultativo de Idiomas Modernos, (Cuadernos del Intérprete y Traductor).

Agustín, J. (1994): *Traducción, Interpretación, Lenguaje*. Madrid, Cuadernos del tiempo libre. Colección Expolingua, Publicaciones: Fundación Actilibre.

Alcaraz Varó, E; Hughes, B. (1993): *Diccionario de términos jurídicos: inglés-español y español-inglés*. Barcelona, Ariel.

Alcaraz Varó, E; Hughes, B. (1995): *Diccionario de términos económicos y comerciales: inglés-español y spanish-english*. Barcelona, Ariel.

Alvarez Calleja, M.A. (1991): *Estudios de traducción (Inglés-Español). Teoría, Práctica y Aplicaciones*. Madrid, UNED.

Alvarez Calleja, M.A. (1994): *Acercamiento metodológico a la traducción literaria*. Con textos bilingües inglés-español. Madrid, UNED.

Alvarez Calleja, M.A. (1994): *Traducción jurídica (inglés-español)*. Madrid, UNED.

Aragón Fernández, M.A. (1992): *Traducciones de obras francesas en la Gaceta de Madrid en la década revolucionaria (1790-1799)*. Oviedo, Servicio de Publicaciones de la Univ. 1992.

Arntz, R; Picht, H. (1995): *Introducción a la terminología*. Madrid, Pirámide.

Benítez, E. (1992): *Diccionario de traductores*. Madrid: Fundación Sánchez Ruiperez, Biblioteca del Libro nº 50..

Calvo Martín, J. (1993): *La traducción inglesa de 'Cárcel de amor' de Diego de San Pedro: Su relación con las versiones italiana y francesa*. Valladolid, Univ. de Valladolid en microficha.

Capmany Suris y de Montpalau, A. (1776): *Arte de traducir del idioma francés al castellano*. Madrid, Antonio de Sancha. Reedición comentada por Carmen Fernández Díaz. Universidad de Santiago 1987.

Congost Maestre, N. (1994): *Problemas de traducción técnica*. Los textos Médicos en inglés. Public. de la Univ. de Alicante.

Contreras Alvarez, A. (1992): *Beaumarchais y su teatro en España*. Univ. de Barcelona, ed. en microficha.

Donaire Fernández, M.L; Lafarga, F. (eds.) (1991): *Traducción y adaptación cultural España-Francia*. Univ. de Oviedo.

Elena García, P. (1990): *Aspectos teóricos y prácticos de la traducción (Alemán-Español)*. Public. de la Universidad de Salamanca.

Elena García, P. (1994): *Curso práctico de traducción general alemán-español*. Public. de la Universidad de Salamanca.

Fernández López, M. (1996): *Traducción y literatura juvenil: Narrativa anglosajona contemporánea en España*. Universidad de León.

Fernández Méndez, C. (1986): *Cuadernos del Intérprete y Traductor. Léxico básico instrumental*. Vol. 13: Español-Ruso. Public. del Dpto. Interuniversitario de Idiomas Modernos, Univ. Autónoma de Madrid.

Fernández Méndez, C. (1986): *Cuadernos del Intérprete y Traductor. Léxico básico instrumental*. Vol. 14: Ruso-Español. Public. del Dpto. Interuniversitario de Idiomas Modernos, Univ. Autónoma de Madrid.

Fouilloux, C. (1992): *Traducción y comentario lingüístico de textos literarios*. Public. de la Universidad Autónoma de Madrid.

Gallego Roca, M. (1994): *Traducción y literatura. Los estudios literarios ante las obras traducidas*. Madrid, Júcar.

García Yebra, V. (1982): *Teoría y práctica de la traducción*. Madrid, Gredos, 2 vols.

García Yebra, V. (1983): *En torno a la traducción*. Madrid, Gredos. 2ª edición en 1989.

García Yebra, V. (1985): *Traducción y enriquecimiento de la lengua del traductor*. Discurso de ingreso en la Real Academia Española. Madrid, RAE.

García Yebra, V. (1994): *Traducción: Historia y teoría*. Madrid, Gredos.

Garulo, T. (1988): *Bibliografía provisional de obras árabes traducidas al español 1800-1987*. Madrid, IHAC.

González Fernández, J.M. (1993): *Shakespeare en España: Crítica, traducciones y representaciones*. Publicaciones de la Univ. de Alicante y Libros Pórtico.

Grupo Iris (1996): *La traducción del texto periodístico*. Alicante, Editorial Club Universitario.

Hatim, B; Mason, I. (1990=1995): *Teoría de la traducción: una aproximación al discurso*. Barcelona: Ariel. Trad. por Salvador Peña.

Hernández Sacristán, C. (1994): *Naturaleza del traducir*. Valencia, Universidad: Centro de Semiótica y Teoría del Espectáculo. EUTOPIAS 2ª época, nº 68.

Hutchins, W.J.; Somers, H.L. (1995): *Introducción a la traducción automática*. Madrid.

Izard, N. (1992): *La traducció cinematogràfica*. Barcelona, Centre d'Investigació de la Comunicació.

Lafarga, F. (1988): *Las traducciones españolas del teatro francés (1700-1835). II Catálogo de manuscritos*. Publicacions de la Universitat de Barcelona.

Lafarga, F. (1989): *Imágenes de Francia en las letras hispánicas*. Barcelona, Promociones y Publicaciones Universitarias.

Lafarga, F; Dengler Gassin, R. (eds.) (1995): *Teatro y Traducción*. Barcelona, Universitat Pompeu Fabra.

Lafarga, F. (ed.) (1996): *El discurso sobre la traducción en la Historia*. Barcelona. EUB.

Lanero, J.J.; Villoría, S. (1996): *Literatura en traducción*. Versiones Españolas de autores americanos del siglo XIX. Publicaciones de la Universidad de León.

Le Bel, E. (1995): *Le masque et la plume. Traducir: Reflexiones, experiencias y prácticas*. Sevilla, Publicaciones de la Universidad.

López García, D. (1991): *Sobre la imposibilidad de la traducción*. Publicaciones de la Universidad de Castilla-La Mancha.

López García, D. (1996): *Teorías de la traducción. Antología de textos*. Cuenca, Public. de la Universidad de Castilla-La Mancha.

López Moreno, P. (1985): *Introducción a la interpretación: Intérprete de conferencias*. Granada, Imprenta Márquez.

Margot, J.C. (1987): *Traducir sin traicionar: Teoría de la traducción aplicada a los textos bíblicos*. Madrid, Ediciones Cristiandad. Traductor: Rufino Godoy.

Márquez Villanueva, F. (1994): *El concepto cultural alfonsí*. Madrid, Editorial Mapfre.

Martín Martín, J. (1991): *Normas de uso del lenguaje jurídico*. Granada, Comares.

Mateo Martínez-Bartolomé, M. (1995): *La traducción del humor: Las comedias inglesas en español*. Universidad de Oviedo.

Merino Alvarez, R. (1994): *Traducción, tradición y manipulación: Teatro inglés en España (1950-1990)*. Public. de la Universidad de León. Tesis.

Merino, J; Sheerin, P. (1989): *El manual de traducción inversa español-inglés*. Madrid, Ed. Anglo-Didáctica.

Muñoz Martín, R. (1995): *Lingüística para traducir*. Barcelona, Teide.

Newmark, P. (1987=1992): *Manual de Traducción*. Madrid: Cátedra. Trad. por Virgilio Moya.

Nida, E; Taber, C.R. (1974=1986): *La traducción: Teoría y Práctica*. Madrid: Cristiandad. Trad. por A. de la Fuente.

Olcese Santoja, R. (1986): *Cuadernos del Intérprete y Traductor. Léxico básico instrumental*. Vol. 12: Italiano-Español. Depto. Interuniversitario de Idiomas Modernos, Univ. Autónoma de Madrid.

Ortega Arjonilla, E. (1996): *Apuntes para una teoría hermenéutica de la traducción*. Universidad de Málaga, Colección Estudios y Ensayos.

Ortega Arjonilla, E; Echeverría Pereda, E. (1996): *Enseñanza de Lenguas, Traducción e Interpretación (Francés-Español)*. Universidad de Málaga, Colección Manuales.

Ortega Arjonilla, E; San Ginés Aguilar, P. (1996): *Introducción a la traducción jurídica y jurada (francés-español). Orientaciones metodológicas para la realización de traducciones juradas y de documentos jurídicos*. Granada, Editorial Comares.

Pascual, I; Peñate Soares, A.L. (1991): *Introducción a los estudios traductológicos*. Las Palmas de Gran Canaria, Ed. Corona.

Peña Martín, S; Hernández Guerrero, M.J. (1994): *Traductología*. Public. de la Universidad de Málaga.

Pina Medina, U.M. (1993): *La idiomaticidad en el lenguaje literario: Estudio basado en la novela "On the Road" de Jack Keronae en sus versiones inglesa, castellana y francesa*. Public. de la Universidad de Alicante.

Prüfer Leske, I. (1994): *La traducción de las partículas modales del alemán al español y al inglés*. Publicaciones de la Universidad de Alicante.

Pym, A. (1993): *Epistemological Problems in Translation and its Teaching: A Seminar for Thinking Students*. Calaceite (Teruel), Ediciones Caminade.

Rabadán Alvarez, R. (1991): *Equivalencia y traducción: Problemática de la equivalencia translémica inglés-español*. Public. de la Universidad de León. Tesis.

Rossell Ibern, A.M. (1996): *Manual de traducción alemán-castellano.* Barcelona. Gedisa.

Russell, P. (1985): *Traducciones y traductores en la Península Ibérica 1400-1550.* Public. de la Universidad Autónoma de Barcelona.

Sáez Hermosilla, T. (1987): *Percepto mental y estructura rítmica: Prolegómenos para una traductología del sentido.* Public. de la Universidad de Cáceres.

Sáez Hermosilla, T. (1991): *El sentido de la traducción: Reflexión y crítica.* Salamanca, Public. de la Universidad.

Sager, J.C. (1993): *Curso práctico sobre el procesamiento de la terminología.* Madrid, Pirámide.

Sagrador Gil, J. (1985): *La Escuela de Traductores de Toledo y sus colaboradores judíos.* Toledo, IPIET, Diputación Provincial de Toledo.

Santoyo, J.C. (1983): *La cultura traducida.* Lección inaugural del curso académico 1983-1984. Public. de la Universidad de León.

Santoyo, J.C. (1985=1989): *El delito de traducir.* Public. de la Universidad de León.

Santoyo, J.C. (1987): *Teoría y Crítica de la Traducción: Antología.* Public. de la Universidad Autónoma de Barcelona.

Santoyo, J.C. (1987): *Traducción, traducciones, traductores: Ensayo de bibliografía española.* Public. de la Univ. de León, Listado que comprende citas hasta 1986.

Santoyo, J.C. (1994): *En torno a Ortega y Gasset: Miseria y Esplendor de la reflexión Traductora.* Lliço inaugural del curs acadèmic 1994-95 de la Facultat de Traducció de la Universidad Pompeu Fabra de Barcelona, Public. de la Universidad.

Santoyo, J.C. (1996): *Bibliografía de la traducción*, en español, catalán, gallego y vasco. Publicaciones de la Universidad de León.

Santoyo, J.C; Verdaguer Clavera, I. (1987): *De clásicos y traducciones: Clásicos españoles en versiones inglesas (siglos XVI y XVII).* Barcelona, Promociones y Publicaciones Universitarias.

Seco Santos, E. (1985): *Historia de las traducciones literarias del italiano al español durante el Siglo de Oro (influencias).* Universidad Complutense de Madrid.

Sommers, H.L; Hutchins, W.J. (1995): *Introducción a la traducción automática.* Madrid, Visor.

Sopeña Balordi, A.E. (1988): *Une analyse des mécanismes de traduction français-espagnol (Applications I).* Escola Univ. de P. d'EGB, Universitat de València.

Soto Vázquez, A.L. (1993): *El inglés de Charles Dickens y su traducción al español.* Universidad de La Coruña.

Talens, J. (1993): *El sentido de Babel.* Vol. 21 de la Rev. Eutopias, 2ª época.

Torre Serrano, E. (1994): *Teoría de la traducción literaria.* Madrid, Síntesis.

Vega, M.A. (1994): *Textos clásicos de la teoría de la traducción.* Madrid, Cátedra.

Veglia, A. (1982): *Cuadernos del intérprete y traductor. Léxico básico instrumental.* Vol. 3: Español-Francés, Public. de la Univ. Autónoma de Madrid.

Veglia, A. (1986=1989): *Manuel Pratique de la traduction: Español-Francés et Français-Español.* Madrid, Alhambra.

Véglia, A. (1987): *Manuel Pratique de traduction de la Communauté Européenne.* Madrid, Alhambra.

Vidal Claramonte, M.C.A. (1995): *Traducción, manipulación y deconstrucción.* Madrid, Ed. Colegio de España.

Villoria Andreu, S; Lanero Fernández, J.J. (1992): *La historia traducida: Versiones españolas de las obras de W.H. Prescott en el siglo XIX.* León, Publicaciones de la Universidad.

Wittlin, C. (1995): *De la traducció literal a la creació literaria. Estudis filologics i literaris sobre textos antics catalans i valencians.* Publicacions de l'Abadia de Montserrat,

4. REVISTAS DE TRADUCCIÓN

BARCAROLA.: Revista subtitulada en el nº 1 (junio 1979) como *Revista de Letras* y en el 49 (octubre 1995) como *Revista de creación Literaria.* Publicada en su etapa inicial por Artes Gráficas Flores y actualmente por el Ayuntamiento y la Diputación Provincial de Albacete. Coordinada en su etapa inicial por E. García de León, J. Bravo y R. Bello. Dirigida actualmente por Juan Bravo. En todos los números aparecen traducciones inéditas de textos literarios de diferentes lenguas y países.

CUADERNOS DE TRADUCCIÓN E INTERPRETACIÓN.: E.U.T.I. de la Universidad Autónoma de Barcelona. Nº 1 (1982), 2 (1983), 3 (1983), 4 (1984), 5/6 (1985), 7 (1986), 8/9 (1987), 10 (1988), 11/12 (1992). Director: Julio Samsó. Actualmente dirigida por un Consejo de Redacción que coordina como Cap de Redacció Fernando Valls. Publicada por el Servei de Publicacions de la U.A.B.

ESSAYS ON TRANSLATION.: Dirigida por R. López Ortega y J.L. Oncins Martínez. Dpto. de Filología Inglesa de la Univ. de Extremadura. Nº 1, 1993,

GACETA DE LA TRADUCCIÓN. : A.P.E.T.I. Asociación Española de Traductores e Intérpretes. Madrid, Calle Recoletos nº 5. Nº 0 (199?), 1 (1993). Dirige Julia Escobar. Publicada por la propia Asociación APETI con sede en Madrid.

HERMES. Revista de Traducción. : Publicada por el Círculo de Traducción de la ciudad de Sevilla con sede en Sevilla, apartado de Correos 841, 41080 Sevilla. Nº 1 (1993), 2 (1993), 3 (1994), 4 (1995). Dirige un Consejo de Redacción.

HIERONIMUS COMPLUTENSIS. : Revista del Instituto Universitario de Lenguas Modernas y Traducción de la Universidad Complutense de Madrid. Nº 1 (1995), Nº 2 (1995). Director: Miguel Angel Vega

Cernuda. Editada por Rafael Martín-Gaitero en Imprenta Ediclas. Madrid.

LIVIUS. Revista de Estudios de Traducción. : Departamento de Filología Moderna de la Universidad de León. Nº 1 (1992), 2 (1992), 3 (1993), 4 (1993), 5 (1994), 6 (1994). Director: J.C. Santoyo. Publicada por el servicio de Publicaciones de la Universidad de León.

NUEVA REVISTA DE BACHILLERATO. : Número especial: *La Traducción: Arte y Técnica*. 1984, nº 6, M.E.C.

SENDEBAR. : Boletín de la E.U.T.I. de la Universidad de Granada. Nº 1 (1990), 2(1991), 3 (1993), 4 (1993), 5 (1994), 6 (1995). Publicada por el servicio de Publ. Univ. de Granada, Director: Luis Márquez Villegas.

SENEZ. : Itzulpen eta Terminologiazko Aldizkaria San Sebastián. Itzultzaile Eskola. Nº 1: 1984, Nº 16: 1995.

VASOS COMUNICANTES. : Asociación Autónoma de Traductores de Libros (ACE). Calle Sagasta nº 28, 5A, 28004 Madrid. Dirigida por Ramón Sánchez Lizarralde. Nº 1 (1993) y Nº 6 (1995-96).

VICEVERSA. : Revista Gallega de Traducción. Dpto. de Filología Gallega de la Univ. de Vigo.

5. TESIS DOCTORALES SOBRE TRADUCCIÓN LINGÜÍSTICA CONTRASTIVA

Aguado de Cea, G. (1992): *Problemas de traducción de la terminología informática en España*. Universidad Complutense de Madrid, tesis inédita.

Alvarez Orcajada, M.I. (1995): *Aproximación a Genet: Traducción anotada y comentario de "Les nègres"*. Tesis inédita. Dirigida por Joaquin Hernández Serna, Univ. de Murcia.

Alvarez, S.V. (1979): *'El Lazarillo de Tormes' en las traducciones alemanas*. Universidad de Valladolid, tesis inédita.

Anoll Vendrell, L. (1979): *Catalogue des traductions espagnoles de l'oeuvre d'Honoré de Balzac*. Universidad de Barcelona, resumen de tesis doctoral.

Aragón Cobo, M. (1995): *La pragmatique dans la traduction de "Château en Suède" de Françoise Sagan*. Dirigida por F. Ramón Trives, Universidad de Alicante, tesis inédita.

Barros Ochoa, M. (1993): *La traducción del nombre propio inglés-español: Teoría y práctica*. Universidad de León, tesis inédita.

Calvo García, J.J. (1983): *El problema de la traducción diacrónica: 'The Tempest', de W. Shakespeare: Informe y propuesta de traslación*. Facultad de Filología de la Universitat de València, tesis inédita.

Calle Martín, J. (1972): *Poesía y traducción: Los versos de B. Brecht en español*. Universidad de La Laguna, tesis inédita.

Camps, A. (1992): *Recepció de Gabriele d'Annunzio a Catalunya*. Universidad Autónoma de Barcelona, tesis inédita.

Cañete Alvarez-Torrijos, A. (1989): *Problemas de interpretación y traducción al castellano del corpus anglosajón: Beowulf*. Tesis inédita, Universidad de Málaga.

Carratalá García, E. (1972): *Problemas morfosintácticos de las traducciones castellanas de **L'Avare** de Molière*. Facultad de Filología de la Universitat de Barcelona, tesis inédita.

Corredor Plaja, A.-M. (1993): *Approche des problèmes de la traduction littéraire... ou l'interprétation de l'arrière-fond des mots*. Dirigida por M.A. Tost, Universidad de Girona, Tesis de licenciatura.

Cunchillos Jaime, C. (1984): *Traducción y ediciones inglesas de "El Quijote" (1610-1800): Estudio crítico y bibliografía*. Tesis. Universidad de Zaragoza.

Chamosa González, J.L. (1986): *La primera traducción inglesa de Diana de Jorge de Montemayor, Gil Polo y A. Pérez: Estudio crítico*. Universidad de León. Tesis inédita.

Díaz Prieto, P. (1994): *Estudio contrastivo de traducciones inglés-español en minería*. Universidad de León, tesis inédita.

Elena García, P. (1989): *La traducción de textos alemanes: Cuestiones de teoría y práctica*. Universidad de Salamanca.

Elvira Rodríguez, A. (1985): *Lengua y Cultura en "L'écume des jours" de Boris Vian y propuesta de traducción al español*. Dirigida por Jesús Cascón, Universidad de Granada, Tesis en microficha.

Faber, P. (1986): *El análisis estilístico en la traducción poética aplicado a once poemas de D.H. Lawrence*. Universidad de Granada. Tesis en microficha.

Fernández Díaz, M.C. (1986): *Antonio de Capmany. Una visión original del problema de la traducción y del aprendizaje del francés en la España del siglo XVIII*. Universidad de Santiago de Compostela. Tesis.

Flores López, V. (1986): *Propuesta metodológica para una edición bilingüe de Shakespeare*. Universidad de Valencia.

Fuentes Florido, F. (1979): *Rafael Cansinos Assens: traductor, crítico, ensayista, poeta y novelista*. Facultad de Filología de la Univ. Complutense de Madrid, tesis inédita.

Fuster, M. (1988): *William Caxton y la traducción inglesa del 'Recueil des Histoires de Troie' de Raoul Lafevre*. Universidad de Valencia.

Gallego Roca, M. (1993): *Traducción y poesía en España 1918-1936: Ensayo metodológico para el estudio de las traducciones literarias*. Universidad de Granada, tesis inédita.

Gargatagli, A. (1994): *Jorge-Luis Borges y la traducción*. Universidad Autónoma de Barcelona, tesis inédita.

Gauchola Gamarra, R. (1992): *La subordinación temporal. Análisis comparativo del francés, catalán y español.* Universidad Autónoma de Barcelona, Tesis doctoral inédita.

Gil García, C. (1992): *Ediciones y traducciones españolas de 'Wuthering Heights': Análisis y evaluación.* Universidad de Zaragoza, tesis inédita.

Gil-Casates Satrustegui, M.R. (1992): *Ediciones y traducciones inglesas del 'Libro de la Vanidad del Mundo', de Fray Diego de Estelle.* Universidad de León, tesis inédita.

González Pueyo, M.I. (1990): *Traducción al español de las preposiciones inglesas que indican una relación espacial, de mayor frecuencia en el inglés científico-técnico.* Universidad de Zaragoza, tesis inédita.

Gordillo Vázquez, M.C. (199?): *La traducción de 'La Eneida' de Don Enrique de Villena: texto crítico del Libro I y estudio de los cultismos.* Universidad de Córdoba, tesis inédita.

Hernández Guerrero, M.J. (1993): *Estudio de las obras de creación y de las traducciones literarias de Marcel Schwob.* Dirigida por José-Ignacio Velázquez, Univ. de Málaga, Tesis inédita.

Hue Fanost, C. (1984): *Estudio sincrónico del adverbio: análisis contrastivo entre el español y el francés.* Universidad Complutense. Tesis inédita.

Hurtley, J.A. (1985): *La Literatura inglesa del siglo XX en la España de la postguerra: La aportación de Josep Janés.* Tesis inédita, Universidad de Barcelona.

León Atencia, M.V. (1992): *La obra poética de Maria Victoria Atencia. Ensayo de aproximación y traducción inglesa.* Tesis inédita, Universidad de Málaga.

Lorda, C.U. (1992): *Análisis discursivo y traductología (Las novelas de Louis-Ferdinand Céline y sus traducciones en lengua española).* Tésis inédita. Dirigida por Julio Murillo, Universidad Autónoma de Barcelona.

Luttikhuizen, F.-M. (1986): *Las traducciones inglesas de las novelas ejemplares: Traducción y traductores 1640-1972.* Universidad de Barcelona. Tesis inédita.

MacCandless, I.R. (1987): *Estrategias para la traducción de la poesía: Estudio de la problemática de la traducción de la poesia mediante el análisis de las traducciones al castellano de los SONETOS de Shakespeare.* Tesis inédita, Universidad de Granada.

Martín Fernández, L. (1992): *La recepción de Knut Hamsun en España.* Tesis inédita, Universidad Complutense de Madrid.

Medina Guerra, A.M. (1993): *Los diccionarios bilingües con el latín y el español.* Tesis inédita, Universidad de Málaga.

Merino Alvarez, R. (1992): *Teatro inglés en España: ¿Traducción, adaptación o destrucción? Algunas calas en textos dramáticos.* Tesis, Universidad de León.

Meya Llopart, M. (1979): *Aproximación a la traducción automática del español al alemán: Modelo de procesamiento semántico de datos lingüísticos.* Tesis, Universidad de Barcelona.

Mitja, V. (1989): *Las locuciones francesas en el campo semántico de la comida y su traducción al español.* Univ. Complutense de Madrid. Tesis inédita.

Mogorron Huertas, P. (1994): *Las expresiones ser/estar + preposición y être + préposition: Estudio contrastivo.* Tesis inédita dirigida por B. Lépinette, Univ. Valencia.

Morrás Ruiz-Falcó, M. (1993): *Alonso de Cartagena: Edición y estudio de sus traducciones de Cicerón.* Tesis en microficha, Universidad Autónoma de Barcelona.

Muñoz Calvo, M. (1988): *Ediciones y traducciones españolas de los sonetos de W. Shakespeare: análisis y valoración crítico.* Universidad de Zaragoza. Tesis, 2 vols., Public. de la Univ.

Navarro Errasti, M.P. (1979): *Estudio lingüístico comparativo de la primera traducción inglesa del* ***Buscón***. Tesis inédita, Universidad de Zaragoza.

Padilla Benítez, P. (1995): *Procesos de memoria y atención en la interpretación de lenguas.* Tesis. Universidad de Granada.

Pajares Infante, E. (1989): *Richardson en España: Ediciones, Traducciones e Influencias.* Universidad de León, tesis inédita.

Pegenaute Rodríguez, L. (1993): *Tristram Shandy: Problemas de traducción al español (De la teoría a la práctica).* Tesis inédita, Universidad de León.

Pinto Muñoz, A. (1976): *D.H. Lawrence: Estudio comparado de las dos versiones de un mismo relato.* Tesis inédita, Universidad de Salamanca.

Pliego Sánchez, I. (1993): *Teoría y práctica de la traducción literaria.* Universidad de Sevilla. Tesis inédita.

Praga Terente, I. (1981): *Lewis Carroll en España: Problemas de Traducción.* Universidad de Valladolid. Tesis.

Puigdomenech Forcada, H. (1977): *Contribución al estudio de Maquiavelo en España.* Tesis. Universidad de Barcelona.

Rabadán Alvarez, R. (1991): *Equivalencia y traducción: Problemática de la equivalencia translémica inglés-español.* Public. de la Universidad de León. Tesis.

Regales Serna, A. (1983): *La traducción automática.* Oviedo, Ediciones Pentalfa. Tesis en microficha.

Requena Marco, M. (1979): *Las traducciones castellano-medievales de **La Biblia** y la edición del **Libro de la Sabiduría** según el ms. Escorial I.j.4*. Tesis inédita, Universidad Autónoma de Barcelona.

Ribas Pujol, A. (1994): *Opción y coacción en la traducción literaria: Clasificación y estudio de divergencias entre el original de "Mémoires d'Hadrien" de Marguerite Yourcenar y la traducción castellana de Julio Cortázar*. Tesis inédita dirigida por Maria Angeles Caamaño, Universidad de Barcelona.

Ruiperez, G. (1995): *Enseñanza de lenguas y traducción con ordenadores*. Madrid, Ediciones Pedagógicas.

Sáez Hermosilla, T. (1980): *Verlaine en castellano*. Tesis public. en extracto por Univ. de Extremadura, 1981.

San Ginés Aguilar, P. (1989): *Planteamientos generales de la traducción*. Dirigida por Jesús Cascón, Universidad de Granada, Tesis inédita.

Sánchez García, M. (1994): *Desplazamientos léxico-semánticos en **El cuarteto de Alejandría** de Lawrence Durell: Un ejercicio en traductología descriptiva con un enfoque funcional combinado*. Tesis inédita, Universidad de Granada.

Seres Guillén, G.R. (1987): *La traducción parcial de la **Iliada** del siglo XV: Estudios y textos complementarios*. Tesis inédita, Universidad Autónoma de Barcelona.

Sevilla Muñoz, J. (1987): *Los animales en los dichos, refranes y otras expresiones en francés y en español*. Dirigida por Jesús Cantera, Univ. Compl. de Madrid, Tesis inédita.

Shu Li, Y.F. (1986): *Problemática de la traducción: estudio crítico de las versiones inglesa y española de Chuang-Izu*. Tesis inédita, Universidad de Valencia.

Sierra Soriano, A. (1993): *La lexicografía bilingüe francés-español*. Dirigida por B. Lépinette en la Univ. de Valencia, tesis en microficha.

Sojo Rodríguez, F. (1991): *Léxico del libro del **Génesis** de la **Vulgata***. Tesis inédita, Universidad de Málaga.

Sopeña Balordi, A.E. (1983): *Analyse contrastive français-espagnol et étude taxinomique des procédés de traduction littéraire*. Dirigida por E. Moreu-Rey, Universidad de Barcelona, tesis en extracto.

Tolivar Alas, A.M. (1987): *Traducciones y adaptaciones españolas de Racine en el siglo XVII*. Tesis inédita, Universidad de Oviedo.

Tortosa Muñoz, F. (1979): *Versiones españolas de UNA novela de Simeón: Aportaciones a un estudio contrastivo de francés y español*. Universidad de Granada, tesis inédita.

Tresaco Belio, M.P. (1982): *Estudio contrastivo de las formas temporales del francés y del español.* Dirigida por Alicia Yllera, Universidad de Zaragoza, tesis publ. en extracto por Univ.

Valero Garcés, C. (1990): *Aspectos de la traducción de la novela* ***The Scarlet Letter*** *de N. Hawthorne: Propuesta metodológica de evaluación crítica de sus traducciones y aplicación.* Tesis. Universidad de Zaragoza.

Verdaguer Clavera, I. (1981): *El Guzmán de Alfarache en Inglaterra. Estudio de las diferentes versiones.* Universidad de Barcelona. Tesis publicada en extracto.

6. ÍNDICE DE AUTORES

C

H

N

O

P

Q

R

S

T

7. PUBLICACIONES CITADAS
(Referencias bibliográficas)

ACTAS DE CONGRESOS, COLOQUIOS O SIMPOSIOS, HOMENAJES
(No incluye las actas citadas en el capítulo 2)

AEDEAN (Asociación Anglo-norteamericana)

Actas del VII Congreso de la AEDEAN, Madrid 1984. Madrid 1995, Universidad UNED.

Actas del IX Congreso Nacional de la AEDEAN, Murcia 1985, publicadas en 1986. Dpto. de Filología Inglesa y Alemana de la Universidad de Murcia.

Actas del X Congreso Nacional de la AEDEAN, Zaragoza.

Actas del XII Congreso Nacional de la AEDEAN, Alicante 1988.

Actas del XIV Congreso Nacional de la AEDEAN, Vitoria, publicadas por F. Eguíluz & al. Universidad del País Vasco.

Actas del XV Congreso Nacional de la AEDEAN, Logroño, publicadas por F.J. Ruíz de Mendoza & C. Cunchillos (1991). Universidad de La Rioja.

AESLA (Asociación Nacional de Lingüística Aplicada)

Actas del II Congreso Nacional de Lingüística Aplicada (AESLA),publicadas en 1985. Madrid, SGEL.

Actas del III Congreso Nacional de Lingüística Aplicada (AESLA), Valencia abril 1985: *Pasado, presente y futuro de la lingüística aplicada en España*, publicadas por F. Fernández (1986).

Actas del IV Congreso Nacional de Lingüística Aplicada (AESLA), Córdoba abril 1986: *Lenguaje y Educación*, 2 vols., publicadas por A. León Sandra (1989). Universidad de Córdoba.

Actas del VI Congreso Nacional de Lingüística Aplicada (AESLA), Santander, Abril 1988: *Adquisición de Lenguas: Teorías y Aplicaciones*, publicadas por T. Labrador Gutiérrez, R.M. Sainz de la Maza, R. Viejo García (1989). Universidad de Cantabria.

Actas del VII Congreso Nacional de Lingüística Aplicada (AESLA), Sevilla abril 1989, publicadas por F. Garrudo Carabias, J. Rincón (1990). Dpto. de Filología Inglesa de la Universidad de Sevilla.

Actas del VIII Congreso Nacional de Lingüística Aplicada (AESLA), Vigo Mayo 1990, publicadas por J.R. Losada Durán, M. Mansilla García (1990). Facultad de Letras (F. Inglesa) Universidad de Vigo.

Actas del IX Congreso Nacional de Lingüística Aplicada (AESLA), Bilbao: *Bilingüismo y adquisición de lenguas*, publicadas por F. Etxeberria, J. Arzamendi (1992). Dpto. de Pedagogía del Lenguaje de la Universidad del País Vasco.

Actas del XI Congreso Nacional de Lingüística Aplicada (AESLA), Valladolid 1993, publicadas por J.M. Ruiz Ruiz, P. Sheerin Nolan, E. González - Cascos (1995). Universidad de Valladolid.

HOMENAJES A PROFESORES, INVESTIGADORES Y ESCRITORES.

Estudios de Filología Inglesa: Homenaje al Dr. Pedro-Jesús Marcos Pérez. Publicados por F. Rodríguez González (1990). Dpto. de Filología Inglesa de la Universidad de Alicante.

Estudios Filológicos en Homenaje a Eugenio de Bustos Tovar. Publicados por J.A. Bartol Hernández (1992). Universidad de Salamanca, 2 vols.

Estudios Humanísticos en Homenaje a Luis Cortés Vázquez. Publicados por Roberto Dengler Gassin(1991). Universidad de Salamanca.

Estudios Románicos dedicados al profesor Andrés Soria Ortega. Universidad de Granada, 2 vols.

Homenaje a Alvaro Galmés de Fuentes. Oviedo, Universidad y Gredos, 1987.

Homenaje al profesor J. Bosch Vilá. Universidad de Granada, 1991.

Homenaje al profesor Antonio Gallego Morell. Universidad de Granada, 1989.

Homenaje al profesor Antonio Vilanova. Publicado por A. Sotelo, M.C. Carbonell (1989). Universidad de Barcelona, 2 vols.

Joyce en España. Actas publicadas por F. García Tortosa, A.R. Toro Santos (1994). Universidad de La Coruña, 2 vols.

Miscel.lània d'Homenatge al Dr. Esteve Pujals. 1994.

Miscel.lània d'Homenatge a Enrique García Díez. Publicada por A. López García, E. Rodríguez Cuadros. Universitat de Valencia.

Simposi CARLES RIBA. Actas publicadas por J. Medina, E. Sullà (1986). Publicacions de l'Abadia de Montserrat (Barcelona).

Simposio Homenaje a D.H. Lawrence en su centenario. Dpto. de Filología Inglesa de la Univ. de Granada, 1985.

Studia Patriciae Shaw Oblata. Publicada por S. González Fernández-Corugedo (1991). Universidad de Oviedo, 2 vols.

JORNADAS PEDAGÓGICAS SOBRE LA ENSEÑANZA DEL FRANCÉS EN ESPAÑA

Actas de las X Jornadas Pedagógicas sobre la enseñanza del Francés en España: *Langue et méthodologie, Littérature et Civilisation, Informatique et FLE,* publicadas por A. Blas, C. Mestreit, M. Tost (1988). Barcelona, Publicacions de l'ICE de l'Universidad Autónoma.

Actas de las XI Jornadas Pedagógicas sobre la enseñanza del Francés en España. *Approches diverses du FLE, Traduction et Littérature,* publicadas por C. Mestreit, M. Tost (1988). Barcelona, Publicacions de l'ICE de l'Universitat Autonoma.

Actas de las XII Jornadas pedagógicas sobre la enseñanza del francés en España. / Ecriture, Analyse textuelle, Littérature., publicadas por C. Mestreit & M. Tost (1989). Barcelona, Publicacions de l'ICE de l'Universitat Autónoma

Actas de las XIII Jornadas Pedagógicas sobre la enseñanza del Francés en España. *Apprentissages, Adquisition: Langue, Littérature, Civilisation,* publicadas por R. Gauchola, C. Mestreit, M. Tost (1990). Barcelona, Publicacions de l'ICE de l'Universitat Autónoma.

Actas de las XIV Jornadas pedagógicas sobre la enseñanza del francés en España: *Méthodologie, formation, pragmatique et analyse textuelle*, publicadas por R. Gauchola, C. Mestreit, M. Tost (1991). Barcelona, Publicacions de l'ICE de la Universidad Autónoma.

Actas de las XV Jornadas Pedagógicas sobre la enseñanza del Francés en España (febrero - marzo 1991). *Actes de la section de français du I Congrés International sur l'enseignement du français en Espagne: Les Langues étrangères dans l'Europe de l'Acte unique*, publicadas por R. Gauchola, C. Mestreit, M. Tost (1991). Barcelona, publicacions de l'ICE de l'Universitat Autònoma.

Actes des XVIes, XVIIes et XVIIIes Journées Pedagogiques sur l'enseignement du français en Espagne (Recueil d'interventions). Publicadas por R. Gauchola, C. Mestreit, M.A. Tost (1995) *Enseignement / Apprentissage du FLE: Repères et applications*. ICE de l'Universitat Autonoma de Barcelona.

ACTAS DE DIVERSOS CONGRESOS

Actas de las I Jornadas de intercambio de experiencias didácticas en la Universidad. Publicadas por el ICE de la Universidad de Granada, 1985.

Actas del III Congreso Nacional de Italianistas, publicadas por V. González Martín. Universidad de Salamanca, 1988.

Actas del IV Congreso Internacional de Estudios Galdosianos, publicadas por el Cabildo Insular de Las Palmas de Gran Canaria, 1993

Actas de las Jornadas de Hispanismo Arabe (Madrid mayo 1988), publicadas por F. de Agreda (1990). Madrid, Agencia Española de Cooperación Internacional.

Actas de las Jornadas Internacionales de Lingüística Aplicada, publicadas por J. Fernández-Barrientos Martín (1993). Granada, ICE de la Universidad.

Actas de las Segundas Jornadas Internacionales de Didáctica del Español como lengua extranjera. Madrid, Ministerio de Cultura.

Actas del Congreso de la Sociedad Española de Lingüística: XX Aniversario, publicadas por M.A. Alvarez Martínez. Madrid, Gredos.

Actas del Congreso Luso-Hispano de Lenguas Aplicadas a las Ciencias y la Tecnología: *Lenguas para fines específicos: temas fundamentales*, publicadas por R. Alejo, M. McGinity, S. Gómez (1994). Dpto. de Filología Inglesa de la Universidad de Extremadura.

Actas del Encuentro Internacional, Las lenguas Francesa y Española aplicadas al mundo de la empresa (Zaragoza octubre 1991), publicadas por F. Corcuera y A. Domínguez (1993). Dpto. de Filología Francesa de la Universidad de Zaragoza.

Actas del I Congreso Internacional de la Sociedad Española de Lengua y Literatura Inglesa Medieval (SELIM). Universidad de Oviedo.

Actas del I Coloquio Internacional de Lingüística Francesa: *La lingüística francesa, situación y perspectivas a finales del siglo XX* (Zaragoza 1993), publicadas por J.F. Corcuera, M. Djian, A. Gaspar (1994). Dpto. de Filología Francesa de la Universidad de Zaragoza.

Actas del II Coloquio Internacional de Lingüística Francesa: *La Lingüística Francesa: gramática, historia y epistemología* (Sevilla 1995). Dpto. de Filología Francesa de la Universidad de Sevilla (en prensa).

Actas del II Congreso Internacional: Encuentro de las Tres Culturas. Toledo, Ayuntamiento de Toledo.

Actas del III Congreso Nacional de Italianistas, publicadas por V. González Martín. Universidad de Salamanca, 1988.

Actas del IV Congreso de Lenguajes Naturales y Lenguajes Formales, publicadas por C. Martín Vide (1989). Universidad de Barcelona.

Actas del IV Simposio Internacional de la Asociación Andaluza de Semiótica, Córdoba 1986, publicadas por P. Moraleda García y A. Sánchez Fernández (1992). Universidad de Córdoba.

Actas del VII Congreso Español de Estudios Clásicos. Madrid, Universidad Complutense, 2 vols., 1987.

Actas del III Congreso Nacional de la ASELE: *El español como lengua extranjera*, publicadas por S. Montesa Peydró, A. Garrido Moraga. Universidad de Málaga.

Actas del VIII Congreso Internacional de Hispanistas. Madrid, Istmo, vol. II.

Actes du Colloque international sur Marguerite Yourcenar, Valencia 1984, publicadas por E. Real (1986). Universidad de Valencia.

Actas del Congreso Internacional Miguel de Unamuno: Cincuentenario 1936-1986. Salamanca.

Actas del V Congreso de la Sociedad Española de profesores de Alemán: *Filología Alemana y Didáctica del Alemán*, publicadas por A. Regales Serna (1992). Universidad de Valladolid.

Actas del I Congreso de Littératures Francophones. Universitat de Valencia 1992.

Actas del II Coloquio de Filología Francesa en la Universidad Española, Almagro 1993, publicadas por J. Bravo (1994). Universidad de Castilla-La Mancha.

Actas del II Congreso Internacional de la Sociedad de Didáctica de la Lengua y la Literatura, Las Palmas de Gran Canaria 1992, publicadas por A. Delgado y F. Menéndez (1992), nº 3 de la revista *El Guiniguada*.

Actas del I Simposio sobre *Lingüística aplicada y tecnología*, Valencia, publicadas por J. Calvo Pérez.

PUBLICACIONES PERIÓDICAS

Alcántara: Revista del Seminario de Estudios Cacereños. Cáceres.

Alfinge. Facultad de Letras de la Universidad de Córdoba.

Analecta Malacitana. Revista de la Sección de Filología de la Facultad de Letras de la Universidad de Málaga.

Anales Cervantinos. Instituto de Filología del CSIC, Madrid.

Anales de Filología Francesa. Dpto. de Filología Francesa de la Universidad de Murcia.

Anales de la Universidad de Cádiz nº 7-8: Homenaje a D. Antonio Holgado. Universidad de Cádiz.

Anales de Literatura Española. Dpto. de Literatura Española de la Universidad de Alicante.

Anuari de Filologia. Facultat de Filologia de l'Universitat de Barcelona.

Anuario de Estudios Filológicos. Facultad de F. y Letras de la Universidad de Extremadura. Cáceres.

Archivum. Revista de la Facultad de Letras de la Universidad de Oviedo.

Atlantis. Revista de la Asociación Española de Estudios Anglo-Norteamericanos. Madrid y Salamanca.

Babel: Revista de los estudiantes de la EUTI. Facultad de Traducción e Interpretación de la Universidad de Granada.

Barcarola. Revista de Creación Literaria. Diputación Provincial de Albacete.

Bells. Revista de la Sección de Inglés del Dpto. de Anglo-Germánicas de la Universidad de Barcelona.

Boletín de la APETI. Asociación Profesional Española de Traductores e Intérpretes. Madrid: C/ de Recoletos 5, 3º.

Boletín de la Asociación de Amigos del Libro Infantil y Juvenil. Madrid.

Boletín de la Real Academia Española. R.A.E., Madrid.

Cable. Madrid.

Campus. Revista de Información General de la Universidad de Granada.

Carthaginensia. Revista de estudios e Investigación del Instituto Teológico de Murcia de OFM y de la Universidad de Murcia.

Cauce. Revista de Filología y su Didáctica de la E.U.F.P.E.E.B. de la Universidad de Sevilla.

Cognitiva. Universidad de La Laguna.

Com. Barcelona.

Contextos. Facultad de F. y Letras de la Universidad de León.

Contrastes. Revista internacional de estudios contrastivos español-francés y francés-español. Universidad de Valencia.

Crotalón, El: Anuario de Filología Española. Madrid: El Crotalón.

Cuadernos Cervantes de la lengua española. Universidad de Alcalá de Henares.

Cuadernos de Filología Francesa. Facultad de F. y Letras de Cáceres. Universidad de Extremadura.

Cuadernos de Filología Inglesa. Facultad de Letras de la Universidad de Murcia.

Cuadernos de Filología: Revista del Colegio Universitario. Ciudad Real, Universidad de Castilla-La Mancha.

Cuadernos de Investigación Filológica. Universidad de La Rioja.

Cuadernos de Traducción e Interpretación. Facultat de traducció de l'Universitat Autónoma de Barcelona.

Cuadernos para la investigación de la Literatura Hispánica. Fundación Universitaria Española Menéndez Pelayo de Madrid.

Draco: Revista de Literatura Española. Universidad de Cádiz.

Encuentro.

Enseñar idiomas. Revista de la Escuela Oficial de idiomas de Zaragoza.

Epos. Revista de Filología. Madrid, UNED.

ES (Revista de Filología Inglesa). Dpto. de Filología Inglesa de la Universidad de Valladolid.

Essays on Translation. Ensayos de Traducción. Publicaciones del Dpto. de Filología Inglesa de la Universidad de Extremadura.

Estudis de Llengua y Literatura catalanes. Abadia de Montserrat, Barcelona.

Estudios de Investigación Franco-Española. Facultad de F. y Letras de la Universidad de Córdoba.

Estudios de lengua y literatura francesas. Facultad de F. y Letras de la Universidad de Cádiz.

Estudios de Lingüística. Dpto. de Lengua Española de la Universidad de Alicante.

Estudios de Psicología. Madrid. Edisa.

Estudios Humanísticos: Filología. Facultad de F. y Letras de la Universidad de León.

Estudios Ingleses de la Universidad Complutense. Universidad Complutense de Madrid.

Gaceta de la Traducción. Asociación profesional española de traductores e intérpretes. Madrid.

Gaceta del Libro. Madrid, Promociones Bibliográficas.

Grial. Revista Galega de Cultura. Vigo, Galaxia.

Guiniguada, El. Revista de la Escuela de F.P.E.G.B. de la Universidad de las Palmas de G.C.

Hermes. Sevilla, Círculo de traducción.

Hieronymus Complutensis. Revista del Instituto Universitario de lenguas Modernas y Traductores. Universidad Complutense de Madrid.

Ici-là. Revista de los Profesores de Francés en España. Madrid.

Idiomas. Madrid.

Investigación franco-española. (Ver Estudios de Investigación Franco-Española).

Koiné.

Lenguaje y textos. Revista de la Sociedad Española de Didáctica de la lengua y la literatura. Universidad de La Coruña y de Las Palmas de G.C.

Lenguas Modernas. Revista de la E.O.I. de Zaragoza.

Letra Internacional. Madrid, Editorial Pablo Iglesias.

Livius. Revista de Estudios de Traducción. Universidad de León.

Medicina Clínica. Barcelona, Doyma.

Minerva. Revista de Filología Clásica de la Universidad de Valladolid.

Miscelánea. Revista del Dpto. de Filología Inglesa y Alemana de la Universidad de Zaragoza.

Miscelánea de Estudios Árabes y Hebraicos. Dpto. de Estudios Semíticos de la Universidad de Granada.

Nueva Revista de Enseñanzas Medias. Madrid, M.E.C.

Paremia. Asociación Cultural Independiente. Madrid.

Quimera. Barcelona, Editorial Montesinos.

Razón y Fe. Madrid, De. Razón y Fe.

Revista Alicantina de Estudios Ingleses. Dpto. de Filología Inglesa de la Universidad de Alicante.

Revista Canaria de Estudios Ingleses. Universidad de La Laguna.

Revista de Catalunya. Barcelona, Fundació Revista de Catalunya.

Revista de Filología. Universidad de La Laguna.

Revista de Filología Francesa. Facultad de Filología de la Universidad Complutense de Madrid.

Revista de Filología Románica. Universidad Complutense de Madrid.

Revista del Departamento de Filología Moderna. C. Real. Universidad de Castilla - La Mancha.

Revista de Lenguas para Fines específicos. Universidad de Alcalá de Henares.

Revista de Lingüística Aplicada. Madrid, Asociación Española de Lingüística Aplicada.

Revista de Literatura. Instituto de Filología del CSIC. Madrid.

Revista Española de Lingüística. Madrid, Gredos.

Revista Hispanorama. Diputación Provincial de Toledo.

Sefarad. Revista de la Escuela de Estudios hebraicos, sefardíes y de Oriente Próximo. CSIC. Madrid.

Sendebar. Revista de traducción e interpretación de la Universidad de Granada.

Señez: Itzulpen eta Terminologiazko Aldizkaria. San Sebastian, Itzultzaile Eskola.

Studia Historica / Historia Medieval. Universidad de Salamanca.

Studia Zamorensia. Colegio Universitario de Zamora.

Telmos.

Telos. Cuadernos de Comunicación, Tecnología y Sociedad. Madrid, FUNDESCO.

Universitas Tarraconensis. Facultad de F. y Letras de Tarragona.

Vasos Comunicantes. Revista de la sección autónoma de traductores de libros de la ACE. Madrid.

Viceversa. Revista Gallega de Traducción. Departamento de Filología Gallega de la Universidad de Vigo.

Yelmo. Revista del Profesor de Español. Madrid.